W9-CDA-523

Ryan 63-14017 (4-21-67)

VISAGES de FRANCE

ROBERT W. LOWE, Georgetown University

THE ODYSSEY PRESS · INC · NEW YORK

WINGATE COLLEGE LIBRARY
WINGATE, N. C.

COPYRIGHT 1964, THE ODYSSEY PRESS, INC.

ALL RIGHTS RESERVED. PRINTED IN THE UNITED STATES OF AMERICA

Library of Congress Catalog Card Number 63-14017

A 0 9 8 7 6 5 4 3 2

ACKNOWLEDGMENTS

We are indebted to the following sources for the illustrations in this book.

French Government Tourist Office, 610 Fifth Avenue, New York, N. Y. 10020
Pages 6, 8, 21, 24, 32, 46, 48, 49, 61 (bottom), 70, 74, 76, 80, 110 (top), 110 (bottom), 116, 125, 141, 151, 168 (top), 173, 180, 192, 195.

French Embassy Press & Information Division, 972 Fifth Avenue, New York, N. Y. 10021
Pages 19, 27, 31, 33, 43, 56, 61 (top), 67, 88, 90, 91, 105, 130, 135, 145, 152, 156, 159, 168 (bottom), 186, 189, 191, 197, 198, 207.

French Cultural Services, 972 Fifth Avenue, New York, N. Y. 10021
Pages 37, 41, 129.

France Actuelle, 221 Southern Building, Washington, D. C. 20005
Pages 85, 120, 178.

S. N. C. F., Paris, France
Page 122.

Air-France, Paris, France
Page 120.

PREFACE

... Mais je tiens sans cesse
Qu'il faut en riant instruire la jeunesse

Molière

This is a cultural, not a literary reader. The material serves to introduce the student to various aspects of French civilization, from geography to thought and humor. No attempt has been made to give a complete chronological account of French history or literature. My chief purpose has been to present a general background of such elements in France's evolution as I find helpful for an understanding of the France of our times.

My own experience as a teacher has convinced me that this type of "area" study is the most fruitful and interesting way to widen in the early stages the student's knowledge of French as well as of France.

To lighten the more serious reading matter, numerous short anecdotes, poems, proverbs, and puzzles have been interspersed throughout the book. The questions at the end of the chapters are intended to direct the student back to the text for re-examination of the material read, to test his assimilation of this material, and to help initiate classroom discussion and practice in conversation.

The *Sujets de Composition Libre* can be used as a basis for both written and oral exercises. They have been chosen with a view to encourage the student to think independently of the text and to consult outside sources. Most words and phrases requiring translation or explanation have been included in the vocabulary. There are comparatively few footnotes. Since the thirty-three

34676

chapters were written as self-contained units, the instructor can adapt their sequence to the ability and needs of his particular group of students.

I am indebted to the authors of several histories of France and of other books in the same general field as *Visages de France.* The historical works of Lavisse and Maurois, *Si Tu Viens en France* by Félix Boillot (P.U.F.), *La France d'aujourd'hui* (Hatier), and *Petit Miroir de la Civilisation Française* by François Denoeu (D. C. Heath and Company) have been particularly helpful. I wish to thank the following authors for their kind permission to use material from their publications: Professor François Denoeu for a sentence and an anecdote from the above-mentioned book; Professors Barnett and Helbling for two *Sujets de Composition Libre* from their *Le Langage de la France Moderne* (Holt, Rinehart & Winston, Inc.); Professor Pierre Macy for two anecdotes from his *Petite Histoire de la Civilisation Française;* Professor Harry Kurz for two anecdotes from his *Lectures pour Tous* (Appleton, Century-Crofts); and Professor Anna-Liisa Sohlberg for two dialogues from her *Pension Duval* (Otava, Helsinki).

I also wish to thank Houghton Mifflin Company and Dr. Walter Meiden for their permission to adapt several sentences from *Beginning French* (1940 edition) and Ginn and Company for the use of two items of "Background Discussion" from *Entretiens à Paris* by Craven and Rey.

I am grateful to Messrs. Arthur Beattie, James E. Cracraft, Albert Cru, André Manne, M. S. Pargment, and Georges Vican for their assistance in the preparation of this book.

R. W. L.

CONTENTS

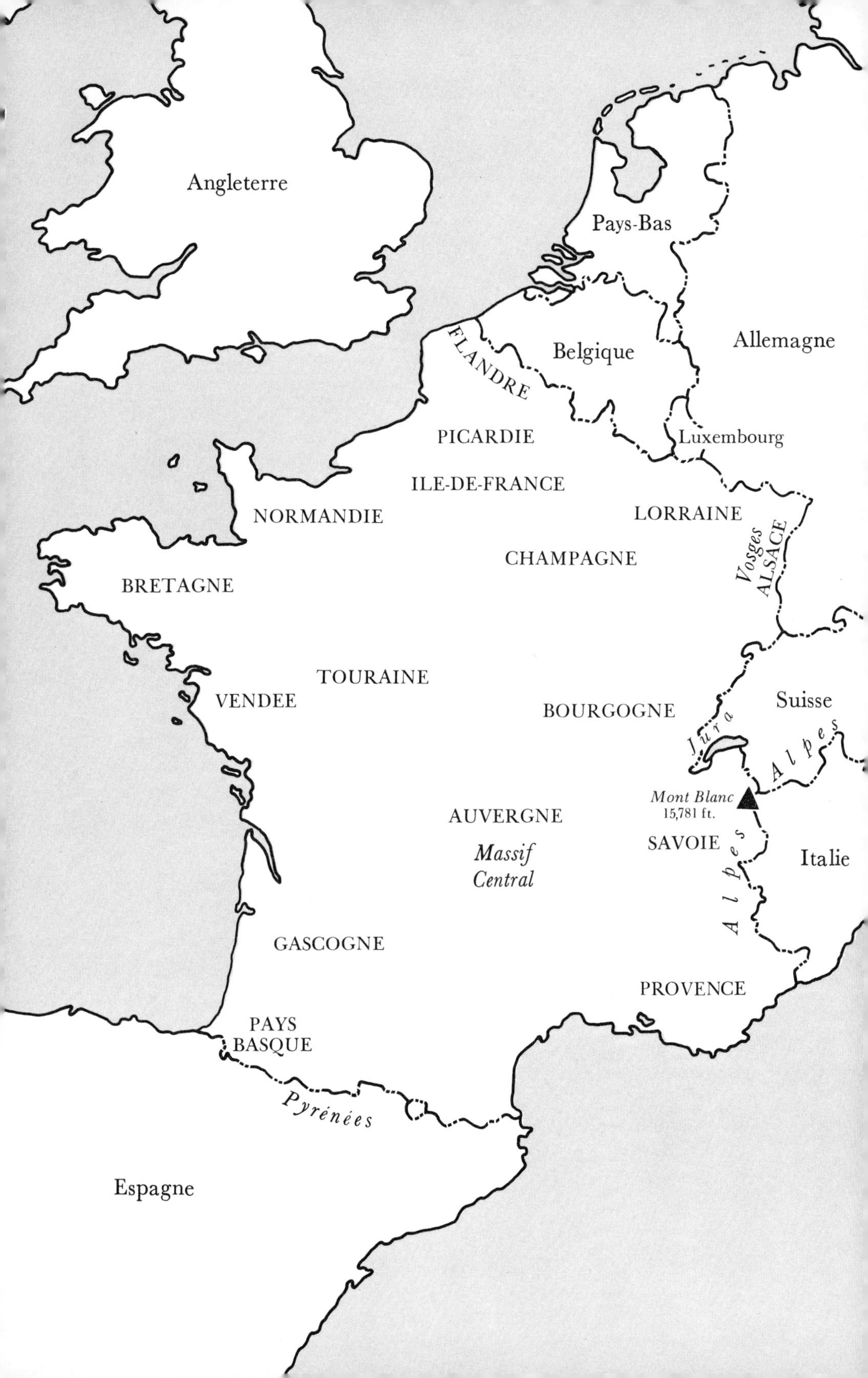
Angleterre
Pays-Bas
Allemagne
Belgique
FLANDRE
Luxembourg
PICARDIE
ILE-DE-FRANCE
NORMANDIE
LORRAINE
Vosges
ALSACE
CHAMPAGNE
BRETAGNE
TOURAINE
VENDEE
BOURGOGNE
Suisse
Jura
Alpes
Mont Blanc
15,781 ft.
AUVERGNE
Massif
Central
SAVOIE
Alpes
Italie
GASCOGNE
PROVENCE
PAYS
BASQUE
Pyrénées
Espagne

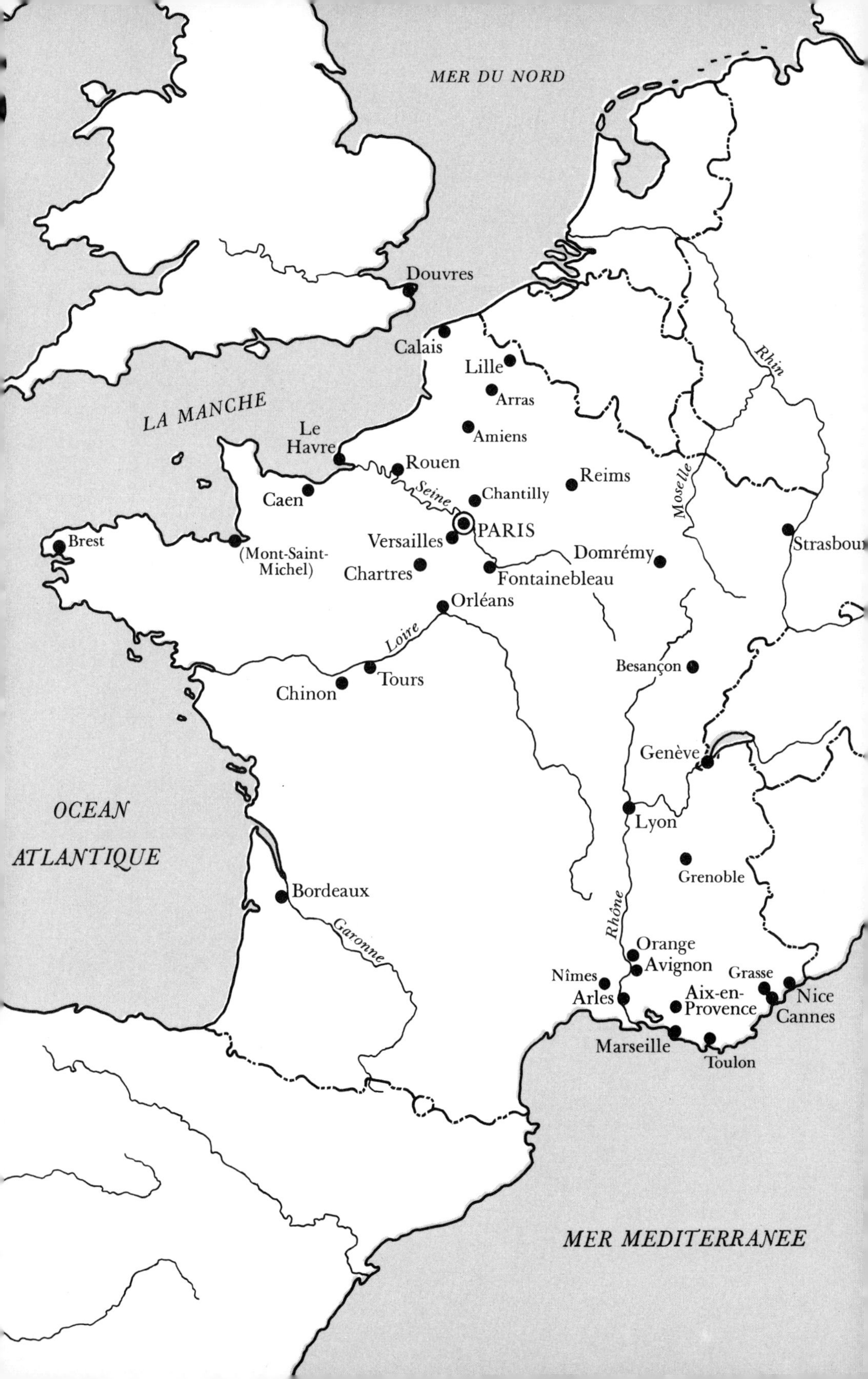
MER DU NORD
Douvres
Calais
Lille
Arras
Amiens
LA MANCHE
Le Havre
Rouen
Seine
Caen
Chantilly
Reims
PARIS
Versailles
Brest
(Mont-Saint-Michel)
Chartres
Fontainebleau
Domrémy
Moselle
Rhin
Strasbou
Orléans
Loire
Tours
Chinon
Besançon
Genève
Lyon
OCEAN
ATLANTIQUE
Grenoble
Bordeaux
Garonne
Rhône
Orange
Avignon
Nîmes
Arles
Aix-en-Provence
Grasse
Nice
Cannes
Marseille
Toulon
MER MEDITERRANEE

VISAGES DE FRANCE

CHAPITRE 1

UN PEU DE GEOGRAPHIE

«Tere de France, molt estes dolz pais.» [1]

La *Chanson de Roland* (XIe siècle)

Si l'on la compare aux Etats-Unis d'Amérique, la France est un petit pays, ayant environ 550,000 kilomètres carrés, ce qui représente à peu près deux fois la superficie de l'état de New-York. Mais c'est le pays le plus grand de l'Europe — à l'exception de la Russie, qui est dix fois plus grande. Il y a en France actuellement plus de quarante-cinq millions d'habitants, parmi lesquels on compte environ un million et demi d'étrangers. Par sa population donc, la France occupe le douzième rang dans le monde. En Europe elle arrive en cinqième rang, derrière la Russie (200 millions), la République fédérale d'Allemagne (55 millions), la Grande-Bretagne (52 millions), et l'Italie (50 millions).

Si vous regardez la carte d'Europe, vous verrez que la France est située à l'extrémité occidentale du continent. Comme pays voisins elle a la Belgique au nord, l'Allemagne, la Suisse et l'Italie à l'est, et l'Espagne au sud. Les Pyrénées séparent la France de l'Espagne. Les Alpes et les Vosges se trouvent entre la France et deux de ses voisins à l'est, l'Italie et la Suisse, mais la frontière du nord-est n'a pas de défenses naturelles. Cette frontière, qui a environ 450 kilomètres, sépare la France de l'Allemagne, du duché de Luxembourg (petit état neutre de 300,000 habitants), et de la Belgique. C'était pour éviter les places fortes installées par les Français du côté de la frontière allemande que les armées

[1] «Terre de France, vous êtes un très doux pays.»

allemandes ont attaqué la France deux fois (1914 et 1939) en passant à travers le Luxembourg et la Belgique.

De la frontière espagnole à la frontière belge, c'est-à-dire des Pyrénées à la Mer du Nord, la France a une longueur de 975 kilomètres environ, sur [2] une largeur moyenne de 880 kilomètres; du nord au sud donc, on traverse à peu près la même distance que de New-York à Chicago. Sa latitude, à égale distance du pôle Nord et de l'Equateur, place la France en pleine zone tempérée, mais le climat de ce pays n'est pas le même partout. La région du nord, par exemple, est humide et exposée aux vents de la mer. Le Midi, d'autre part, qui est baigné par la Mer Méditerranée, possède un climat plutôt sec avec des étés assez chauds et des hivers doux. On a pu dire [3] que la Côte d'Azur, située entre Toulon et Menton, est terre de prédilection des hivernants, et vend du soleil. Il faut signaler, cependant, qu'elle a parfois des vents froids et irréguliers, comme le mistral et la tramontane. C'est à Grasse, près de la Méditerranée, au sud-ouest de Nice, qu'on fabrique les parfums les plus fameux de France. Près de Chamonix, juste à la frontière italienne, se trouve la plus haute montagne d'Europe, le Mont Blanc, s'élevant à 4,808 mètres. Il est ainsi nommé parce qu'il est toujours couvert de neige. Quoique très hautes, les Alpes sont pénétrables: on a creusé en 1963 un tunnel dans leurs flancs qui offre aux voitures un passage rapide entre la France et l'Italie.

Parmi les nombreux fleuves en France, la Seine est le plus navigable et peut-être le plus important pour le commerce. Le Havre, Rouen, ancienne capitale de la Normandie, et Paris sont trois ports importants sur la Seine. La Loire est le plus long des fleuves français avec ses 1,000 kilomètres, soit [4] le quart de la longueur du Mississippi. Le long de ses bords, qui traversent la Touraine, se trouvent les beaux châteaux construits par les rois et les nobles aux seizième et dix-septième siècles, et si intéressants à visiter en excursion de Paris. Le Rhône est torrentueux. Il prend son origine dans les lacs suisses et se jette rapidement dans la Méditerranée en passant par Lyon (troisième ville de France),

[2] **sur** and
[3] **On a pu dire** It has been rightly said
[4] **soit** that is to say

Avignon et Arles. L'historien Michelet l'a comparé à un «taureau furieux, descendu des Alpes et qui court à la mer». C'est le Rhin qui forme la frontière principale entre l'Alsace et l'Allemagne.

A l'ouest de la France se trouve l'Océan Atlantique. Les Français donnent le nom de la Manche à la mer qui les sépare de l'Angleterre. Pour traverser la Manche de Douvres à Calais, une distance de 39 kilomètres, il faut seulement une heure à une heure et demie de[5] bateau. A cause du Marché Commun, on parle beaucoup de nos jours de construire un tunnel sous la Manche ou un pont capable de réunir les deux pays par chemin de fer et automobile.

DICTONS

Les petits ruisseaux font les grandes rivières.
Les rivières sont des chemins qui marchent. (*Blaise Pascal*)
Après la pluie le beau temps.

TROIS DEVINETTES

— Quelle est la différence entre un écolier et une rivière?
— Le premier est obligé de se lever de bon matin pour aller en classe, tandis que la rivière «suit son cours» sans sortir de son lit.

— Pourquoi la France et l'Angleterre s'entendent-elles si cordialement?
— C'est qu'elles se tiennent par la Manche.

— Quel est le comble de l'étonnement pour un professeur de géographie?
— Voir un fleuve suivre son cours.

CARTE DU JOUR

— Pourquoi n'avez-vous pas appris votre leçon de géographie?
— Il vaut mieux attendre. Papa disait hier que de grands événements allaient changer la carte de ce pays.

[5] **de** by

PETIT PROBLEME

L'heure de France est en avance de six heures sur celle de l'Est américain. Quelle heure est-il donc à Paris quand, à New-York, il est six heures moins le quart de l'après-midi?

SUJETS DE COMPOSITION LIBRE

1. Grâce à quels facteurs naturels la France a-t-elle réalisé de bonne heure son unité politique?
2. Quels seraient pour les Français les avantages et les inconvénients d'un tunnel sous la Manche ou d'un pont? Pour les Anglais?
3. Presque toutes les grandes villes françaises sont situées sur un fleuve. Pourquoi?

QUESTIONNAIRE

1. Quelle est la superficie de la France comparée aux Etats-Unis? A la Russie? A l'Europe?
2. Quel pays a la plus grande superficie, la France ou l'Angleterre?
3. Quelle est la population actuelle de la France?
4. Quels sont les pays limitrophes de la France? Donnez-en la position géographique.
5. Quelle est la latitude de la France?
6. Quel est le climat de la France en général? Celui du Nord? Celui du Midi?
7. Sur quelle côte va-t-on en hiver pour trouver le soleil?
8. Qu'est-ce que le mistral?
9. Où fabrique-t-on les parfums les plus fameux de France?
10. Quelle est la plus haute montagne d'Europe et où se trouve-t-elle?
11. Nommez quatre fleuves français.
12. Quel fleuve relie Rouen à Paris et à la mer?
13. Quel fleuve forme une des frontières entre la France et l'Allemagne?
14. Expliquez deux sens du mot «manche» en français.

CHAPITRE 2

LES ORIGINES DE LA FRANCE

«Je suis venu, j'ai vu, j'ai vaincu.»
Jules César

Il y a plus de deux mille ans la France se nommait la Gaule et ses habitants s'appelaient les Gaulois. Ceux-ci habitaient d'ordinaire une hutte faite de pierres mal jointes par de la boue, avec un toit en chaume percé d'un trou pour laisser sortir le feu. Les arts leur étaient à peu près inconnus, sauf le travail des métaux. 5
Environ soixante ans avant l'ère chrétienne, les légionnaires romains conduits par Jules César passèrent les Alpes et envahirent ce pays. Les Gaulois, en réalité un mélange de races différentes, n'avaient pas de gouvernement central, et étaient divisés en nombreuses tribus qui se détestaient réciproquement et faisaient 10
sans arrêt la guerre les unes aux autres.

C'est cette anarchie qui rendit la conquête plus facile aux Romains. En outre, c'était une lutte de soldats contre paysans, de légions contre bandes, de balistes contre javelots. Malgré les efforts héroïques d'un chef gaulois d'une vingtaine d'années, 15
Vercingétorix, qui employa la tactique de la «terre brûlée», les Gaulois ont dû, malgré leur grand courage,[1] se retirer dans la petite ville d'Alésia sur une colline en Bourgogne, d'où il devint impossible pour l'armée affamée de sortir.

[1] La bravoure des Gaulois est traditionnelle. On cite souvent cette «gasconnade» des Gaulois interrogés par Alexandre: «Nous ne craignons qu'une chose, c'est que le ciel ne tombe ... Et encore! On le soutiendrait à la pointe de nos lances!»

Les monuments romains étaient solidement construits, comme, par exemple, cet aqueduc, le Pont du Gard.

Vercingétorix comprit alors que toute résistance aux envahisseurs était inutile. Voulant à tout prix sauver la vie des officiers et soldats, il se décide à se sacrifier lui-même. Montant sur son cheval de bataille, il sort tout seul de la porte de la ville et arrive
5 devant le camp de César. Après avoir tourné trois fois au galop autour du tribunal du général romain, l'orgueilleux chef s'arrête, saute à bas de son cheval, et jette son casque et son épée aux pieds du vainqueur. Enfin il s'avance lentement, s'agenouille, sans prononcer un mot, et tend ses mains ouvertes. Mais César
10 refusa de comprendre ce geste consacré du vaincu qui avoue sa défaite. Le Romain se fâcha et insulta son rival, en lui reprochant sa trahison. Vercingétorix ne répondit rien. Par la suite César ne se montra pas généreux envers le jeune chef gaulois. Vercingétorix fut envoyé à Rome où il dut rester en prison pendant

six ans. Quand César eut fini sa conquête de toute la Gaule, il rentra à Rome comme dictateur, enchaîna son prisonnier à son char de triomphe, puis, après le défilé, il le fit exécuter.

La conquête romaine donna aux Gaulois la paix, une civilisation supérieure et une grande prospérité économique, mais aux dépens 5 de leur liberté politique. Pendant cinq cents ans la Gaule ne sera qu'une autre province de l'empire romain. Cette domination laissa des traces profondes et permanentes sur la civilisation et les mœurs primitives des Gaulois.

Les Romains créèrent d'abord des routes solides, dallées de 10 larges pierres. Aujourd'hui encore, les routes nationales françaises suivent souvent la ligne des voies romaines. Les Romains étaient de grands architectes. Les monuments romains étaient si solidement construits que quelques-uns se sont conservés presqu'intacts, surtout dans le Midi. La «Maison Carrée» de 15 Nîmes, les Arènes d'Arles où les Gaulois applaudissaient les combats de gladiateurs, le Théâtre d'Orange, bâti pour 30 mille spectateurs, le Pont du Gard (aqueduc de 269 mètres, haut de 48 mètres), sont des vestiges de cette civilisation.

Les Gaulois se mêlèrent aux Romains par des mariages et 20 formèrent un nouveau peuple, différent des Romains, que l'on appelle Galloromain. Quand, à partir du second siècle après Jésus-Christ, les Romains d'Italie devinrent chrétiens, les Gaulois abandonnèrent leur religion druide et se firent chrétiens, eux aussi. Les Gaulois parlaient une langue celtique, mais, au bout 25 de quatre siècles, le latin populaire des soldats, administrateurs, marchands et colons venus de Rome avait complètement éliminé le celtique sauf en Bretagne. Les missionnaires chrétiens contribuèrent beaucoup sans doute à propager le latin populaire en l'adoptant au IIIe siècle pour évangéliser les masses. Lyon, fondé 30 en 43 avant Jésus-Christ, fut la métropole, la capitale politique et religieuse de la Gaule romaine.[2]

A cause du déclin de l'empire romain pendant le quatrième siècle après Jésus-Christ, les Galloromains n'avaient plus la force de résister aux attaques des Francs, un peuple germanique qui, 35

[2] C'est pourquoi le cardinal-archevêque de Lyon porte toujours, officiellement, le titre de «Primat des Gaules».

Arènes et théâtre d'Arles, vestiges de l'occupation romaine.

arrivant par le Rhin, s'établit en Gaule. Peu à peu les Francs conquirent le territoire de la France actuelle, grâce surtout à un de leurs chefs, Clovis (466–511). Les Francs instituèrent le système féodal mais ne réussirent pas à imposer leur langue. Au contraire, ils se laissèrent absorber par les races conquises, et suivant l'exemple de Clovis, devenu leur roi, et de sa femme Clotilde, se firent chrétiens. C'est de ces barbares nordiques que vient le nom de *France*, c'est-à-dire, le pays des Francs, de même que l'Angleterre s'appela ainsi après les invasions des Anglo-Saxons.

La fusion des Gaulois, des Romains et des Francs donna naissance à une race nouvelle, celle des Français, et à une langue nouvelle, le français. Charlemagne (Carolus Magnus),[3] petit-fils de Charles Martel, était un Franc. Guerrier puissant, protecteur des lettres et sage administrateur, Charlemagne fonda un immense empire qui comprenait la Gaule, une grande partie de la Germanie (l'Allemagne actuelle), l'Italie, et le nord de l'Espagne. Il fut couronné empereur d'Occident par le pape à Rome en 800. Comme le roi Arthur d'Angleterre, Charlemagne aussi figure dans les premiers poèmes de la littérature française. Effectivement, huit siècles après Vercingétorix, apparaît un deuxième héros français, le jeune chevalier Roland, commandant de l'arrière-garde de Charlemagne. La *Chanson de Roland*, poème épique anonyme et premier chef-d'œuvre de la langue française, raconte la mort héroïque de ce paladin à Roncevaux dans les Pyrénées, pendant la guerre contre les Maures, et les efforts de Charlemagne pour le sauver. Voici quelques strophes d'un poème de l'époque romantique où Alfred de Vigny (1797–1863), s'inspirant de la légende de Roland, décrit comment ce fier chevalier faisait retentir son miraculeux *olifant* (cor d'ivoire), pour avertir Charlemagne de l'embuscade dressée contre son arrière-garde:

... Et l'Empereur poursuit; mais son front soucieux
Est plus sombre et plus noir que l'orage des cieux.

[3] Fondateur de la deuxième dynastie française, les Carolingiens. L'habitude est d'appeler la première les «Mérovingiens», du nom de Mérovée, grand-père de Clovis.

Il craint la trahison, et, tandis qu'il y songe,
Le Cor éclate et meurt, renaît et se prolonge.

«Malheur! c'est mon neveu! malheur! car, si Roland
Appelle à son secours, ce doit être en mourant,
5 Arrière! chevaliers, repassons la montagne!
Tremble encor sous nos pieds, sol trompeur de l'Espagne!»

Sur le plus haut des monts s'arrêtent les chevaux;
L'écume les blanchit; sous leurs pieds,
Roncevaux
10 Des feux mourants du jour à peine se colore.
A l'horizon lointain fuit l'étendard du More.

Roncevaux se colore à peine des feux mourants du jour

«Turpin, n'as-tu rien vu dans le fond du torrent?
— J'y vois deux chevaliers: l'un mort, l'autre expirant.
Tous deux sont écrasés sous une roche noire;
15 Le plus fort dans sa main élève un Cor d'ivoire,
Son âme en s'exhalant nous appela deux fois.»
Dieu! que le son du Cor est triste au fond des bois!

s'exhalant = mourant

Après la mort de Charlemagne, le vaste empire qu'il avait fondé fut divisé en trois royaumes, ceux de France, de Germanie et 20 d'Italie. Ce fut le commencement de la désagrégation de l'autorité centrale. Les rivalités et les luttes recommencèrent aussitôt. Si le roi était puissant, le pouvoir central augmentait; si non, les vassaux étaient les maîtres. En même temps, des bandes de brigands, composées de gens chassés par les invasions de leurs 25 terres ravagées, parcouraient le royaume de France et vivaient de rapines. Favorisés par ces luttes et désordres, des hordes de pirates vikings, venus de Norvège, de Suède et du Danemark, envahirent le nord-ouest de la France pendant tout le IXe siècle. Charles III, le Simple, roi de France de 893 à 929, était très faible. 30 En 911 il proposa donc à Rollon, chef des envahisseurs normands, un traité de paix. Rollon accepta volontiers. Au cours d'une grande fête, le roi lui donna le titre de duc de Normandie. Après la cérémonie, Rollon était sur le point de quitter le camp du roi quand un seigneur l'arrêta, en lui disant: «Avant que vous vous en alliez, il faut que vous vous agenouilliez respectueusement devant le Roi pour lui baiser le pied. C'est la coutume.»

Rollon était, on s'en doute bien, très fier, et n'avait aucune envie de baiser le pied d'un roi en signe de soumission. «Vas-y à ma place», dit-il à un de ses guerriers. Mais ce guerrier était aussi un fier Viking, et n'aimait pas s'agenouiller devant un autre homme. Saisissant le pied du monarque, il le leva très haut pour le porter à ses lèvres. Le roi tomba à la renverse. Tous les Normands éclatèrent de rire ...

Rollon cependant organisa sagement son nouveau duché de Normandie. Installés définitivement en France, lui et ses guerriers barbares se mirent à imiter les seigneurs français, en apprenant leur langue, en adoptant leurs mœurs et en se faisant chrétiens.

Le royaume de France s'était cependant divisé en de nombreux duchés et comtés, lorsque Hugues Capet accepta l'élection au trône de France en 987. Alors s'installe la dynastie forte des Capétiens, qui régnera durant dix siècles. Elle a fait l'unité territoriale du pays et lui a donné une administration qui durera jusqu'à la fin de l'Ancien Régime. 987 et 1789: ce sont là, peut-être, les deux dates les plus importantes de l'histoire de France.

SUJETS DE COMPOSITION LIBRE

1. Comparez le système féodal avec le capitalisme et le socialisme. Lequel des trois systèmes préférez-vous? Pourquoi?
2. Expliquez ce que c'est que la tactique de la «terre brûlée». S'emploie-t-elle aujourd'hui en temps de guerre? Pourquoi?
3. Pourquoi Charlemagne fut-il couronné à Rome?
4. Lorsque Charles Martel et les guerriers francs battirent définitivement les Arabes à la bataille de Poitiers, quelle importance cette victoire a-t-elle eue pour l'Europe?

QUESTIONNAIRE

1. Qui habitait la Gaule avant la venue des Romains?
2. Quand est-ce que Jules César a conquis la Gaule?
3. Pourquoi Jules César a-t-il conquis la Gaule facilement?
4. Montrez que la civilisation gauloise était assez primitive.
5. Quel chef a rallié les Gaulois contre les Romains?
6. Comment Vercingétorix a-t-il sauvé la vie de ses officiers et soldats?
7. De quelle espèce de latin le français est-il sorti?
8. Quel changement de religion s'accomplit en même temps que le changement de langue?
9. Pourquoi certains monuments romains se sont-ils conservés presqu'intacts jusqu'à nos jours?
10. Qu'est-ce que le Pont du Gard? Pourquoi les Romains ont-ils construit ce pont?
11. Par quelle tribu la Gaule romaine a-t-elle été envahie pendant le quatrième siècle?
12. Quelle est la date du couronnement de Charlemagne?
13. Sur quels territoires Charlemagne a-t-il étendu sa domination?
14. Comment a-t-on divisé l'empire de Charlemagne après sa mort?
15. Qu'est-ce que la *Chanson de Roland?* Qui l'a écrite?
16. Décrivez le caractère de Rollon.
17. D'où vient le nom de Normandie?
18. Qui a été élu roi de France en 987? Quelle dynastie a-t-il fondée?
19. Quelle année marque la fin de l'Ancien Régime?

CHAPITRE 3

LA LANGUE FRANCAISE

«La France, c'est d'abord la langue française.»
Marc Blancpain

Le français, comme les autres langues romanes importantes (l'italien, l'espagnol, le portugais), vient de la langue latine. Après la conquête de la Gaule par Jules César, quand ce pays reçut une administration, des garnisons, des fonctionnaires et colons romains, la langue latine remplaça tôt les idiomes celtiques 5 parlés par les Gaulois. Mais ce fut le latin *vulgaire*, argotique, du bas peuple, que les soldats et colons romains importèrent en Gaule. Les mots classiques d'un Cicéron, *caput, pugna, ædificare*, par exemple, étaient remplacés dans la langue latine vulgaire par *testa, batalia, bastire*, qui ont donné naissance par la suite aux 10 mots français *tête, bataille, bâtir*.

Trois siècles après la conquête romaine, le gaulois, une des branches de la langue celtique, semble avoir disparu totalement de la Gaule, sauf en Bretagne. La langue française actuelle n'a conservé qu'un nombre très restreint de mots que l'on puisse 15 ramener à une origine gauloise. Voici quelques mots cités par les écrivains romains comme empruntés au celtique: *beccus, cambiare, carrus*, qui ont donné *bec, changer, char*. Exemples de mots français pris directement au celtique: *balai* et *bijou*.

L'action des idiomes indigènes paraît avoir été plus grande 20 sur la prononciation et sur l'orthographe du vocabulaire du latin gaulois. Les mots latins, par exemple, qui commençaient avec

WINGATE COLLEGE LIBRARY
WINGATE, N. C.

une *s* suivie d'une autre consonne (*sc*, *st*, *sp*), prenaient invariablement dans la bouche du Galloromain un *e* au commencement des mots français correspondants. Ainsi *scala*, *schola*, *status*, *spiritus*, se sont transmutés en *échelle*, *école*, *état*, *esprit*.

5 Le celtique venant à peine d'être remplacé par la langue galloromaine, celle-ci dut se défendre contre les dialectes germaniques parlés par les Francs, qui, dès le quatrième siècle, envahirent les provinces romaines par le nord. Les conquérants francs étaient peu civilisés. Comme leur langue pouvait exprimer moins 10 d'idées que celle des Galloromains, ces Germains oublièrent assez vite leur propre langue. Ils se mirent, eux aussi, à parler celle des vaincus, non sans y introduire un assez grand nombre de mots germaniques. Effectivement, le français est, de toutes les langues d'origine latine, celle qui a fait le plus d'emprunts pour son 15 vocabulaire aux langues teutoniques. Ces additions consistent surtout en termes de guerre et d'institutions politiques et judiciaires importées en Gaule par les Francs. Voici quelques exemples de ces mots: guerre (*werra*), auberge (*heriberga*), maréchal (*marhskalk*). Le plus intéressant de ces vocables est, sans doute, le mot 20 *Francia*, néologisme choisi par les nouveaux maîtres pour désigner le nouveau royaume des Francs formé en Gaule sous Clovis (466–511).

Le vocabulaire de la langue française actuelle n'est donc rien d'autre que le produit du lent développement de la langue vulgaire 25 des Romains, transformée par le changement, transposition et suppression des mots et des syllabes et l'affaiblissement de l'accent tonique, et enrichie par des néologismes d'origine latine et étrangère. Dès le IXe siècle, par exemple, les clercs (savants) ajoutent à cette langue des mots de latin *classique* légèrement francisés, 30 ce qui explique les *doublets: legalitatem* ayant donné *loyauté*, forme populaire; *légalité*, forme savante, etc.

Il est impossible de déterminer avec précision à quelle époque cette langue naissante se sépara définitivement du latin. C'est au moins à la fin du VIIIe siècle qu'il faut remonter pour trouver 35 mention d'une langue *romane* pour la distinguer du *latin* ou du *tudesque* (germanique). Le texte le plus ancien que nous possédions de la nouvelle langue en formation est celui des serments

de Louis-le-Germanique et des seigneurs français, sujets de Charles-le-Chauve, prononcés à Strasbourg en 842, lorsque Louis et Charles se liguèrent contre leur frère Lothaire, pour lui enlever sa part de l'empire de Charlemagne. Cette langue devient littéraire avec la *Cantilène de sainte Eulalie,* premier poème en 5
roman (vers 880).

Se trouvant devant deux cultures rivales, celle du Midi et celle du Nord, la langue romane se divisa de bonne heure en deux idiomes distincts, la langue d'*oc* ou provençal pour le sud, et la langue d'*oïl* ou français, pour le nord. En oïl, on dira *cheval* et 10
chanter; en oc, *cabal* et *cantar.* Les noms de «langue d'oc» et de «langue d'oïl» viennent de ce que «oui» était «oc» au sud, «oïl» au nord.

Les commencements de la poésie française écrite datent du onzième et du douzième siècles. Les poètes du Midi, appelés 15
troubadours, se livraient surtout à la poésie lyrique et célébraient l'amour. Ils avaient pour devise:

A Dieu mon âme,
Ma vie au roi,
Mon cœur aux dames, 20
L'honneur pour moi.

Sous le ciel lumineux de la Provence et du Languedoc, les jongleurs «trouvèrent» de gracieuses pastorales et chansons d'amour, tout pleines de rossignols et de soleil, et destinées à être chantées à l'aube. Cet essor lyrique fut brisé au commence- 25
ment du treizième siècle par la guerre albigeoise. Le provençal, langue majeure du Midi, se fractionna peu à peu en dialectes délaissés et fut remplacé par le français du Nord, plus précisément celui de Paris. Au cours du dix-neuvième siècle les «félibres», entre autres Roumanille et le grand poète Mistral, ont tiré de ces 30
patois un nouveau provençal littéraire.

L'ardeur religieuse et guerrière qui provoqua les Croisades pour délivrer la Terre Sainte, et qui fit construire les vastes cathédrales gothiques, inspira les poètes du Nord, appelés, eux, trouvères, à cultiver surtout le genre épique, les *chansons de geste.* 35
On appelait ainsi au Moyen-Age des récits en vers dont l'action, plus légendaire qu'historique, se déroulait surtout au temps de

Charlemagne. Les épopées en langue d'oïl sont écrites en général en vers de dix syllabes, qui sont groupés en strophes ou *laisses*. La plus célèbre des rhapsodies héroïques du cycle carolingien est la *Chanson de Roland*, écrite vers 1100, par un trouvère anonyme. 5 Elle décrit comment l'arrière-garde de Charlemagne, et avec elle Roland, périt dans une embuscade dressée par l'ennemi lorsque Charlemagne repassa les Pyrénées en 788 à la suite de son expédition en Espagne contre les Sarrasins.

D'après de vieilles légendes bretonnes, *La Table-Ronde* est un 10 ordre de chevalerie institué en Grande-Bretagne par le roi Artus (Arthur) et appelé ainsi parce que les douze pairs venaient s'asseoir pour leurs repas à une table ronde. Les guerriers de la Table-Ronde étaient surtout préoccupés de mériter par leurs prouesses chevaleresques l'amour de leur dame. On désigne de 15 *romans bretons* les longs poèmes composés en langue d'oïl pendant la deuxième moitié du XIIe siècle où se trouvent groupés et développés ces contes celtiques. La figure du roi Arthur y domine comme celle de Charlemagne domine la chanson de geste.

Le plus important des auteurs de ces romans bretons est 20 Chrétien de Troyes, trouvère à la cour (entre 1161 et 1170) de Champagne. On trouve dans ses œuvres, écrites en vers de huit syllabes rimant deux à deux, une peinture, tantôt raffinée, tantôt passionnée, de l'amour courtois du chevalier médiéval qui doit vivre agenouillé devant sa dame, prêt à s'élancer sur un signe 25 d'elle à la rencontre des plus extravagantes aventures. Son *Lancelot, Chevalier à la charrette*, par exemple, raconte les épreuves de ce héros subies par obéissance «courtoise» pour la reine Guenièvre, femme d'Arthur, dont la plus humiliante est de monter dans la charrette des criminels. *Le Chavalier au Lion* décrit les aventures 30 d'Yvain qui, pour la consoler, épouse la dame qu'il avait rendue veuve. Ces légendes ont servi d'inspiration à Tennyson pour ses *Idylls of the King* (1857–1872) et au compositeur allemand Richard Wagner pour son opéra, *Parsifal* (1882).

A partir du XIVe siècle, le roi de France imposa peu à peu son 35 autorité aux nombreuses seigneuries du monde féodal. De même, le dialecte de ce roi, celui de l'Ile-de-France, riche déjà en littérature, remplaça vite les parlers locaux du pays, le normand, le picard, le bourguignon, etc., et même le provençal. A partir du XVIe siècle le *français* est la langue officielle du royaume de France; ce fut d'abord celle de l'administration, puis celle des lettres, du commerce et enfin des sciences. C'est également ce dialecte de l'Ile-de-France qui a prévalu en Wallonie (partie méridionale de la Belgique actuelle) et en Suisse, dans les cantons près de Genève.

SUJETS DE COMPOSITION LIBRE

1. L'influence de la langue française sur le vocabulaire de la langue anglaise.
2. Décrivez l'expansion actuelle de la langue française au-delà de la France. Dans quels pays le français est-il reconnu comme langue officielle?

QUESTIONNAIRE

1. Nommez quatre langues d'origine latine.
2. Quelle langue a remplacé le celtique en Gaule?
3. Pourquoi les Francs se sont-ils mis à parler la langue des Gallo-romains?
4. Nommez trois mots que la langue française a empruntés aux Francs.
5. Quelle est l'origine du mot «France»?
6. Quel est le texte le plus ancien de la langue romane?
7. Quelles sont les deux langues que l'on parlait en France au Moyen-Age?
8. Quelle était la devise des troubadours?
9. Qu'est-ce qu'une chanson de geste?
10. Quel est le thème central de la *Chanson de Roland?*
11. De quelle époque est la *Chanson de Roland?* Qui l'a écrite?
12. Qui a fondé les chevaliers de la Table-Ronde? Décrivez leur concept de l'amour.
13. Pourquoi le dialecte de l'Ile-de-France l'a-t-il emporté sur les parlers locaux?

CHAPITRE 4

LA CUISINE FRANCAISE

Dicton: La faim est le meilleur cuisinier.

La cuisine française jouit d'une grande réputation aux Etats-Unis. On pourrait donc se poser la question: Comment la France a-t-elle acquis une si grande renommée pour sa cuisine? Pour répondre à cette question il faut se rappeler qu'en France les 5 gens ont toujours considéré la cuisine à la fois comme une science et un art. Pour les Français un repas bien choisi, soigneusement préparé et lentement goûté est un véritable chef-d'œuvre. Pour eux la cuisine apparaît une preuve de civilisation: Après tout, on ne mange pas seulement pour assouvir sa faim, pas plus qu'on 10 boit uniquement pour se désaltérer. Les Français ne sont pas plus gourmands que les habitants des autres pays mais beaucoup d'entre eux sont des gourmets.[1]

L'excellence de la cuisine en France a eu ses origines dans le grand intérêt que la femme française prenait dans l'art culinaire, 15 et les heures qu'elle voulait passer à bien préparer ses repas. Elle est encore, avec peu d'exceptions, une excellente cuisinière. Comme les réfrigérateurs ne sont pas encore très communs en France, surtout dans les petites villes, la ménagère économe doit aller presque tous les matins au marché, de sorte qu'elle profite

[1] Signalons ici la différence entre ces deux mots: Un gourmand mange avec excès, tandis qu'un gourmet est capable d'apprécier les nuances délicates dans les plats et les vins. Pour celui-ci la qualité est plus importante que la quantité.

En France la ménagère va presque tous les jours au marché pour acheter des légumes et des fruits frais.

de tous les avantages de prix et de saison pour acheter des légumes frais et des fruits qui sont venus le matin de la campagne. Dans un autre marché elle pourra, par exemple, choisir les poissons qui sont arrivés de la côte pendant la nuit.[2]

La variété des climats dans un pays relativement petit donne 5 à la France une grande abondance de légumes et de fruits appétissants. Ce détail et l'absence de trop de conserves contribuent beaucoup aussi à la renommée de la cuisine française. En outre, la cour royale de Versailles attirait pendant plusieurs siècles des étrangers de partout. Comme des cuisiniers experts expérimen- 10 taient à cette cour les différents plats des diverses régions du pays et de l'Europe, le résultat en a été, paraît-il, que la cuisine française est devenue la plus variée d'Europe.

[2] C'est en 1957 que fut ouvert à Paris le premier supermarché français. A la fin de l'année 1961, il existait 108 supermarchés en France, dont un tiers dans la seule région parisienne.

Les repas principaux en France sont le déjeuner et le dîner. En général on mange très peu le matin au petit déjeuner: du pain ou bien des croissants, des brioches avec du beurre ou de la confiture, et une tasse de café ou de chocolat. En ville un bon 5 repas à midi suit plus ou moins un ordre déterminé: d'abord un plat de hors-d'œuvre variés, comme par exemple, des sardines, des pommes à l'huile, du saucisson, du jambon, des radis, etc., suivi d'une entrée (poisson, plat de pâtes, omelette), et le plat principal, un rôti, de la volaille, garnis généralement de pommes 10 de terre, etc. Ensuite on sert les autres légumes, car ceux-ci sont en général mangés après la viande. D'habitude il y a une salade verte (laitue, endive, escarole, etc., servie elle aussi, à part). Le repas se termine avec un choix de fromages, des fruits en saison ou compotes de fruits, des crèmes, sorbets, ou parfois avec un 15 gâteau. On commence souvent le repas du soir avec une soupe chaude qui remplace les hors-d'œuvre du déjeuner.

Comme boisson à table on sert généralement du vin, blanc ou rouge (parfois rosé), dans lequel on met, si on veut, de l'eau. En principe, on boit du vin rouge avec la viande rouge (mouton, 20 gibier, bœuf), tandis qu'un vin blanc se sert généralement avec la viande blanche (veau, porc, volaille, poisson). Les vins secs se servent au cours du repas, mais on choisira de préférence un «doux» pour le dessert. Ces distinctions sont grossières, bien entendu, comparées à celles que font les connaisseurs, qui dis-25 cutent longuement s'ils doivent choisir tel cru plutôt que tel autre.

Le café ne se sert jamais pendant le repas. Immédiatement après le déjeuner ou le dîner par contre, il est d'usage en France de boire une petite tasse de café très noir et assez amer, ce qu'on appelle en Amérique «demi-tasse», expression qui n'est pas 30 française. Le café est accompagné, dans les grandes occasions, d'un digestif (Bénédictine, Chartreuse, Cointreau, etc.), appelé familièrement «pousse-café». Les Français ne boivent pas autant de lait qu'en Amérique. Avec le lait et la crème ils font du beurre et de nombreux fromages.

35 On mange beaucoup de pain à table. Le Français a été défini comme «un monsieur qui redemande du pain». Certains médecins diraient volontiers: «Le Français, un monsieur qui mange trop de pain.» Le bourgeois allemand prend du ventre en buvant

de la bière, le bourgeois français en mangeant du pain. «Bon comme le pain», «long comme un jour sans pain», disent[3] de vieux dictons français.

[3] **disent** are

QUELQUES PROVERBES

On ne fait pas d'omelette sans casser les œufs. 5
La soupe fait le soldat.
Ventre affamé n'a pas d'oreilles.

POUR UN OUI, POUR UN NON

Deux dîneurs lient connaissance dans un restaurant.

— Moi, dit le premier, je viens ici parce que ma femme ne veut 10 pas faire la cuisine.

— Et moi, dit le second, parce qu'elle veut absolument la faire.[4]

CLARTE FRANÇAISE

— Qu'est-ce qui différencie le gourmand du gourmet?

— Toute la distance qui sépare un vice d'une vertu, c'est-à-dire, 15 une indigestion.

Félix Boillot

[4] **veut ... faire** insists on cooking

Madame est sûrement bonne cuisinière.

SUJETS DE COMPOSITION LIBRE

1. Expliquez les avantages et les désavantages de la boîte de conserve.
2. Commentez la phrase: «La saveur du pain partagé n'a point d'égal».
3. La gastronomie, est-elle pour vous une science ou un art? Justifiez votre réponse.

QUESTIONNAIRE

1. Pourquoi la faim est-elle le meilleur cuisinier?
2. Quelle est la différence entre un gourmand et un gourmet?
3. Où trouve-t-on les origines de l'excellence de la cuisine en France?
4. A votre avis, serait-il préférable de remplacer les petites boutiques françaises par des supermarchés du genre américain?
5. Pourquoi a-t-on une grande abondance de légumes et de fruits en France?
6. Que prend-on en général au petit déjeuner en France?
7. Nommez quelques hors-d'œuvre.
8. Arrangez le menu ci-dessous suivant l'ordre traditionnel: le rôti, les hors-d'œuvre, le dessert, une entrée, les légumes.
9. Avec quel plat commence-t-on souvent le repas du soir en France?
10. Quand sert-on les vins secs? Les vins doux?
11. Qu'est-ce qu'un «pousse-café»?
12. Nommez quelques digestifs.
13. Pourquoi ne boit-on pas autant de lait en France qu'en Amérique?
14. Que diraient volontiers certains médecins du Français?
15. Citez deux dictons français qui ont rapport au pain.
16. Pourquoi les deux dîneurs, prennent-ils leurs repas dans un restaurant?

CHAPITRE 5

AU RESTAURANT

«Il faut manger pour vivre, et non pas vivre pour manger.»

Molière

Même en Amérique les menus de nos bons restaurants sont pleins de mots français pour désigner des plats ou des façons de préparer certains mets. Vous y trouverez souvent des expressions telles que: à la carte, filet mignon, au gratin, au jus, canapé, crêpes Suzette, etc. Nos livres de recette aussi sont pleins de termes 5 français. Puisque nous nous servons de tant de mots français quand nous parlons du restaurant, il vaut la peine de jeter un coup d'œil sur cet aspect caractéristique de la vie française.

Il y a beaucoup de restaurants français dans les grandes villes des Etats-Unis qui sont très estimés, mais lorsqu'on demande 10 aux Français qui demeurent en Amérique ce qu'ils en pensent, ils répondent généralement: «On y mange assez bien, mais ce n'est pas comme en France». On s'imagine trop souvent aux Etats-Unis que les Français ne mangent que des escargots ou des cuisses de grenouille et aiment uniquement les sauces au vin 15 et le champagne.

Pour apprécier la cuisine française en France, il faut évidemment que le touriste choisisse bien les restaurants. A Paris surtout, beaucoup des restaurants les plus renommés se cachent presque, comme s'ils voulaient réserver leurs chefs-d'œuvre 20 culinaires pour des clients de choix. Il ne faut pas donc se laisser tromper trop facilement par l'aspect général du restaurant, car,

Coin dans un petit restaurant de province.

comme dit le proverbe: «Les apparences sont trompeuses». Aux Etats-Unis la cuisine d'un restaurant est quelquefois moins bonne que ne l'indique l'extérieur de la maison; en France elle sera souvent beaucoup meilleure. C'est pourquoi, sans doute, on voit à Paris des gens très chics fréquenter de petits restaurants dont la façade n'inspire pas confiance.

Les restaurants affichent généralement deux sortes de repas: à la carte et à prix fixe. Les repas à la carte sont d'ordinaire les plus chers. Si l'on ne veut pas trop dépenser, on choisira de préférence les repas à prix fixe ou un restaurant de «libre service», ou cafétéria. Quand le service à table est fait par un homme, on l'appelle toujours «garçon» et non «monsieur», mais quand c'est une jeune demoiselle qui fait le service, ou même une femme assez âgée portant une alliance, il faut toujours l'appeler «mademoiselle».

Le touriste américain s'étonne en arrivant en France pour la première fois de voir qu'en général il n'y a pas d'assiette spéciale pour le pain, pas de beurre (sauf pour les hors-d'œuvre), et pas de glace dans son verre d'eau. Il remarque également que le café se boit dans de très petites tasses et ne se sert jamais pendant le repas mais toujours après. Dans les restaurants élégants le garçon apportera l'addition sur une soucoupe ou quelquefois il l'ecrira sur un petit carnet à la table devant les clients. Dans les restaurants où il y a des nappes de papier, le garçon fait souvent l'addition en écrivant sur la nappe. Le pourboire est obligatoire si le prix sur le menu ne comprend pas le service. En payant l'addition il faut ajouter un pourboire d'au moins dix pour cent si le garçon n'a pas déjà compté le service. Le pourcentage à ajouter pour le service est généralement indiqué sur le menu.

Quand on fait un voyage en France, on remarque que la cuisine est différente d'une ville à l'autre. La cuisine provençale, par exemple, a un goût spécial: le goût de l'ail et l'huile d'olive. En traversant le pays, le touriste averti demandera dans les diverses provinces les noms des plats et des vins régionaux et goûtera les spécialités d'une région ou quelquefois d'une ville: les escargots de Bourgogne, les tripes à la mode de Caen, la crème de Chantilly, le nougat de Montélimard, le saucisson d'Arles. L'Alsace, par exemple, produit la meilleure qualité de pâté de foie gras. Si l'on visite Strasbourg, il faudra donc commander un de ces pâtés roses parfumés de truffes et enfermés dans des croûtes et qui sont si délicieux accompagnés d'un verre de Moselle.

---

5 *QUELQUES PROVERBES*

L'appétit vient en mangeant, la soif s'en va en buvant.
Qui dort, dîne.
Poisson sans boisson est poison.
La sauce fait manger le poisson.[1]

10 *PAUVRE MOLIERE!*

Affiché à la porte d'un restaurant: «Si vous ne voulez pas vivre pour manger, mangez au moins pour me faire vivre!»

JEU DE MOTS

— Avez-vous déjà dîné?
15 — Non, je n'en ai encore qu'un (nez).

LE BIFTECK

Un étudiant entre dans un restaurant du Quartier Latin de Paris. Il s'assied à une table et regarde la carte du jour: bifteck minute, pommes de terre à la lyonnaise, salade de laitue, fromage 20 camembert et café. — J'ai très faim! J'espère que le bifteck sera tendre et bien gros, se dit le jeune étudiant, en regardant son corps chétif. Hélas! le morceau de viande que le garçon lui apporte est très mince et petit, et n'est pas du tout tendre.

— C'est toujours la même chose ici: les biftecks sont toujours 25 petits, et si durs! Heureusement qu'il y a beaucoup de pommes de terre, se dit le jeune homme pour se consoler.

A la fin du repas, le propriétaire vient à la table de l'étudiant.

— J'espère, monsieur, dit le «patron» poliment, que vous avez bien mangé. Comment avez-vous trouvé le bifteck?

[1] Se dit d'un plat médiocre mais bien apprêté (assaisonné).

Un petit restaurant provincial en plein air.

— Par hasard, lui répond un peu ironiquement l'étudiant, en soulevant avec ma fourchette une feuille de salade!

DANS UN RESTAURANT

— Garçon, je ne peux manger ce potage.

Le garçon prend l'assiette et apporte un autre potage à son client.

— Garçon, je ne peux pas manger ce potage.

— Mais, Monsieur, pourquoi donc?

— Parce que je n'ai pas de cuiller.

SUJETS DE COMPOSITION LIBRE

1. Composez des menus typiquement français pour trois repas (petit déjeuner, déjeuner et soûper).
2. Quel est le moment le plus agréable de tout un repas? Et le plus désagréable?
3. Décrivez comment vous choisiriez un restaurant dans une ville française.

QUESTIONNAIRE

1. Pourquoi les menus de certains restaurants américains sont-ils pleins de mots français?
2. Comment doit-on juger la valeur d'un restaurant en France?
3. Quelles deux sortes de repas les restaurants affichent-ils généralement?
4. Qu'est-ce qu'un restaurant «libre service»? Pourquoi sont-ils plus répandus en Amérique qu'en France?
5. Quand sert-on le café au restaurant en France?
6. Qui vous apporte les plats dans un restaurant?
7. Que fait-on en payant l'addition, si le garçon n'a pas déjà compté le service?
8. Comment sait-on le pourcentage du service?
9. Pourquoi devrait-on se renseigner sur les plats locaux des diverses provinces françaises?
10. Quel goût la cuisine provençale a-t-elle?
11. Nommez quelques spécialités gastronomiques régionales.
12. Comment l'étudiant a-t-il interprété le mot «trouver» en répondant à la question du propriétaire?
13. Nommez les trois ustensiles dont on se sert généralement en mangeant à table.

CHAPITRE 6

L'ARCHITECTURE EN FRANCE

Dicton: L'Art n'a pas de patrie.

La France, héritière des traditions grecque et latine, est une terre des arts. Dans tous les musées du monde on trouve des peintures et des sculptures des artistes français tels qu'un Gauguin ou un Rodin. Les étrangers de beaucoup de pays ont subi l'influence des écoles d'art français et les jeunes artistes étrangers ont accouru 5 et accourent encore de nos jours en France pour apprendre leur métier. Depuis plus d'un siècle, Paris est la capitale du monde pour la peinture.

En France les arts ont la protection officielle du gouvernement qui veille sur l'héritage artistique national. Le Ministère de 10 l'Education Nationale est aussi celui des «Beaux Arts». Il subventionne un certain nombre de théâtres et d'opéras, achète et place dans les musées nationaux les meilleures productions artistiques de tous les pays. Il surveille l'enseignement de l'art et établit les programmes d'études artistiques pour toutes les 15 écoles en France. En outre ce ministère entretient des écoles des beaux-arts et des conservatoires, où l'enseignement est gratuit.

L'art français ne montre pas cette unité de caractère si frappante dans la plupart des autres pays, comme en Angleterre, en Allemagne, et en Hollande, où il apparaît comme l'œuvre d'une seule 20 race et parfois d'un seul siècle. Il ne serait pas difficile, maintenant, de dire à quelle époque les arts de Grèce, d'Espagne, de Flandre, par exemple, ont eu leur «âge d'or». D'autre part, l'activité artistique en France s'est développée sans interruption, depuis l'occupation romaine jusqu'à nos jours et comprend des styles et genres très différents, qui sont à la fois tous originaux et variés. Néanmoins, l'histoire de l'art en France offre à l'amateur d'art deux périodes particulièrement intéressantes: les cathédrales gothiques des XIIe et XIIIe siècles et la peinture des XIXe et XXe siècles.

Commencées dans le Midi sur le plan des anciennes basiliques romaines, les premières cathédrales françaises ont été caractérisées par des arcs arrondis, des murs très épais et de petites fenêtres. Ce style d'architecture, appelé style *roman*, convenait au Midi, où l'on aimait les intérieurs frais et sombres. Dans le nord, surtout dans la région parisienne, le besoin de la lumière a amené vers 1150 ce qu'on appelle le style *gothique*, différencié par l'arc pointu, par de longs vitraux, par des murs moins épais, et par des arcs-boutants, ou contreforts en pierre, destinés à soutenir les murs minces contre la poussée des voûtes. A la suite des croisades, un élan religieux inspira la construction de vastes cathédrales dans ce nouveau style: celles de Reims, où au cours des siècles les rois de France ont été sacrés, d'Amiens, de Chartres et de Paris.

En l'espace de trois siècles, de 1050 à 1350, la France a extrait plusieurs millions de tonnes de pierre pour édifier 80 cathédrales, 500 grandes églises et des milliers d'églises paroissiales. Pacifiée par les Capétiens, la France était alors un pays prospère et chaque ville voulait avoir la plus belle église du monde. Souvent la population entière, nobles, bourgeois et paysans, tous tiraient les meilleurs blocs de pierre de la carrière et les traînaient jusqu'en ville. Ces églises restent encore un symbole d'un temps où la France vivait dans l'unité de la foi chrétienne. Même aujourd'hui le clocher d'église, élégante ou simple, demeure l'une des caractéristiques les plus charmantes du paysage français.

Une des plus importantes de ces cathédrales et, de l'avis presque général, la plus belle, est celle de Chartres, qui se dresse au milieu des champs de blé de la Beauce, à 80 kilomètres au sud-ouest de Paris. Elle seule est visible à l'horizon, avec ses deux clochers élancés qui rejoignent le ciel, on dirait quelque vaisseau grandiose voguant sur «l'océan des blés». Avec ses voûtes qui s'élèvent à

La porte principale de la Cathédrale Notre-Dame de Chartres.

37 mètres au-dessus du sol, la majestueuse cathédrale, consacrée comme tant d'autres églises de France à Notre Dame, forme une croix latine de 130 mètres de long, et de 64 mètres de large au transept. Quoi que Chartres soit l'une des plus vastes des cathédrales gothiques, elle doit la moitié de sa gloire à ses vitraux. 5
Les murs de la nef et du chœur sont faits de couleurs lumineuses autant que de pierre. Ces vitraux sont, pour ainsi dire, des livres d'images richement coloriés, qui racontent des scènes de l'Ancien et du Nouveau Testament ainsi que des vies des saints chrétiens.

L'art gothique du Moyen-Age a d'autres visages, bien entendu, 10
que ceux de cathédrales colossales: il s'exprime aussi dans de petits sanctuaires, comme la Sainte-Chapelle, châsse des reliques que le roi Saint Louis rapporta en 1249 de la Terre Sainte à Paris pendant la septième Croisade; dans les cloîtres tels que le monastère de Mont Saint-Michel, isolé sur un îlot rocheux le long de 15
la côte normande; dans d'émouvantes sculptures depuis les gargouilles grimaçantes jusqu'aux Vierges pensives et anges

souriants des églises paroissiales. Les artistes gothiques du Moyen-Age français connaissaient la peinture, surtout sur vitraux. Ils décoraient les murs et les autels des églises et enluminaient les manuscrits des «Livres d'heures». Ceux-ci étaient
5 à la fois des collections de prières et des calendriers. Dans le livre des *Très Riches Heures* du duc de Berry, actuellement au Château de Chantilly, le peintre montre dans des miniatures délicates la vie de son temps d'un mois à l'autre: les seigneurs à la chasse, les paysans aux champs ...

10 Si l'art gothique, dans une société toute religieuse, s'est appliqué d'abord aux églises, il a renouvelé aussi l'architecture intérieure des châteaux avec ses tapisseries et ses meubles travaillés en bois comme, par exemple, les coffres qui servaient d'armoire, de banc et de lit. Les architectes anonymes et les «tailleurs de pierre»
15 médiévaux ont créé également les splendides hôtels de ville, avec leurs galeries de fenêtres ogivales (Compiègne), et leurs hauts

Le monastère médiéval de Mont Saint-Michel est isolé sur un îlot rocheux le long de la côte normande.

Cette église, Notre-Dame de Ronchamp, par l'architecte contemporain Le Corbusier, est «impressionnant par l'originalité de son dessin».

beffrois (Arras), qui servaient de tours de guet aux bourgeois dans les communes émancipées du Nord.

L'architecture française a évolué avec le temps. Outre les grandioses cathédrales médiévales, la France est le pays des grands palais Renaissance d'inspiration italienne: dans la vallée 5 de la Loire en Touraine s'élèvent les châteaux de Blois, de Chenonceaux, de Chambord, d'Amboise. Au dix-septième siècle Louis XIV fit construire le Palais de Versailles et l'Hôtel des Invalides. Loin d'être révolutionnaire en art, la Révolution française fut néo-classique. Tous ses nouveaux monuments évoqueront[1] des 10 temples grecs: la Bourse, le Palais-Bourbon, et ce «Temple de la Gloire» qui sera l'église de la Madeleine.

De nos jours on ne bâtit plus en France avec le même luxe de colonnades, et les plans au contraire se sont simplifiés pour les

[1] **évoqueront** were to evoke

grands édifices modernes comme, à Paris, celui de l'UNESCO, le Palais de Chaillot (qui, malgré son nom, contient en réalité un musée et deux théâtres), et la Cité au Rond-Point de la Défense. Sous l'influence américaine, et celle d'un architecte français 5 d'origine suisse, Le Corbusier, les architectes construisent de grandes cités ouvrières (suivant le modèle de la «Cité radieuse» de Le Corbusier à Marseille) et parfois des gratte-ciel. On y recherche surtout le confort, la simplicité, la commodité. Voilà pourquoi cette architecture est appelée utilitaire ou fonctionnelle. 10 En effet elle est parfois belle et harmonieuse dans l'équilibre de ses lignes et le contraste de ses couleurs.

Depuis la Deuxième Guerre mondiale, la renaissance religieuse a produit surtout dans le Midi, des chapelles et des églises extrêmement intéressantes. Ces édifices, en style ultra-moderne, 15 sont quelquefois frappants à cause de l'audace de leurs dessins et l'éclat de leur décoration. Citons l'église de Le Corbusier à Ronchamp, la Chapelle des Dominicaines à Vence, décorée par le peintre Matisse. Certains artistes se plaisent à restaurer les vieilles églises romanes et gothiques, comme Jean Cocteau, qui 20 a décoré la Chapelle des Pêcheurs à Villefranche.

UN BON CONSEIL

On peut voir l'avis suivant affiché sur la porte d'une cathédrale dans le Midi de la France: «Monsieur le Doyen souhaite la bienvenue à tous les touristes. Toutefois il croit devoir leur signaler 25 qu'il n'y a pas de piscine à l'intérieur. Il est donc inutile de visiter la cathédrale en tenue de plage».

SUJETS DE COMPOSITION LIBRE

1. Pourquoi n'avons-nous pas en Amérique de théâtres et d'opéras subventionnés par l'Etat comme en France?
2. Expliquez comment au Moyen-Age la cathédrale gothique était la Bible de ceux qui ne savaient pas lire.
3. Que pensez-vous de la formule de Le Corbusier: «La maison est une machine à habiter»?

4. Le dicton mis en tête de ce chapitre a été amplifié par le compositeur Camille Saint-Saëns comme suit: «Si l'art n'a pas de patrie, les artistes en ont une». Expliquez la pensée du compositeur.

QUESTIONNAIRE

1. De quelle façon le Ministère de l'Education Nationale veille-t-il sur les beaux-arts?
2. Pourquoi serait-il difficile de dire à quelle époque la France a eu son siècle d'or en art?
3. Quelles sont deux périodes particulièrement intéressantes dans l'histoire de l'art français?
4. En quoi la construction de l'église gothique diffère-t-elle de celle de l'église romane?
5. Nommez quatre grandes cathédrales gothiques françaises.
6. Décrivez le livre des *Très Riches Heures.*
7. Pourquoi pourrait-on décrire les vitraux de Chartres comme «de lumineuses tapisseries»?
8. Où trouve-t-on surtout les châteaux Renaissance?
9. Caractérisez l'art de la Révolution française.
10. Qu'est-ce que la «Cité radieuse»? Dans quelle ville se trouve-t-elle? Qui en est l'architecte?
11. Quelles sont deux caractéristiques de l'art religieux français contemporain?
12. Quels grands artistes s'intéressent aujourd'hui à l'art religieux?
13. Pourquoi, d'après le doyen, était-il inutile de visiter la cathédrale en tenue de plage?

CHAPITRE 7

L'ART EN FRANCE

«Sachez que le secret des arts est de corriger la nature.»
Voltaire

Depuis le début du XIXe siècle on considère les peintres français parmi les premiers du monde. En effet, la peinture mondiale suit l'évolution de la peinture française à partir des néo-classiques, comme David (1748-1825), en faveur sous l'Empire. Ces artistes 5 français appartiennent à toutes les écoles. La grande vogue romantique en littérature qui passait sur la France au commencement du dix-neuvième siècle inspirait aussi les ateliers de peinture. Aux sujets classiques, grecs et romains, si chers aux peintres académiques des dix-septième et dix-huitième siècles, les artistes 10 romantiques, tels que Géricault et Delacroix, substituèrent des scènes grandioses empruntées à Dante, Goethe, Shakespeare, Byron, aux croisades et à la Révolution française. Dédaigneux des traditions, ils mirent la couleur au-dessus du dessin et donnèrent libre cours à l'imagination et aux passions.

15 Vers la même époque, une autre école de peinture vraiment originale, celle des paysagistes se montre. Ceux-ci sont des réalistes qui, en réagissant contre l'école romantique, cherchaient à copier fidèlement la nature et à représenter sur toile le travail pénible des paysans dans les champs. Car pour les peintres 20 antérieurs, le paysage n'était généralement considéré que comme un décor à un tableau. Corot (1796–1875), par exemple, créateur

de ce nouveau genre, fut un poète-artiste, qui révélait les beautés des paysages embrumés comme Rousseau et Chateaubriand avaient décrit la nature en littérature. Il aimait surtout les heures indécises, les matins et les crépuscules. Un chef-d'œuvre de cette école est l'*Angélus* de François Millet (1814–1875), reproduit dans tant de foyers français et étrangers. 5

Puis vient l'école des impressionnistes. Ceux-ci représentent les objets d'après leurs impressions, en s'attachant aux jeux de

«Paysage près d'Arles», par Paul Gaugin (1851–1903).

la lumière plutôt qu'à la forme des objets. Ils ont découvert le moyen de reproduire la lumière du soleil en mettant sur la toile en petites taches les sept couleurs du prisme. La peinture impressionniste renonçait à l'expression de l'espace — essentielle préoccupation de toute la peinture antérieure depuis la Renaissance, et dont la perspective et l'art du clair-obscur furent les moyens caractéristiques. Elle s'intéressait surtout au jeu des couleurs, au mouvement, où la masse des objets et la réalité de la matière ne comptaient guère.

A la tête de ce mouvement impressionniste on trouve Edouard Manet (1832–1883), et Claude Monet (1840–1926). Ils ont inspiré tout un groupe de grands peintres: Pissaro, Sisley, Renoir, Degas ... Ces artistes ont gardé leur propre personnalité indépendante: Degas, peintre des maigres anatomies des danseuses de ballet ainsi que les formes nerveuses des chevaux de course; Claude Monet, le plus grand paysagiste de l'école impressionniste. Ce dernier étudiait surtout les effets de la lumière aux différentes heures du jour. Ce fut Georges Seurat (1859–1891) qui a travaillé heureusement le pointillisme, technique qui consiste à peindre sur la toile des milliers de petits points colorés qui, vus de loin, semblent se combiner en une surface harmonieuse mais en même temps nuancée.

L'impressionnisme fut suivi de nombreuses écoles: cubisme, fauvisme, dadaisme, futurisme, surréalisme ... Il est donc difficile et presque impossible de classer les artistes français modernes par écoles ou groupes. Nous nous contenterons de nommer les plus connus: Gauguin, Cézanne, Toulouse-Lautrec, Rouault, Matisse, Braque et Léger. On sait que la vie de Gauguin, peintre des rudes paysans de Bretagne et des indigènes exotiques de Tahiti, a fourni à Somerset Maugham le sujet de son roman *The Moon and Sixpence.* L'ami de Gauguin, Van Gogh, se distinguait par ses brillantes couleurs, ses jaunes, ses verts, ses rouges. Dans sa biographie *Lust for Life*, dont on a tiré le film qui porte le même titre, Irving Stone a raconté la carrière tragique de ce Hollandais, devenu fou à la fin de sa vie. Cézanne exigeait qu'un tableau soit solide et permanent, que les peintres découvrent des formes géométriques dans la nature. A la suite de cette théorie, Cézanne a bouleversé vers la fin du dix-neuvième siècle l'art de la peinture. La profondeur devient aussi importante que la longueur et la largeur: la forme, les volumes sont plus fortement accentués et carrés. Pour quelques disciples de Cézanne, dits les Cubistes (vers 1910), la nature se compose surtout de formes géométriques. Ils déniaient à la couleur sa prééminence. Henri 5 de Toulouse-Lautrec est devenu de nos jours très connu au grand public. C'etait un homme sensuel mais difforme qui cherchait un remède à ses souffrances morales et physiques dans le dessin d'affiches de cirque et de cabaret et aussi, malheureusement, dans l'alcool. 10

Grâce aux découvertes des frères Lumière, telles que le relief (1936), le film parlant et en couleur s'est peu à peu perfectionné. Le cinémascope, le cinérama et le son stéréophonique nous donnent l'illusion presque parfaite de la perspective visuelle, du relief sonore et de la couleur naturelle. C'est ainsi que l'on peut 15 admirer de nos jours des chefs-d'œuvre cinématographiques capables de rivaliser avec des écoles de peinture: *Moulin Rouge* imite la peinture de Toulouse-Lautrec et Jean Renoir continue dans *French Cancan* l'impressionnisme de son père, Auguste Renoir 20

En ce qui concerne[1] la sculpture en France au moment de la Révolution, le sculpteur Jean-Antoine Houdon (1741–1828) excellait à saisir la personnalité de ses modèles et c'est ainsi qu'il a fixé à jamais dans le marbre et le bronze les traits et l'expression de presque tous les grands hommes de la seconde moitié du XVIIIe 25 siècle, depuis Louis XVI à Napoléon, en passant par La Fayette et Mirabeau. Cet artiste a un intérêt tout spécial pour les Américains. Grand ami de Benjamin Franklin, Houdon fut choisi par le Congrès américain pour sculpter le buste de Washington. Son marbre, qui porte l'inscription «Fait par Houdon, citoyen Fran- 30 çais, 1788», se trouve actuellement à Richmond, dans la salle des séances de l'Etat de Virginie.

Ses deux chefs-d'œuvre sont le buste de Molière et le *Voltaire assis*, qui ornent le vestibule de la Comédie-Française de Paris. Décoré de la Légion d'honneur en 1805, Houdon vieillit paisible- 35 ment, entouré de l'affection de ses trois filles. Presque tous les

[1] **En ce qui concerne** As regards

soirs, il se rendait à la Comédie-Française où il retrouvait, à l'orchestre, ou au foyer, quelques vieux habitués avec lesquels il aimait s'entretenir du temps de sa gloire et des hommes illustres qui avaient posé devant lui: le philosophe J.-J. Rousseau, le 5 compositeur Gluck, le tsar Alexandre, etc. ...

On raconte qu'un soir, à la Comédie-Française, un huissier nouvellement placé au contrôle l'arrêta en lui demandant son nom, au moment où Houdon passait rapidement comme un homme qui entre dans un endroit où il est connu et où il a l'habi- 10 tude d'aller:

— Mon nom! dit le vieillard, désignant la statue de Voltaire, mon nom! ... tenez, je suis le père de celui-là ...

Et l'huissier annonça gravement au contrôleur:

— M. de Voltaire, père ...

15 Le plus grand sculpteur français est sans doute Rodin (1840–1917). Né à Paris dans une famille de condition modeste, Rodin montra dès ses premières années à l'ecole un don exceptionnel pour le dessin. Après avoir travaillé quelque temps à la décoration de bâtiments, il se mit à voyager, à faire de longues promenades 20 à pied dans la campagne, et à visiter les musées et les cathédrales. «Où ai-je compris la sculpture?» écrit-il un jour. «Dans les bois, en regardant les arbres; sur les routes, en observant la construction des nuages; dans l'atelier, en étudiant le modèle; partout, excepté dans les écoles. Ce que j'ai appris de la nature, j'ai tâché de le 25 mettre dans mes œuvres.»

Rodin aimait le grand air. «Une chambre me fait mal comme des souliers trop petits qui me blesseraient.» On le voyait souvent devant les cages du Jardin Zoologique de Paris. C'est là, en dessinant des lions et des tigres, qu'il s'appliqua à étudier le jeu 30 des muscles et le mouvement, une étude qu'il poursuivra toute sa vie. Il mettra plus de vingt ans à développer soigneusement la technique de modelage.

Son premier chef-d'œuvre fut *L'Age d'Airain*, appelé aussi *L'homme qui s'éveille à la nature*. Il avait déjà trente-sept ans 35 lorsque cette statue le tira subitement de l'obscurité. Les critiques de Paris furent étonnés de voir un modelé si vivant. Ils accusèrent Rodin d'avoir remplacé le pénible travail de modelage par un calque du corps humain. Heureusement, quelques artistes amis témoignèrent à sa défense qu'ils avaient eux-mêmes vu Rodin sculpter son chef-d'œuvre dans son atelier.

Rodin se mit ensuite à modeler sa *Porte de l'Enfer*, d'après Dante, à laquelle il travaillait pendant vingt ans. Il en détacha

Célèbre monument des Bourgeois de Calais par Rodin (1840–1917).

plusieurs parties de ce grandiose dessein, notamment le couple du *Baiser*, et le *Poète*, qui devint le *Penseur*, son plus fameux chef-d'œuvre. Les figures de son monument des *Bourgeois de Calais* resteront immortelles grâce à leur souplesse réaliste, leurs nobles attitudes, leur force primitive. D'après bien des critiques, Rodin serait le plus grand de tous les sculpteurs, après l'Italien Michel-Ange. On a réuni à Paris, dans un musée qui porte son nom, les œuvres principales de Rodin.

TOUT COMPRENDRE, C'EST TOUT PARDONNER

A un vernissage d'art moderne, voici quelques observations qu'on a entendues au passage:

— Ce peintre est divin, car lui aussi, est impénétrable en ses
5 dessins.

— Quel coloris! Celui-là arrange le blanc pour le faire devenir une ombre.

— C'est une peinture, ça? Ou est-ce la toile sur laquelle l'artiste a nettoyé ses brosses?

10 — Sais-tu pourquoi cet artiste ne peint que des paysages?

— Non. Pourquoi?

— Tout simplement parce qu'un arbre ne s'est jamais plaint de ne pas être ressemblant.

— J'aime beaucoup les petits tableaux.

15 — Moi, je les aime le plus grand possible.

— Pourquoi?

— Je suis encadreur.

— Il y a sans doute plus de mètres de toile ici que toiles de maîtres.

20 — Il faut admirer sans comprendre.

— Ou comprendre sans admirer.

— N'est-ce pas Picasso qui disait un jour: «Quand on débute, il y a très peu de gens qui vous comprendront, mais quand tout le monde vous admire, il y en a encore moins»?

25 — Aux expositions des avant-gardistes, ce sont les nerfs du public qui sont exposés.

LE PEINTRE DAVID ET LE COCHER

David, peintre attitré de Napoléon, avait exposé un de ses plus beaux tableaux et se trouvait par hasard perdu dans la foule qui
30 admirait le chef-d'œuvre. Il remarqua un homme dont le costume annonçait un cocher de fiacre et dont l'attitude indiquait le dédain. «Je vois que vous n'aimez pas ce tableau, lui dit le peintre. — Ma foi, non. — C'est cependant un de ceux devant lequel tout le monde s'arrête. — Je me demande pourquoi. Re-

gardez cet imbécile de peintre qui a fait un cheval dont la bouche est toute couverte d'écume, et qui, pourtant, n'a pas de mors.» David se tut; mais dès que le salon fut fermé, il effaça l'écume.

POUR PLAIRE AUX DAMES

«Le secret de ma réussite? Je peins toujours les femmes plus minces qu'elles ne sont et leurs bijoux plus gros.» 5

Toulouse-Lautrec

«Les jeunes artistes ont accouru et accourent encore de nos jours en France pour apprendre **leur métier.»**

SUJETS DE COMPOSITION LIBRE

1. Comparez la peinture et la photographie au point de vue artistique. Laquelle préférez-vous? Pourquoi?
2. Les tableaux que je choisirais pour ma propre maison.
3. Etudiez des reproductions en couleur de quelques tableaux de Gauguin. Puis commentez la remarque du poète Mallarmé qui dit que Gauguin «a su mettre tant de mystère dans tant d'éclat».
4. Commentez cette pensée de Bernardin de Saint-Pierre: «Un paysage est le fond du tableau de la vie humaine».

QUESTIONNAIRE

1. Quelle fut l'influence du mouvement romantique sur l'art français?
2. Quel était le but des paysagistes?
3. Qui est le peintre de «L'Angélus»?
4. Pourquoi la lumière était-elle plus importante pour les impressionnistes que la forme des objets?
5. Que peignait surtout Degas?
6. Décrivez la technique du pointillisme.
7. Pourquoi est-il difficile de classer les artistes français modernes par groupes?
8. Quelle révolution Cézanne a-t-il faite dans la peinture?
9. Montrez par des exemples l'influence de la peinture française sur l'art cinématographique.
10. Où se trouve la statue de Washington faite par Houdon?
11. Comment Houdon passait-il sa vieillesse?
12. Pourquoi Rodin a-t-il dessiné tant de lions et de tigres?
13. Nommez les principales œuvres de Rodin.
14. Pourquoi le cocher n'aimait-il pas le tableau de David?
15. Quel était, d'après Toulouse-Lautrec, le secret de son succès?

CHAPITRE 8

LES SPORTS

Dicton: Qui va à la chasse, perd sa place.

Les Français n'ont pas, à proprement parler, de sport national comme les Espagnols et leurs courses de taureaux, les Japonais et le jiu-jitsu, et les Américains et le baseball. Cependant, beaucoup de jeux et de sports, comme la pelote, le jeu de boules, l'escrime et le tir à l'arc, font en France partie d'un vieil héritage 5 qui reste encore vivant dans certaines provinces.

La pelote est le jeu préféré des Basques, qui habitent les deux côtés des Pyrénées. On joue à la pelote avec la «chistera», une sorte de gant en osier attaché au poignet, qui permet de recevoir la balle, et de la relancer vers le mur d'un fronton avec plus de 10 force. Le jeu de boules, qui consiste à approcher la ou les boules le plus possible du but, est surtout populaire dans le Midi, où il se joue en plein air. Maint Provençal passe de longs après-midi à l'ombre du clocher de sa petite église à discuter chaque lancement, dégustant de temps en temps un bon verre de vin du pays[1] 15 avec ses amis. Le tir à l'arc et le dressage des pigeons voyageurs ont encore beaucoup de succès, surtout dans le Nord et le Nord-Ouest du pays.

Au Moyen-Age les chevaliers français chassaient à cheval, soit avec des chiens pour forcer le gibier, soit avec des faucons. Jus- 20 qu'à la Révolution de 1789, la noblesse se réservait jalousement le

[1] **vin du pays** local wine

privilège du droit de chasse. Aujourd'hui, les chasses à courre sont devenues assez rares à cause des dépenses nécessaires pour l'entretien des chevaux et des chiens. Toutefois, on se sert de meutes moins nombreuses; on substitue aux invités des sortes d'associés qui paient leur part des frais. C'est ainsi que le «sportsman» continue à chasser le cerf ou le sanglier. Mais la chasse au petit gibier, lièvre, faisan, canard sauvage, par exemple, est pratiquée par un grand nombre de Français. Plus de 1,500,000 chasseurs demandent chaque année des permis de chasse.

Dans certaines villes de France, comme Nîmes par exemple, des courses de taureaux ont lieu les jours de fêtes. Il y a cette différence, cependant, entre ces courses et les *corridas* d'Espagne, c'est qu'on ne tue pas le taureau. Ce qui importe pour le toréador c'est d'enlever le ruban fixé au front du taureau sans que l'animal enragé puisse lui faire du mal, ou, en tout cas, de fuir agilement devant les attaques du taureau. Alors le public rit cordialement.

De toutes les compétitions sportives professionnelles, c'est peut-être le Tour de France à bicyclette qui maintient les Français en haleine le plus longtemps. Le Tour de France est une course de bicyclettes qui au mois de juillet déplace sur les routes du pays

La chasse au petit gibier est pratiquée par un grand nombre de Français.

des millions de spectateurs et auquel toute la presse consacre pendant quelques mois avant et après le Tour maints articles et photos, et la radio et télévision donnent de longues et nombreuses heures de reportage. Chaque été depuis 1903, des cyclistes professionnels de la France et d'environ huit autres pays y participent pendant plus de trois semaines. Ces courses cyclistes sont organisées et subventionnées en général par les journaux sportifs. L'itinéraire à suivre (plus de 4,000 kilomètres) est divisé en une vingtaine d'étapes. Chaque étape a des difficultés suivant que[2] la distance soit longue ou courte, ou que le terrain soit plat ou accidenté. Les cyclistes doivent passer les Alpes, les montagnes les plus hautes de l'Europe. C'est, bien entendu, la partie la plus difficile de tout l'itinéraire. La vitesse des coureurs est surprenante pour celui qui ne suit pas le sport cycliste de près, car il arrive que les gagnants réalisent entre 250 et 300 kilomètres et une moyenne de 37 kilomètres à l'heure pour le parcours d'une journée. A certains endroits, par exemple le col du Tournalet dans les Pyrénées, les cyclistes ou «géants de la route» comme on les appelle, montent plus de 2,000 mètres, puis descendent les pentes à 70 kilomètres à l'heure. Le premier cycliste à arriver au but final, Paris, n'est pas toujours le gagnant du Tour. Le trophée le plus important est le «maillot jaune» que porte le coureur qui a gagné une étape; il peut donc changer après chaque étape. C'est le cycliste qui a gagné le plus d'étapes qui gagne le Tour de France.

Le football tel qu'il est joué aux Etats-Unis est peu pratiqué en France. On y joue au *football association*, qui correspond au soccer anglais, et parfois au rugby. Après les courses cyclistes, le football professionnel est le sport le plus populaire et le plus suivi dans le pays. En plus des nombreuses équipes d'amateurs, toutes les villes d'importance ont leur équipe professionnelle. Les rencontres (amicales ou pour la Coupe du Monde) entre villes et pays rivaux sont suivies avec grand enthousiasme, sur place, à la télévision et à la radio.

L'alpinisme exerce un vif attrait sur un nombre de plus en plus grand de sportifs français. Les alpinistes, chaussés de gros souliers, sont très impressionnants à voir, armés comme ils le

[2] **suivant que** depending on whether

Le Tour de France à bicyclette est pour la plupart des Français l'événement sportif le plus important de l'année.

sont, de bâtons de montagne et munis d'une petite pioche, si indispensable pour la montée des flancs et le parcours des glaciers. Pour la plupart des alpinistes, le Mont Blanc est une escalade favorite. En principe un guide est nécessaire, même pour les
5 grimpeurs vétérans, car, si le Mont Blanc est d'habitude facile, le mauvais temps, par contre, risque de le rendre trop dangereux. Du refuge de l'Aiguille du Goûter au sommet (4,807 mètres), la montée dure environ 5 heures et la descente du sommet à Chamonix, 7 heures ce qui représente à peu près 12 heures, plus le temps
10 de savourer le «plat du pays», la succulante fondue, soupe au fromage au vin. Le Mont Blanc est aussi favorable au ski, tant au printemps qu'en plein hiver. Le téléphérique de l'Aiguille du Midi, le plus haut et le plus long du monde, amène, hiver comme été, l'amateur des montagnes à plus de 3,800 mètres d'altitude.
15 Maurice Herzog, né en 1919, dirigea l'expédition française qui,

en 1950, tenta l'ascension de l'Annapurna, un des plus hauts sommets de l'Himalaya. Il fut avec Louis Lachenal, guide de Chamonix, le premier homme qui dépassa l'altitude de 8,000 mètres.

Il est à noter ici que le football et les autres sports ne jouent aucun rôle officiel dans l'enseignement français. Les étudiants peuvent à leurs heures faire du sport, former entre eux des équipes, jouer au tennis etc., mais les autorités des universités ne considèrent pas de telles activités comme rattachées à la formation intellectuelle, unique souci des universités. Si, dans l'enseignement secondaire, l'éducation physique a été un sujet négligé, il faut signaler pourtant que depuis 1962 les épreuves d'exercices corporels sont obligatoires à l'examen du baccalauréat.

Passée la première jeunesse, le Français moyen montre une préférence marquée pour les sports tranquilles qui exigent un minimum d'activité, un maximum de patience, et qui lui permettent de longues réfléxions. Voilà, sans doute, pourquoi en 1956, par exemple, 1,600,000 permis de pêche furent délivrés en France. Chaque dimanche d'été toutes les petites rivières permettent aux Français de se donner à ce passetemps. Les passants incrédules ont droit parfois de se demander si les pêcheurs à la ligne ne sont pas souvent plus nombreux que les poissons.

Dimanche matin à Paris.

On pourrait dire que le Français adulte moyen est un peu comme ce cheik arabe qui avait invité un champion international de tennis à se rendre inspecter son court de tennis particulier et qui lui dit: «Ne vous changez surtout pas. Je suis assez riche pour 5 que nous puissions nous asseoir tranquillement et regarder courir les autres.» Car d'après des estimations sérieuses, 68% des Français ne pratiquent aucun sport: ils préfèrent «regarder courir les autres».

LA FEMME SCEPTIQUE

10 — Louise, Louise, j'ai attrapé un poisson.
— Pas possible, c'est sûrement un suicide.

QUELQUES HISTOIRES SPORTIVES

Il avait plu toute la nuit du samedi au dimanche. L'arbitre était d'avis que le match de football pourrait avoir lieu quand 15 même. Le capitaine d'une des deux équipes était furieux.
— Sur ce terrain ... dit-il.
— Mais oui. Dépêchez-vous et choisissez votre côté.
— Bien, dit le capitaine, résigné. Alors, nous voudrions jouer avec le courant!

20 Avec fracas, la vitre se brisa en mille morceaux, et un ballon entra dans la pièce. Mais, avant que la propriétaire pût donner libre cours à sa colère, un garçon d'une dizaine d'années sonnait à la porte.
— Je m'excuse, Madame, dit-il, mais je viens de casser la vitre 25 de votre salon. Je ne l'ai pas fait exprès, et mon père va venir la remplacer.
En effet, quelques minutes plus tard apparut un homme qui venait remplacer la vitre. Quand il eut fini, il dit:
— Ça fait quatre francs cinquante, Madame.
30 — Quoi? s'exclama la dame. Mais le garçon qui vous a envoyé m'avait dit que vous étiez son père!
— Tiens, répond le vitrier. A moi, il a dit que vous étiez sa mère!

Un entraîneur de football, de grande réputation, rêva un jour qu'il était allé au ciel, et voyant que les meilleurs joueurs de football du monde s'y trouvaient, ne put résister à la tentation de former une équipe internationale. Il se demandait contre quelle autre équipe il pourrait faire jouer la sienne quand le téléphone sonna. C'était le diable. 5

— Je possède une équipe qui battra la tienne quand je voudrai, dit Satan.

— Impossible, réplique l'entraîneur. J'ai tous les grands joueurs de football de l'histoire. 10

— Oui, répondit le diable, mais j'ai les arbitres.

SUJETS DE COMPOSITION LIBRE

1. Avez-vous déjà fait du ski? de l'alpinisme? Si oui, aimez-vous ces sports? Si non, aimeriez-vous les pratiquer?
2. Que pensez-vous des courses de taureaux?
3. Décrivez votre sport favori.
4. De quoi les chasseurs et les pêcheurs se vantent-ils souvent? Pourquoi?

QUESTIONNAIRE

1. Qu'est-ce que le jiu-jitsu?
2. Comment les chevaliers français chassaient-ils au Moyen-Age?
3. Pourquoi les chasses à courre sont-elles devenues rares aujourd'hui?
4. Quelle est la différence entre les courses de taureaux en France et en Espagne?
5. Qu'est-ce que le «maillot jaune»?
6. Quelle différence y a-t-il entre le «football américain» et le «football français»?
7. Pourquoi un guide est-il nécessaire parfois quand on fait de l'alpinisme?
8. Quel record Herzog a-t-il fait en 1950?
9. Où en France peut-on faire du ski?
10. Quels sports le Français adulte préfère-t-il?
11. Pourquoi le diable aurait-il tous les arbitres de sport chez lui?

CHAPITRE 9

L'ENSEIGNEMENT EN FRANCE

Dicton: Qui jeune n'apprend, vieux ne saura.

A partir du milieu du XVIe siècle jusqu'au milieu du XVIIIe, l'enseignement primaire et secondaire était donné en France surtout dans les établissements des ordres religieux de l'Eglise catholique, dont les plus célèbres au point de vue pédagogique 5 étaient ceux des Frères des Ecoles chrétiennes et des Pères de la Compagnie de Jésus (les Jésuites). C'est dans une école des Jésuites, Collège Louis-le-Grand (aujourd'hui Lycée), à Paris, qu'ont étudié des écrivains comme Molière et Voltaire.

A la fin du dix-huitième siècle, les révolutionnaires, et plus tard, 10 Napoléon, organisèrent un enseignement officiel, tout en laissant subsister[1] l'enseignement confessionnel, qui prit le nom d'enseignement libre, nom qu'il garde encore. Cet enseignement libre, en grande majorité catholique,[2] comprend aujourd'hui 20% des écoliers de l'enseignement primaire et 40% des élèves du 15 second degré (11 à 18 ans). Il est partiellement subventionné par l'Etat. L'organisation et la surveillance de tout l'enseignement en France à l'heure actuelle sont assurées par le Ministère de l'Instruction publique. C'est l'Etat seul qui a le droit de

[1] **Tout en laissant subsister** while retaining

[2] Environ trente-huit millions de Français se disent catholiques. Il y a en France presque un million de protestants et deux cent cinquante mille israélites.

décerner, après examen, les diplômes, même pour l'enseignement libre, et les grades universitaires.

Tous les enfants français entrent à l'âge de six ans à l'école primaire élémentaire. L'enseignement primaire, donné par des instituteurs et des institutrices, est obligatoire et dans les écoles laïques, entièrement gratuit. Cinq ans plus tard, tous les élèves qui le désirent et qui ont obtenu le Certificat d'Etudes Primaires élémentaires, peuvent s'inscrire à un collège ou à un lycée.[3] Là ils doivent choisir entre trois directions différentes: études classiques, modernes, ou techniques, et se préparer aux frais de l'Etat pendant sept ans pour les deux examens du baccalauréat. Les autres élèves peuvent apprendre un métier en suivant les cours des écoles techniques pour l'agriculture, le commerce et l'industrie jusqu'à l'âge de seize ans.

La discipline du lycée ou collège est encore très stricte. Classes nombreuses, devoirs difficiles, longue et fastidieuse préparation pour les examens du diplôme du baccalauréat (dit le «bachot», ou plus court encore, le «bac»), *sine qua non* pour pouvoir passer à l'enseignement supérieur des facultés universitaires et des *Grandes Ecoles*, laissent peu de temps pour les sports, les lectures indépendantes et d'autres distractions. Ce système, si l'on en croit les traditionalistes, a pour but de former une élite intellectuelle plutôt que de faire profiter un nombre maximum de jeunes gens d'un minimum d'éducation.

Que deviennent les cinquante ou soixante mille garçons et filles qui, chaque année, quittent leurs lycées ou leurs collèges à l'âge d'environ dix-huit ans, après avoir acquis le titre de bachelier? Ceux qui ne poursuivent pas leurs études entrent dans quelque administration ou dans un organisme privé du commerce ou de l'industrie. Mais la grande majorité continue ses études à l'université. On a introduit tout récemment en France une année supplémentaire, dite «propédeutique», qui prépare les «nouveaux bacheliers» pour un examen de passage très difficile que l'on doit passer avant d'être accepté à l'université.

Il y a actuellement dix-sept universités, dont chacune comprend

[3] Le lycée est une école subventionnée par l'Etat tandis que le collège est subventionné par une municipalité ou par des particuliers, un ordre religieux, par exemple.

au moins une *Faculté des Lettres*, une *Faculté des Sciences* et une *Faculté de Droit.* L'Université de Strasbourg, l'une des plus importantes, a sept facultés: lettres, sciences, médecine, pharmacie, droit, théologie catholique et théologie protestante. Quand on parle de l'Université de Paris, de Lyon, de Caen, etc., il ne faut pas oublier qu'il s'agit toujours d'une université d'état: les programmes des cours, les frais d'inscription, les examens, les méthodes d'instruction y sont sensiblement les mêmes. Tous les professeurs titulaires sont des fonctionnaires de l'Etat. Des universités libres, donnant le grade de doctorat, n'existent pas en France. Toutes les universités délivrent des diplômes de baccalauréat, de licencié (un peu comme notre M.A.) et de docteur (en droit, ès lettres, ès science, en médecine, etc.).

Après les années de servitude du lycée, les étudiants d'université découvrent qu'ils sont quasiment libres. Ils peuvent organiser leur vie comme ils veulent; ils n'assistent aux cours que quand il leur plaît. Puisqu'en général les universités en France n'ont pas de «campus», les cours se donnent souvent dans de vieux édifices sans jardins au centre de la ville. S'ils n'habitent pas chez eux, les étudiants doivent louer une chambre dans une pension ou petit hôtel et se rencontrer aux heures libres dans les cafés voisins de l'université. Ils ne viennent donc à l'université que pour assister aux cours, étudier dans la bibliothèque ou travailler dans les laboratoires. Leur vie privée est très peu surveillée par les autorités universitaires et ils sont quasiment maîtres de leurs heures d'études et de loisirs. D'autre part, les étudiants, avec peu d'exceptions, se rendent compte qu'en France c'est un honneur d'être étudiant d'université et de pouvoir assister aux cours. Malgré leur extérieur quelque peu bizarre, ils sont en réalité peu bohèmes, et font au moins un minimum d'effort pour préparer leurs cours. D'autant plus que les examens de l'enseignement supérieur sont rigoureux, et chaque année, un grand nombre d'étudiants tant français qu'étrangers échouent à ces examens malgré tous leurs efforts.

Chaque année quelques milliers de «nouveaux bacheliers» se sentent assez courageux pour commencer la préparation des *Grandes Ecoles;* ils s'inscrivent donc dans une Classe Préparatoire d'un lycée, prolongeant ainsi d'un ou deux ans leur vie d'élève.

La plupart des *Grandes Ecoles* ont comme but de former pour l'Etat les cadres supérieurs du gouvernement, de l'enseignement, de la diplomatie, des forces militaires, des industries nationalisées (transport, manufactures, etc.), de la recherche technique et scientifique. Ce sont des instituts de haute spécialisation, auxquels on n'est admis qu'après des examens extrêmement difficiles. Dans beaucoup de ces *Grandes Ecoles*, les étudiants sont des internes et leurs études sont gratuites, le gouvernement français donnant à ces jeunes gens un traitement équivalent à celui d'un fonctionnaire débutant. En échange de ces privilèges, ces élèves d'élite doivent s'engager à servir l'Etat pendant un certain nombre d'années.

Chaque *Grande Ecole* dépend du ministère qui l'a fondée et qui y recrute ses fonctionnaires: l'Education Nationale dirige les cinq Ecoles Normales Supérieures où se forment des professeurs de lycée et d'université; Saint-Cyr (qui correspond à West Point), Polytechnique, Navale et l'Ecole de l'Air sont des écoles militaires et relèvent de la Défense Nationale etc. Bien que ces écoles ne donnent que de diplômes, le fait d'être «ancien élève de l'Ecole des Sciences Politiques», par exemple, jouit au Quai d'Orsay d'un prestige aussi grand que le doctorat.

Pour préparer les artistes-peintres, architectes, musiciens et acteurs, il y a des écoles des beaux-arts, conservatoires de musique, d'art dramatique etc. Ces établissements spécialisés, qui n'exigent d'ailleurs pas tous le baccalauréat, sont aussi dirigés par l'Etat ou les villes et l'on y est admis par concours. Afin de combattre la grande pénurie de techniciens et d'ingénieurs en France à l'heure actuelle, le gouvernement français a créé des établissements nouveaux, tels qu'à Grenoble un Institut pour les techniques atomiques. A l'égard de l'enseignement scientifique, il reste toutefois beaucoup à faire. L'effort tout récent pourtant pour démocratiser l'enseignement, pour accroître l'importance des études scientifiques et pour résoudre les problèmes d'ordre matériel — locaux, logement et nourriture des étudiants, crédits supplémentaires pour former des maîtres — va, sans doute, permettre dans le proche avenir à un nombre toujours croissant de jeunes de prolonger leurs études supérieures. La France a décidé, si l'on ose dire, d'industrialiser son intelligence.

Entrée principale du Lycée Henri IV, à Paris.

DANS UNE SALLE DE CLASSE

L'instituteur à l'écolier: «Je ne comprends pas ça du tout. Vous ne faites aucun progrès dans la lecture. A votre âge, je lisais parfaitement.»

L'écolier à l'instituteur: «C'est que, sans doute, vous aviez un meilleur maître que moi!»

PROBLEME LITTERAIRE

Un professeur de lycée se trouve à table entre deux femmes très riches mais peu instruites.

«L'ignorance des élèves, dit-il au cours du repas, à sa voisine de droite, dépasse aujourd'hui tout ce qu'on peut imaginer. Ce matin, par exemple, j'étais membre d'un jury pour les examens oraux du baccalauréat. Je demande donc à l'un des candidats, s'il connaissait l'auteur d'*Hamlet*. Vous ne devinerez jamais ce qu'il m'a répondu! ‹Je ne sais pas, ce qu'il y a de sûr, c'est que ce n'est pas moi!› »

La jeune dame se met à sourire et, ignorante ou distraite, elle dit d'un air amusé:

«Et c'était lui? »

Etonné, le professeur ne réplique pas. Mais quelques instants après, il se penche vers sa voisine de gauche et lui confie à l'oreille:

«L'ignorance de certains gens est extraordinaire. Je parlais il y a quelques minutes à ma voisine de droite d'un crétin qui ne connaissait pas l'auteur d'*Hamlet;* elle m'a demandé si c'était de lui! » Alors la jolie femme se met à sourire à son tour, et dit:

«Et ce n'était pas de lui? »

Le professeur n'insiste pas davantage. Dans le courant de la soirée, la maîtresse de maison vient aimablement lui demander s'il a bien dîné entre les deux charmantes voisines qu'elle lui avait choisies.

«Je n'ai pas eu de chance avec elles, répondit le professeur. Elles sont charmantes, en effet, mais pas très fortes en littérature. Je leur avais raconté l'histoire d'un jeune idiot qui m'avait déclaré ne pas connaître l'auteur d'*Hamlet*. L'une m'a demandé si c'était lui, et l'autre si ce n'était pas de lui! »

Alors la maîtresse de maison conclut gravement:

«En sorte que vous ne saurez jamais de qui c'est? »

PROFESSEUR PIEUX

Jojo vient de passer un examen oral. Il rentre chez lui et sa mère lui demande:

— Comment était l'examinateur?

— Très pieux. Chaque fois que je faisais une réponse, il disait, en levant les yeux au ciel: «Mon Dieu, Mon Dieu ».

SUJETS DE COMPOSITION LIBRE

1. Expliquez les raisons pour lesquelles vous avez entrepris les études que vous faites actuellement.
2. Commentez cette formule: «Enseigner, c'est apprendre deux fois».

3. L'historien Jules Michelet (1798–1874) a écrit: «Quelle est la première partie de la politique? L'éducation. La seconde? L'éducation. Et la troisième? L'éducation.» Exagère-t-il?

QUESTIONNAIRE

1. Expliquez l'organisation de l'enseignement primaire et secondaire pendant le dix-septième siècle.
2. Etablissez la différence entre une école libre et une école d'état.
3. Comment Napoléon, a-t-il organisé l'enseignement?
4. Qui, en France, peut décerner les diplômes?
5. Quelle est la différence entre un lycée et un collège?
6. Quel choix de programme les lycéens ont-ils?
7. Pourquoi les élèves français ont-ils peu de temps pour les sports?
8. Que font les lycéens après avoir acquis le titre de bachelier?
9. Qu'est-ce que la propédeutique?
10. Nommez les facultés qui composent l'Université de Strasbourg.
11. Pourquoi les universités françaises n'ont-elles pas de «campus»?
12. Que doivent faire les «bacheliers» pour continuer leurs études dans une des *Grandes Ecoles?*
13. Nommez quelques-unes des *Grandes Ecoles.* Quelles professions s'y prépare-t-on?
14. Pourquoi un diplôme d'une de ces écoles vaut-il autant qu'un grade universitaire?
15. Que fait-on actuellement en France pour combattre la pénurie de techniciens et d'ingénieurs?

CHAPITRE 10

LA SORBONNE

Bien sçay, se j'eusse estudié
Au temps de ma jeunesse folle
Et a bonne meurs, dedié,
J'eusse maison et couche molle!
Mais quoy? Je fuyoie l'escolle,
Comme faict le mauvais enfant.
En escrivant ceste parolle,
A peu que le cueur ne me fend.[1]

François Villon, Maître ès Arts
(Sorbonne, 1452)

L'Université de Paris est la plus ancienne et la plus grande des dix-sept universités françaises (60,000 étudiants, sur 140,000 étudiants universitaires de France), et comprend cinq facultés: lettres, sciences, médecine, pharmacie et droit. Formée spontanément par les maîtres et les étudiants des écoles autour de la cathédrale de Notre-Dame, l'Université de Paris fit reconnaître son indépendance par le roi Philippe-Auguste au début du XIIIe siècle. Elle devint vite «européenne». Le prestige de son corps enseignant (un Thomas d'Aquin, un Pierre Abélard) attirait des

[1] Traduction en français moderne:

Je sais bien que si j'avais étudié
Au temps de ma folle jeunesse
Et avais eu une meilleure conduite
J'aurais une maison et un bon lit.
Mais non! Je fuyais l'école
Comme les mauvais enfants le font.
En écrivant ces mots
Peu s'en faut que mon cœur ne se fende! (*My heart is almost splitting!*)

milliers d'étudiants de toutes les provinces françaises et de beaucoup de pays étrangers: Bretons, Normands, Flamands, Allemands, Anglais, Espagnols, etc.[2] Beaucoup de ces étudiants étaient très pauvres; on fonda pour eux des institutions charitables où ils trouvaient leurs repas et leur logement: les collèges. Par la suite les maîtres y venaient donner leur enseignement. Le collège le plus renommé, fondé par Robert de Sorbon au XIIIe siècle, devint au XVe siècle le siège de la faculté de théologie: la Sorbonne. Comme les études de théologie «en Sorbonne» à cette époque acquirent une grande renommée, le nom de Sorbonne commença à être employé pour désigner toute l'Université de Paris.

Au XVIe siècle, l'enseignement de la Sorbonne s'attardait encore aux méthodes du Moyen-Age, fondées sur le principe d'autorité et la philosophie scolastique. Au moment où se répandent en France les idées calvinistes contre lesquelles lutte la Sorbonne, le besoin d'un renouvellement dans les méthodes d'éducation se manifeste: la Réforme protestante et le courant humaniste avaient remis en honneur la notion de libre critique et la valeur de l'esprit humain, et attaquaient le principe d'autorité jusque là accepté sans réserve. Grâce au soutien de François Ier et en dépit de l'opposition de la Sorbonne, le Collège de France, centre de recherches désintéressées supérieures, est fondé à Paris en 1530, sous l'impulsion du savant Guillaume de Budé. Rabelais et Montaigne luttent contre l'enseignement dogmatique de la Sorbonne, et les «essais» de celui-ci plaident en faveur d'une «tête bien faite»[3] plutôt qu'une «tête bien pleine».

En 1627 le Cardinal Richelieu fit construire les anciens bâtiments de la Sorbonne et mérite ainsi d'être considéré comme le second fondateur de cet établissement. La Révolution Française abolit d'un seul coup les universités médiévales ecclésiastiques (1790). Ce fut Napoléon Bonaparte qui les remplaça en 1808 avec les universités d'état telles qu'elles sont aujourd'hui. Depuis cette date l'Université de Paris a réservé le vénérable nom de

[2] L'enseignement cependant qu'on y donnait était souvent érudit mais sec, les professeurs se bornant en général à lire à haute voix quelques ouvrages latins dont ils expliquaient les passages obscures.

[3] **faite = formée, développée**

Etudiants étrangers dans la cour de la Sorbonne.

Sorbonne pour désigner la Faculté des Lettres et Sciences de la nouvelle université.

La plupart des édifices de la Sorbonne (considérablement agrandis en 1885), se trouvent de nos jours encore serrés en plein centre du quartier des écoles dit «Quartier Latin». Cette partie de Paris fut nommée ainsi parce qu'au Moyen-Age la langue latine y servait de langue commune entre les professeurs et les

Cour intérieure de la Sorbonne.

étudiants, venus de toutes parts d'Europe. Les étudiants d'aujourd'hui se promènent surtout le long du Boulevard Saint-Michel, raccourci en «Boul' Mich», qui est animé jour et nuit par le va-et-vient de ces jeunes gens. Ils ont aussi leur lieu de
5 repos tout près, le jardin de Luxembourg, où ils vont pour disputer ensemble bruyamment les graves problèmes de l'existence, préparer leurs cours en silence, ou bien se détendre en se promenant.

Les autorités universitaires françaises commencent enfin à se rendre compte du devoir des universités de s'occuper aussi bien
10 du bien-être physique et social des étudiants que de leur développement intellectuel. C'est ainsi que le gouvernement français construit de plus en plus des «Cités Universitaires», où les étudiants tant français qu'étranger peuvent trouver des chambres confortables, un grand restaurant subventionné par le gouverne-
15 ment français, des salles de réunion, des courts de tennis, etc. La Cité Universitaire de l'Université de Paris est à une vingtaine de minutes de la Sorbonne en prenant le métro. Là, il y a tout un complexe d'édifices, actuellement environ 40 dans un parc de 55 hectares, construits depuis 1925 pour loger les étudiants étrangers
20 par leur propre gouvernement ou par des bienfaiteurs. Pour ces résidences étrangères, le gouvernement français donne la terre gratuitement à condition qu'on réserve quelques lits pour les étudiants français. En effet, sur les 5,000 étudiants qui demeurent normalement dans la Cité, 42% sont des étrangers
25 venant d'une centaine de nations, et 58% sont des Français ou des ressortissants des anciennes colonies françaises.

Le pavillon américain, la «Fondation des Etats-Unis», est très vaste. On y loge environ 400 étudiants et étudiantes. C'est l'Amérique qui a fondé la Maison Internationale de la Cité, avec
30 sa bibliothèque, piscine, hôpital, restaurant et salle de bal. Cette Maison, don généreux de la famille Rockefeller, est un lieu de rencontre où «les jeunes gens venus de tous les pays du monde», nous dit une inscription en marbre à l'entrée principale, «peuvent en se rencontrant, chaque jour au même foyer, apprendre à se
35 connaître et à se comprendre». Il faut signaler ici que la Cité Universitaire de Paris sert uniquement à loger et nourrir les étudiants: tous les cours se donnent en ville.

Presque chaque nation importante a son pavillon dans cette

Cité, érigé en général dans le style architectural du pays en question, et disposé autour des autres avec une certaine fantaisie. Si la façade de la Maison Internationale rappelle les châteaux de la vallée de la Loire, celle du pavillon grec évoque, grâce à ses colonnades, un temple de quelque divinité olympienne, tandis 5 que celle du bâtiment de Cuba fait revivre le style colonial espagnol. La Hollande, le Brésil, la Suisse, d'autre part, ont choisi l'architecture contemporaine. Le pavillon de ce dernier pays a été dessiné par Le Corbusier, un des architectes du gratte-ciel des Nations Unies à New-York. 10

SUJETS DE COMPOSITION LIBRE

1. Faites une comparaison entre la Cité Universitaire de Paris et le «campus» d'une université américaine typique.
2. Si vous aviez l'occasion de faire ou continuer vos études universitaires en France, préfériez-vous étudier à la Sorbonne ou dans une université de province? Justifiez votre choix.

QUESTIONNAIRE

1. En quel siècle a-t-on établi la Sorbonne?
2. Quelle était sa fonction à son origine?
3. Décrivez la façon d'enseigner que les professeurs employaient au Moyen-Age.
4. Quand et pourquoi a-t-on commencé à employer le nom de Sorbonne pour désigner toute l'Université de Paris?
5. Pourquoi la Sorbonne a-t-elle combattu le calvinisme?
6. Qu'est-ce que le Collège de France?
7. Quel roi l'a fondé?
8. Quelle est l'origine de l'expression «Quartier Latin»?
9. Qu'est-ce que le «Boul' Mich»?
10. Pourquoi les autorités universitaires françaises s'occupent-elles de plus en plus du bien-être physique et moral des étudiants?
11. Quels sont les avantages des «cités universitaires»?
12. Qu'est-ce que la Maison Internationale de Paris?
13. Qui l'a fondée?
14. Pourquoi mêle-t-on les étudiants français et étrangers ensemble dans les pavillons de la Cité Universitaire de Paris?

CHAPITRE 11

JEANNE D'ARC

«La Pitié[1] qu'il y avait au royaume de France»
Jeanne d'Arc

Quand on lit l'histoire merveilleuse de Jeanne d'Arc, cette bergère française qui, à l'âge de dix-sept ans, quitta son village et sa vie paisible pour libérer son pays, on est tenté de considérer les victoires de cette jeune paysanne sur l'armée anglaise comme une 5 légende inventée par les Français pour expliquer comment ils ont chassé l'ennemi de France et gagné la Guerre de Cent Ans (1337–1453). Heureusement on est bien documenté sur la vie de Jeanne d'Arc. Elle reste donc une des héroïnes les plus authentiques, glorieuses et charmantes de toute l'histoire européenne.

10 Après la mort du roi Charles VI en 1422, la France avait deux rois: l'héritier de la couronne de France, le dauphin Charles VII, et le roi d'Angleterre, Henri VI. Les Anglais et leurs alliés, les Bourguignons, occupaient tout le nord de la France tandis que Charles VII, soutenu par quelques officiers fidèles mais sans 15 argent, fuyait devant eux. La France allait donc tomber complètement aux mains des Anglais et desBourguignonsquand Jeanne d'Arc parut subitement.

Jeanne vivait à Domrémy, petit village de Lorraine près de la frontière de Champagne.[2] Elle ne savait ni lire ni écrire. Pro-

[1] **La Pitié** The sorrowful state
[2] La Lorraine était alors un duché qui dependait vaguement de l'Allemagne, mais qui était l'allié de la France. Elle fut réunie à la France en 1766.

fondément croyante et très pieuse, elle priait souvent au milieu des champs où elle gardait les moutons de son père. Dès l'âge de treize ans, Jeanne aurait entendu des voix célestes, dont celle de «Monsieur Saint Michel, qui me racontait la pitié qu'il y avait au royaume de France». Des anges lui commandaient d'aller 5 trouver le dauphin et de libérer la France en formant une armée. Pleine d'espoir et malgré l'opposition de ses parents, Jeanne partit, mais non sans une certaine tristesse bien humaine:

O maison de mon père, où j'ai filé la laine,
Où, les longs soirs d'hiver, assise au coin du feu, 10
J'écoutais les chansons de la vieille Lorraine,
Le temps est arrivé que je vous dise adieu.

Tous les soirs passagère en des maisons nouvelles,
J'entendrai des chansons que je ne saurai pas;
Tous les soirs, au sortir des batailles nouvelles, 15
J'irai dans des maisons que je ne saurai pas ...

Quand nous reverrons-nous? et nous reverrons-nous?
O maison de mon père, ô maison que j'aime.

Jeanne d'Arc, Charles Péguy (1873–1914)*

A la cour du Dauphin à Chinon aux bords de la Loire, on se 20 moqua beaucoup de la «petite bergère», alors âgée seulement de dix-huit ans, et les nobles inventèrent un stratagème pour tenter de la couvrir de ridicule: un jeune noble se mettra sur le trône tandis que Charles se cachera parmi les courtisans dans la grande salle du château. Or Jeanne entre et, à la stupéfaction de toute 25 la cour, refuse de s'incliner devant le faux roi, se dirige sans hésitation vers le roi dissimulé et tombe à ses genoux, en lui disant: «Dieu vous donne bonne vie, gentil dauphin». Puis elle lui annonce sa mission de chasser les Anglais et sauver le pays. «Ce n'est pas moi qui suis le roi; voilà le roi», répond Charles, et 30 lui montre le jeune courtisan qui faisait semblant d'être le dauphin. Mais cette réponse ne fait pas peur à Jeanne, qui réplique: «Vous l'êtes, gentil prince, et non un autre.[3] Le Roi des cieux vous fait

* Copyright © Editions Gallimard 1948. Reprinted by permission.
[3] **Vous ... autre.** You are he, gentle prince, and no one else.

savoir par moi que vous serez sacré et couronné en la ville de Reims,[4] et vous serez alors lieutenant du Roi des Cieux, qui est roi de France.»

Cependant, le dauphin restait méfiant et jugea sagement qu'il fallait envoyer préalablement Jeanne à Poitiers pour la soumettre à l'examen des docteurs de l'université et des juges du Parlement. Elle sut répondre aux questions des docteurs qu'elle étonna tous par sa foi ardente, sa patience, sa douceur et son esprit. Elle s'amusa même à rebuter leur pédantisme. Un juge demandait avec son accent limousin quelle langue parlaient les anges. «Un meilleur langage que le vôtre», répondit-elle franchement.

On voulait la confondre en demandant des précisions sur ses visions: «Lorsque Saint Michel apparaissait, était-il vêtu ou nu?» A quoi Jeanne répondit: «Pensez-vous donc que Notre-Seigneur n'ait pas de quoi le vêtir?» Un juge lui dit: «Si vous ne donnez point d'autre preuve de la vérité de vos paroles, le roi ne vous prêtera point de soldats pour les mettre en péril. — Par mon Dieu! répliqua Jeanne, ce n'est pas à Poitiers que j'ai été envoyée pour donner des signes; mais conduisez-moi à Orléans, avec si peu d'hommes que vous voudrez et je vous en donnerai. Le signe que je dois donner, c'est de faire lever le siège d'Orléans!» Un théologien l'attaque: «Mais si Dieu a résolu de sauver la France, il n'a pas besoin de gens d'armes. — Eh! Mon Dieu, répondit Jeanne, les gens d'armes batailleront, et Dieu donnera la victoire ... Je ne sais ni *a* ni *b*, mais je viens de la part de Dieu pour faire lever le siège d'Orléans et sacrer le dauphin à Reims.»

De cette longue épreuve Jeanne sortit triomphante. On ne trouva en elle que «virginité, dévotion, honnêteté, simplesse». Avec l'armée que le jeune dauphin lui donna, elle marche sur Orléans et force les Anglais à se rendre. Une brillante victoire sur l'habile général anglais Talbot permet à Jeanne de prendre la ville de Reims, où les rois de France à partir de Clovis avaient toujours été couronnés depuis plus de neuf cents ans. Après avoir fait sacrer Charles VII dans la vaste cathédrale de cette ville avec toute la pompe traditionnelle, Jeanne déclare sa mission terminée.

[4] En 496, Saint Remi, évêque de Reims, baptisa Clovis, roi des Francs dans la basilique de cette ville. A partir de cette date, les rois de France se feront sacrer dans la cathédrale de Reims.

«Jeanne d'Arc marche sur Orléans et force les Anglais à lever le siège de cette ville.»

Elle se laisse persuader par le roi toutefois de continuer la guerre de libération. Capturée par les Bourguignons après un violent combat à Compiègne, Jeanne est vendue aux Anglais et conduite prisonnière à Rouen, les chaînes aux pieds. Ce sera sans doute l'éternelle disgrâce du roi Charles VII de n'avoir rien tenté pour sauver celle à qui il devait sa liberté et son trône.

Jeanne fut alors interrogée par un tribunal ecclésiastique français présidé, dans une parodie de la justice, par l'évêque de Beauvais, Pierre Cauchon. Ces juges, qui voulaient à tout prix plaire aux Anglais, furent plutôt des accusateurs sans merci.

«Vous croyez-vous en état de grâce devant Dieu?» lui demanda l'habile évêque pendant son interrogatoire. Jeanne réfléchit un peu, puis elle répondit: «Si je n'y suis pas, qu'il plaise à Dieu de m'y rétablir, et si j'y suis, qu'il plaise à Dieu de m'y maintenir.» Cette réponse déconcerta les juges, et ils se mirent à questionner Jeanne sur ses vues politiques. «Haïssez-vous les Anglais?» lui demande-t-on. «Non, mais je sais bien qu'ils seront tous boutés hors de France, excepté ceux qui y périront. — Aviez-vous dans votre jeune âge de la haine vive contre les Bourguignons? — J'avais bien bonne volonté [5] que le Dauphin eût son royaume.» On la congédia pour ce jour-là.

L'Interrogateur: Pourquoi votre étendard fut-il plus porté en l'église de Reims, au sacre, que les étendards des autres capitaines?

Jeanne: Il avait été à la peine, c'était bien raison qu'il fût à l'honneur.[6]

Après cet injuste procès, les Anglais ordonnèrent au tribunal de la condamner (le 30 mai 1431) comme sorcière et hérétique à être brûlée vive. Voici comment un témoin oculaire a décrit les derniers moments de Jeanne d'Arc au bûcher:

«Elle sortit du château en costume de femme, et je la conduisis, moi et le frère Martin, dans une charrette, au lieu du supplice, place du Vieux-Marché. Nous étions accompagnés de plus de huit cents hommes de guerre, portant haches et épées. En route, elle faisait de si pieuses lamentations que mon compagnon et moi nous

[5] **J'avais ... volonté** I was very desirous

[6] **Il avait ... l'honneur.** It had shared in the hardships, which was sufficient reason why it was honored.

ne pouvions retenir nos larmes. Elle arriva ainsi sur la place du Vieux-Marché où était maître Nicolas Midi, qui devait lui faire un sermon.

Elle entendit le sermon très paisiblement. Quand il eut terminé, maître Midi lui dit: ‹Jeanne, va en paix; l'Eglise ne peut plus te défendre; elle te laisse au bras séculier.› A ces mots, elle tomba à genoux et fit à Dieu les prières les plus ardentes. Elle me pria de lui avoir[7] une croix. Un Anglais, qui l'entendit, en fit une petite avec un bout de bois et la lui donna; ... Cette croix, elle l'embrassa fort étroitement et longuement, et la tint jusqu'à ce qu'elle fût liée au poteau, faisant de grandes dévotions et lamentations. Les Anglais, et même certains de leurs capitaines, me pressèrent de la leur laisser pour la faire mourir plus tôt, me disant, lorsque je la réconfortais: ‹Comment, prêtre! Nous ferez-vous dîner ici?› Et aussitôt ils dirent au bourreau: ‹Fais ton devoir.› Elle continua ses louanges et lamentations dévotes envers Dieu et ses saints. En mourant elle cria: ‹Jésus!› Je n'ai jamais vu personne finir ses jours aussi chrétiennement.»

Jean Massieu, prêtre

La mort de Jeanne d'Arc ne sauva pas les Anglais de la défaite. Au contraire, elle rendit aux Français plus de courage et d'espoir que jamais. L'année suivante, les troupes de Charles VII firent leur entrée dans Paris. En 1453, les Anglais ne possédaient plus en France que la ville de Calais. Après un examen minutieux de sa vie ordonné par le pape Calixte III, cédant aux prières de la mère de Jeanne, la «Pucelle d'Orléans» fut réhabilitée devant le monde. L'objet, dès le Moyen-Age, de la vénération populaire, et canonisée par l'Eglise catholique en 1920, Jeanne est devenue la Sainte nationale de la France, le symbole vivant du patriotisme et de la foi religieuse.[8]

Les historiens, sculpteurs, dramaturges et compositeurs de tous les pays n'ont jamais cessé de glorifier les exploits de Jeanne d'Arc. Le Français Voltaire, et l'Allemand Schiller, par exemple, ont écrit des pièces de théâtre sur elle. On entend quelquefois dans

[7] lui avoir = **lui donner**

[8] La fête de Sainte Jeanne, qui tombe le deuxième dimanche du mois de mai est à la fois une fête nationale et une fête religieuse.

Statue de Jeanne d'Arc élevée en son honneur à Orléans.

les salles de concert la cantate, *Jeanne au bûcher*, composée par Arthur Honegger (1892–1955), sur les paroles de Paul Claudel, ancien ambassadeur de France à Washington. Il existe aussi deux belles pièces de théâtre en anglais sur Jeanne: *Saint Joan*, de
5 George Bernard Shaw, et *Joan of Lorraine*, de Maxwell Anderson.

Terminons ce chapitre en citant quelques lignes de la *Ballade des Dames du Temps Jadis*, où François Villon se souvient tendrement de la «Pucelle d'Orléans». (Grand poète lyrique, bien que débauché, escroc et assassin, Villon naquit en 1431, l'année où
10 Jeanne d'Arc fut brûlée):

Dites-moi où n'en quel pays,	n'en = et en
Est Flora, la belle Romaine ...	
La reine Blanche comme lis,	problablement Blanche de Castille, mère du roi saint Louis
Qui chantait à voix de sirène,	
15 Berthe au grand pied, Biétris, Allis,	Berthe = mère de Charlemagne Biétris: Une chanson de geste du cycle lorrain commémore les 3 dames qu'évoque ici Villon.
Heremburgis qui tint le Maine	
Et Jehanne, la bonne Lorraine,	
Qu'Anglais brûlèrent à Rouen,	
20 Où sont-elles, Vierge souv'raine,	Vierge = Marie, mère du Christ
Mais où sont les neiges d'antan?	Where are the snows of yesteryear?

Le Grand Testament (1461)

SUJETS DE COMPOSITION LIBRE

1. Comment les Anglais pouvaient-ils justifier leur condamnation de Jeanne d'Arc?
2. Pourquoi Jeanne a-t-elle inspiré tant d'artistes et d'auteurs?
3. Expliquez le rôle de Jeanne d'Arc dans l'unification de la France.
4. Commentez cette remarque: «La vie de la Bonne Lorraine fait penser à une de ces tragédies classiques dans lesquelles le destin conduit irrésistiblement l'héroïne à la mort».

QUESTIONNAIRE

1. Pourquoi est-on tenté de considérer les exploits de Jeanne d'Arc comme une légende inventée par les Français?
2. Quels étaient les alliés des Anglais pendant la Guerre de Cent Ans?
3. En quelle partie de la France se trouve la Lorraine?
4. Que faisait Jeanne pendant qu'elle gardait les moutons de son père?
5. Quelle mission les voix célestes ont-elles confiée à Jeanne?
6. A quel âge et avec quels sentiments a-t-elle quitté Domrémy?
7. Quel stratagème les nobles avaient-ils inventé pour couvrir Jeanne de ridicule?
8. Pourquoi le Dauphin a-t-il envoyé Jeanne à Poitiers?
9. On admire Jeanne pour son franc-parler. Citez un exemple.
10. Nommez deux villes que Jeanne a libérées.
11. Pourquoi Jeanne a-t-elle fait sacrer le Dauphin à Reims?
12. Comment a-t-elle été faite prisonnière?
13. Par quel tribunal a-t-elle été condamnée? De quoi l'a-t-on accusée?
14. Où et quand a-t-elle été brûlée?
15. Comment les Français ont-ils bénéficié de cet énorme sacrifice?
16. Comment l'Eglise catholique a-t-elle honoré Jeanne?
17. Quels auteurs ont écrit des pièces de théâtre sur la vie de Jeanne d'Arc?
18. Quel poète français du quinzième siècle a chanté la Pucelle d'Orléans?

CHAPITRE 12

LES CHATEAUX DE LA LOIRE

Dicton: Qui n'aurait de beaux châteaux, si ce n'est le roi?

Le voyageur qui s'intéresse aux demeures des anciens rois et nobles de France et à la vie privée des seigneurs d'autrefois ne manquera pas de visiter les châteaux qui sont éparpillés un peu partout dans la France, pays si riche en souvenirs des temps 5 lointains et en trésors d'art. L'amateur d'art sera sans doute enchanté d'observer le développement de l'architecture française depuis les anciens donjons du Moyen-Age jusqu'aux magnifiques palais royaux, tels que Fontainebleau, le Louvre et Versailles.

Les plus anciens de ces châteaux sont les forteresses féodales 10 avec leurs grosses tours. Pour se défendre contre les attaques des adversaires, les vassaux durent construire les places fortes sur une colline, d'où ils se protégeaient contre l'ennemi. On y entrait par un pont-levis qui s'abaissait sur un fossé. Bien que ces châteaux forts soient aujourd'hui pour la plupart en ruines, 15 comme le Château Gaillard, bâti au XIIe siècle, lorsque la Normandie était anglaise, par Richard Cœur-de-Lion pour barrer la Seine au roi de France en avant de Rouen, il y en a qui sont encore intacts, comme le Château de Pierrefonds, près de Compiègne, qui a été reconstitué par l'architecte Viollet-le-Duc en 1862.

20 Au cours du quinzième siècle, un grand mouvement de protestation contre les modes de vivre, la philosophie et l'art du Moyen-Age se dessine surtout en Italie: c'est la Renaissance, qui causera en France une rupture profonde dans la tradition mé-

diévale et fera retourner l'art de ce pays à ses sources latines. Les rois français sortaient des guerres d'Italie. Ces expéditions leur avaient révélé l'éclat et le raffinement de la nouvelle civilisation italienne. Rentrés en France, ils veulent transformer les anciens donjons féodaux et construire d'après les plans des artistes 5 italiens, ou des Français formés à leur école, des pavillons de chasse, des maisons de plaisance. Celles-ci ne seront plus des forteresses, mais auront tout le luxe d'un art nouveau, plus joyeux, plus élégant que celui du Moyen-Age. Elles serviront de décor pour les fêtes somptueuses d'une vie de cour de plus en 10 plus civilisée et fastueuse.

La plupart de ces châteaux Renaissance se trouvent en Touraine, province que les Français appellent communément, «le jardin de la France», à cause de la fertilité de son sol. En effet, un Américain habitué aux grandes fermes de son pays s'étonne, 15 en visitant la Touraine, à la vue de ces petits morceaux de terre cultivés avec tant de soins. Tout le long du fleuve, la Loire, qui traverse ce pays vert et riant, se trouve le «pays des châteaux», le séjour favori des rois et grands seigneurs de France pendant la Renaissance: 20

«La Loire est une reine, et les rois l'ont aimée,
Sur ses cheveux d'azur ils ont posé jaloux,
Des châteaux ciselés ainsi que des bijoux;
Et de ces grands joyaux sa couronne est formée.»

Jules Lemaître (1853–1914) 25

La province de Touraine compte encore plus de quatre-vingts châteaux historiques. A Chinon, par exemple, s'élèvent les ruines du donjon de Chinon, où mourut en 1189 le roi d'Angleterre, Henry II, Plantagenêt, abandonné de tous ses amis et trahi par ses fils, Jean Sans-Terre [1] et Richard Cœur-de-Lion. C'est dans 30 ce même château que, le 9 mars 1429, Jeanne d'Arc est venue trouver Charles VII, le Dauphin, qui avait abandonné la plus grande partie de son royaume aux Anglais. Guidée par une inspiration céleste, Jeanne y reconnut le roi caché parmi ses courtisans. 35

[1] **Jean Sans-Terre** John Lackland

Le château d'Amboise devint le séjour préféré de François Ier (1494–1547), grand adversaire de l'empereur Charles-Quint. Le célèbre peintre italien, Léonard de Vinci, dont la *Joconde* se trouve au Louvre à Paris, décora ce château. C'est ici qu'on l'enterra 5 après sa mort en 1519.

A quinze kilomètres de Blois se dresse, au milieu d'un parc immense, le château de Chambord, construit lui aussi par François Ier. On dit qu'environ 2,000 ouvriers y travaillèrent pendant quinze ans pour le construire et le décorer. C'est le plus grand 10 des châteaux de la Renaissance, le «Versailles de la Touraine». Il possède trois cent soixante-cinq pièces, trois cent soixante-cinq cheminées et treize escaliers! Dans ce château il y a un escalier curieux à deux montées qui forment deux rampes en spirale; une personne peut monter et une autre descendre en même 15 temps, mais elles ne se rencontrent pas, bien qu'elles puissent se parler et par moments se voir. Le château de Chambord abrita pendant la Deuxième Guerre mondiale certains chefs-d'œuvre des musées français.

Chambord, le plus grand des châteaux de la vallée de la Loire.

Chenonceaux est peut-être le plus original des châteaux de Touraine, étant construit au milieu d'une rivière, le Cher. On fit bâtir d'abord un pont de 60 mètres qui enjambe le Cher, et sur ce pont on érigea deux étages de galeries. Des fenêtres de la salle de danse du château on peut entendre couler l'eau à ses pieds, et suivre le vol des oiseaux qui effleurent la rivière tranquille et disparaissent sous les arches du pont au-dessous. 5

Les châteaux de la Loire n'étaient pas seulement des maisons de plaisance, où rois et courtisans venaient s'amuser et se détendre. Des heures sombres et décisives de l'histoire de la France se sont déroulées derrière leurs murs, souvent tachés de sang. C'est à Amboise où furent exécutés en masse des conjurés calvinistes; c'est à Blois où Henri III, aux abois, fit assassiner Henri de Guise, le redoutable chef du parti catholique. Le château de Loches aussi a été le théâtre d'événements sinistres. Ce fut ici que le roi Louis XI (1423–1483) fit enfermer dans une cage de fer le Cardinal la Balue, un de ses conseillers qui avait eu le malheur de lui déplaire. Lorsqu'il partait en voyage, le roi faisait emporter le cardinal dans sa cage pour se réjouir chaque jour de la vue de son ennemi. 10 15 20

Au XVIIIe siècle, le roi Louis XIV et sa cour s'établissaient définitivement à Paris et à Versailles, et la Touraine cessa d'être la première province de France. Néanmoins elle reste à part encore, à cause de la douceur de son climat et la richesse de son sol, pour la pureté du français parlé dans cette région, et surtout pour ses beaux châteaux. 25

Le Beau Voyage

Heureux qui, comme Ulysse, a fait un beau voyage,
Ou comme celui-là qui conquit la Toison,
Et puis est retourné, plein d'usage et raison, 30
Vivre entre ses parents le reste de son âge!

Quand reverrai-je, hélas! de mon petit village
Fumer la cheminée, et en quelle saison
Reverrai-je le clos de ma petite maison,
Qui m'est une province, et beaucoup davantage? 35

«Chenonceaux est, peut-être, le plus original des châteaux de Touraine, étant construit tout entier au milieu d'une rivière, le Cher.»

Plus me plaît le séjour qu'ont bâti mes aïeux,
Que des palais romains le front audacieux,
Plus que le marbre dur me plaît l'ardoise fine;
Plus mon Loire gaulois que le Tibre latin,
5 Plus mon petit Liré que le Mont Palatin,
Et, plus que l'air marin, la douceur angevine.

Joachim du Bellay, *Les Regrets* XXXI (1558)

Notes

Du Bellay était parti pour Rome en 1553, comme secrétaire du cardinal Jean du Bellay, son oncle. Il était dès son arrivée très attaché à la beauté de Rome, mais il commence bientôt à regretter la France, ses amis, les horizons familiers de son enfance. Il a exprimé son admiration pour le monde antique et sa nostalgie pour l'Anjou, sa «petite patrie», dans un recueil de sonnets, *Les Regrets*.

Ulysse: L'*Odyssée* d'Homère nous conte les innombrables aventures que ce roi d'Ithaque subit pendant dix ans, avant de rentrer dans son pays, après la prise de Troie.

Celui qui conquit: Jason. D'après la mythologie grecque, il conduisit les Argonautes à la conquête de la Toison d'or dans l'actuelle Russie du Sud.

Clos: petit jardin.

Front: façade.

Mon Loire: au seizième siècle *Loire* était masculin.

Liré: petite colline près du manoir de du Bellay. Le *Palatin* est un des sept monts de Rome.

La douceur angevine: douceur de l'Anjou, province natale du poète, voisine de la Touraine. Rome est près de la Méditerranée.

SUJETS DE COMPOSITION LIBRE

1. L'architecture militaire nous permet-elle d'étudier la culture médiévale? Pourquoi?
2. Où auriez-vous préféré demeurer au moment de la Renaissance, dans la «petite maison» de du Bellay ou dans un des grands châteaux de François Ier?
3. Molière et le Château de Chambord.

QUESTIONNAIRE

1. Quelles circonstances ont provoqué l'évolution du château féodal?
2. Pourquoi ces châteaux étaient-ils en général construits sur une colline?
3. Qu'est-ce que la Renaissance? Où a-t-elle commencé?
4. Quelle transformation le château primitif a-t-il subie grâce à la Renaissance?
5. Pourquoi appelle-t-on la Touraine «le jardin de la France»?
6. On a souvent comparé la Touraine à un damier. Pourquoi?
7. Expliquez l'expression du poète, «ses cheveux d'azur», par rapport à la Loire.
8. Racontez brièvement la rencontre de Jeanne d'Arc et Charles VII au château de Chinon.
9. Décrivez la construction du curieux escalier de Chambord.
10. A quoi le château de Chambord a-t-il servi pendant la Deuxième Guerre mondiale?
11. Où a-t-on construit la salle de danse du château de Chenonceaux?
12. Pourquoi Louis XI avait-il fait enfermer le Cardinal La Balue dans une cage?
13. En quel siècle et pour quelle raison la Touraine a-t-elle cessé d'être la première province de France?
14. Pourquoi le poète du *Beau Voyage* préfère-t-il son village natal à Rome?

CHAPITRE 13

LES FETES

Dicton: Il n'est pas tous les jours fête.

N'est-il pas regrettable qu'en France, comme partout en Europe et en Amérique, tout ce qui faisait l'originalité des mœurs régionales s'efface lentement? Les costumes locaux, par exemple, ne sont plus que souvenirs, et quand on les voit à quelque festi-
5 vité folklorique, on a l'impression d'assister à un bal ou à une opérette. Malgré cette uniformité envahissante de la vie moderne, certaines fêtes et traditions restent encore vivaces en France; elles ajoutent une note de charme à l'existence de plus en plus standardisée, «américanisée», de ce pays.

10 Parmi ces fêtes françaises qui ne correspondent pas tout à fait, en ce qui concerne leur observance, à des fêtes américaines, il y a la Toussaint et le Mardi Gras. L'Eglise catholique a traditionnellement consacré l'instinct au recueillement que les brumes et la tristesse des jours courts de l'automne causent chez les hommes,
15 en instituant la fête de la Toussaint, le premier novembre, et la commémoration des défunts, appelée d'habitude Jour des Morts, le deux novembre. La Toussaint (fête de tous les saints, c'est-à-dire, les âmes sauvées) et le Jour des Morts sont dévoués à la mémoire des chers disparus; ces jours-là les tombes des défunts
20 de la famille sont couvertes de fleurs et de couronnes. Pendant plusieurs jours avant la Toussaint, les cimetières sont visités, les tombes sont nettoyées, et les fleurs et les couronnes fanées sont remplacées par des chrysanthèmes et d'autres fleurs d'automne.

Le Carnaval, et surtout le Mardi Gras, jour qui précède le Carême, est une fête très gaie. La date de cette célébration varie selon celle de Pâques; elle précède immédiatement le Carême, période de jeûne pour les catholiques pratiquants, qui commence le Mercredi des Cendres et dure quarante jours. Autrefois les gens ne pouvaient pas manger de viande pendant tout ce temps-là, et comme le Carême commence toujours un mercredi, le mardi était le dernier jour où l'on pouvait *faire gras*, c'est-à-dire manger de la viande. Pour cette raison, on l'a appelé le Mardi Gras.

Jadis le Carnaval commençait le Jour des Rois, le 6 janvier, et finissait le Mardi Gras. Le soir du Mardi Gras, de nombreuses personnes portaient dans les rues des costumes et des masques. Depuis la Première Guerre mondiale cette coutume a plus ou moins disparu, et seuls les enfants se déguisent et portent des masques. En Amérique, les enfants font la même chose à la fin d'octobre pour la fête que nous appelons *Halloween*. Ce n'est qu'à la Nouvelle-Orléans en Louisiane qu'on célèbre encore le Mardi Gras aux Etats-Unis. En France c'est sur la Côte d'Azur que le Carnaval se fête comme autrefois. A Nice, surtout, il y a des bals masqués, défilés bruyants, et un long cortège de masques et chars fleuris ou décorés de façon cocasse traverse la ville lentement. Pendant une «bataille de fleurs», où les gens se battent aux confetti et fleurs, des groupes masqués et des cavalcades escortent Sa Majesté Carnaval, mannequin grotesque que l'on brûle solennellement le Mercredi des Cendres.

La fête nationale de la France a lieu le 14 juillet, jour anniversaire de la prise de la Bastille. C'est à la suite de la destruction de cette forteresse-prison d'Etat, devenue au cours du dix-huitième siècle le symbole de l'absolutisme royal, que la Révolution française éclata (1789). Partout en France ce jour-là, les édifices publics sont pavoisés aux couleurs nationales, bleu, blanc et rouge. On orne de guirlandes et de lampions les maisons, les magasins, les terrasses des cafés. Le matin dans toutes les villes de garnison il y a une imposante revue militaire. L'après-midi et le soir, les théâtres et les opéras offrent une représentation gratuite, après laquelle des artistes du théâtre récitent ou chantent l'hymne national, la Marseillaise. Le soir les rues sont illuminées, on tire des feux d'artifices et tout le monde danse au son de l'accordéon sur les pavés en plein air jusqu'à l'aube.

Le premier avril ce sont les «poissons d'avril». Ceux-ci sont les mystifications plus ou moins drôles en usage surtout dans les campagnes, les écoles, les casernes. Ces farces ont pour objet de faire une surprise agréable à ses amis ou de faire courir les
5 naïfs à la recherche d'un objet imaginaire. Ainsi, par exemple. on envoie au grand magasin la jeune domestique, nouvellement arrivée de son petit village, acheter du sel dessalé.

Le premier mai, c'est, comme en toute Europe, la Fête du Travail. Ce jour-là «porte bonheur», dit-on en France, si les
10 hommes offrent aux dames un brin de muguet qu'elles doivent porter au revers de leur vêtement.

LE GOSSE MODERNE

Le grand-père: Que préférerais-tu, Pierre, un gros œuf de Pâques en chocolat ou un petit lapin en nougat?

15 Le gosse: J'aimerais mieux une auto aérodynamique à embrayage automatique.

Pour fêter Sa Majesté Carnaval sur la Côte d'Azur, des cortèges de chars fleuris ou décorés de façon cocasse passent dans les rues.

SUJETS DE COMPOSITION LIBRE

1. Quelle fête de l'année préférez-vous? Pourquoi?
2. Fête-t-on en Amérique le 4 juillet de la même façon que l'on fête le 14 juillet en France? Expliquez quelques différences.
3. Vous décrirez dans une lettre à des amis français la célébration de *Halloween* aux Etats-Unis, en leur expliquant l'origine de cette fête.

QUESTIONNAIRE

1. Pourquoi les mœurs régionales s'effacent-elles en Europe?
2. Nommez deux fêtes françaises qui ne correspondent pas tout à fait à nos fêtes américaines.
3. Quel endroit visite-t-on en France pendant la semaine qui précède la Toussaint? Pourquoi?
4. Quelle est l'origine de l'expression «Mardi Gras»?
5. En quelle ville française a lieu chaque année une «bataille de fleurs»? A quelle occasion?
6. En quelle ville américaine fête-t-on le Carnaval? Quelle est l'origine de cette tradition?
7. Pourquoi la date du Carnaval varie-t-elle chaque année?
8. Pour quelle raison les Français ont-ils choisi le 14 juillet comme jour de leur fête nationale?
9. Comment fête-on ce jour en France?
10. Comment célèbre-t-on le premier avril en France?
11. Où peut-on acheter du sel dessalé?
12. Que fête-t-on le premier mai? Quelle coutume accompagne ce jour?

CHAPITRE 14

NOEL EN FRANCE

Dicton: Quand à Noël, on voit des moucherons, à Pâques on voit des glaçons.[1]

Comme en Amérique, Noël en France est la plus belle fête de l'année. Les jours précédant cette festivité, on voit les magasins pleins de gens pressés qui cherchent des cadeaux pour les enfants. Dans les vitrines resplendissantes de lumière il y a très souvent
5 un arbre de Noël ou une crèche. Les restaurants, les cafés, les charcuteries sont ouverts la veille de la fête toute la nuit. Les pâtisseries sont remplies de toutes sortes de friandises: «bûches de Noël», souliers ou plutôt «sabots de Noël».

A minuit les prêtres célèbrent avec grande pompe et musique
10 spéciale une messe solennelle dans toutes les églises. Après la messe, qui est toujours très fréquentée, même par les catholiques non-pratiquants, on se régale au réveillon, un somptueux repas qui dure généralement plusieurs heures. L'arbre de Noël, grand ou petit, avec ses étoiles d'argent et ses bougies, resplendit à côté
15 de la table ou dans le salon. On mange au réveillon le plat traditionnel, dinde aux marrons, on boit lentement du champagne, on coupe la bûche de Noël en chantant de tout son cœur des cantiques.

Les enfants français ont leur «Santa Claus» qu'ils appellent
20 Père Noël, et auquel, s'ils ont été sages ou non, ils écrivent de nombreuses lettres qui contiennent les listes des choses qu'ils

[1] Si le temps est doux à Noël, il fera froid à Pâques.

désirent. La veille de la fête ils suspendent leur bas à la cheminée en attendant la visite du Père Noël, ou bien ils mettent leurs souliers devant la cheminée ou au pied de l'arbre de Noël. Ce sont surtout les enfants qui ont la joie de recevoir des cadeaux, des jouets et des bonbons, ce jour-là. Le grand dîner du jour de 5 Noël sert souvent d'occasion pour une réunion familiale autour d'une table bien garnie, comme la veille, de mets succulents.

Les grandes personnes attendent généralement le jour de l'an pour échanger des cadeaux, que l'on appelle étrennes. C'est l'époque des fleurs, des cartes de «Bonne Année», que l'on envoie 10 aux parents et aux amis. Ce jour tout le monde se rende visite, parfois assez protocolaire, pour se serrer la main, boire un petit verre et exprimer ses bons souhaits. Le concierge, le facteur, le boulanger, le laitier, le garçon boucher, tous se présentent pour souhaiter la bonne année aux clients, car ils savent que pour les 15 remercier, on leur donnera une petite somme d'argent ou une étrenne.

Le gui est une plante parasite qui pousse en France sur les peupliers, les pommiers et quelquefois sur les chênes. Cette petite plante, toujours verte, était vénérée par les Gaulois, premiers 20 habitants de la France, comme symbole de l'immortalité. Les prêtres gaulois avaient l'habitude de cueillir le gui du chêne solennellement, avec une faucille d'or, et de le mettre au pied de l'arbre. Puis il était distribué entre les fidèles qui voyaient en lui un porte-bonheur. Aujourd'hui encore, pour la fête de Noël, 25 on suspend des branches de gui dans les maisons au-dessus des portes. Et, pendant toute la saison de Noël et de Saint-Sylvestre, quand les jeunes garçons et les jeunes filles, ou même les adultes, se rencontrent sous le gui, ils ont le droit, en France comme en Amérique, de s'embrasser. 30

En France la fête de l'Epiphanie, le six janvier, s'appelle souvent «la fête des Rois» en souvenir des rois ou mages qui se rendirent à Bethléem, guidés par une étoile miraculeuse, contempler l'Enfant Jésus. Ce jour-là, on «tire les rois»; c'est-à-dire qu'on mange en famille, ou entre amis, une galette dans laquelle on a mis une fève ou minuscule poupée de porcelaine. Il va sans dire que 35 chacun mord avec précaution sa part de gâteau; autrement on se casserait une dent en mangeant trop vite! Celui ou celle qui trouve la fève dans sa part de galette est le roi ou la reine de la soirée. Il ou elle doit choisir dans l'assemblée une reine ou un roi. Alors celui qui est chargé de sacrer ces deux nouvelles majestés pose gravement sur leur tête deux couronnes de carton doré. 5 A ce moment, tout le monde se lève, applaudit et crie: «Vive le roi! Vive la reine!» Puis le roi boit à la santé de la reine; les sujets s'écrient: «Le roi boit», et boivent aussi.

LES ETRENNES

— J'ai offert à ma femme deux bagues superbes pour ses étren- 10 nes.

— Vous allez vous ruiner!

— Mais non, c'est par économie; depuis, elle ne met jamais de gants!

BUCHE DE NOEL

15 Autrefois, avant d'aller à la messe de minuit, on mettait une grosse bûche dans la cheminée pour chauffer la maison et préparer l'arrivée de Jésus. Aujourd'hui, c'est un gâteau qui rappelle cette ancienne coutume. Voici la recette pour la traditionnelle *bûche de Noël:*

20 Vous préparerez d'abord la pâte pour le biscuit en mélangeant dans une terrine 6 cuillerées de sucre en poudre, 4 jaunes d'œufs et 8 cuillerées de farine. Ajoutez ensuite, 4 blancs d'œufs battus en neige, puis 2 cuillerées de beurre fondu. Ne pas oublier une pincée de sel! Etalez cette pâte sur une plaque recouverte d'un 25 papier beurré. La pâte doit avoir une épaisseur régulière d'un demi-centimètre. Faites cuire pendant une dizaine de minutes, puis faites refroidir le biscuit.

Préparez ensuite une crème liquide avec un demi-verre de lait et un demi-verre de chocolat. Ajoutez-y 5 jaunes d'œufs et 30 mélangez-y avec le fouet 250 grammes de beurre fin.

Lorsque le biscuit est refroidi, étalez dessus une couche de cette crème. Roulez le biscuit sur lui-même et coupez la bûche en biais à chaque extrémité. Faites couler sur la bûche de la crème au chocolat, et, à l'aide d'une fourchette, imitez l'écorce du bois.

Tous les ans on dresse un arbre de Noël devant la Cathédrale de Notre-Dame de Paris.

En guise de mousse, appliquez ça et là un peu de pistache hachée. Tenir le gâteau au frais avant de le servir.

GRATIFICATIONS

— Monsieur, il y a, dans l'antichambre, le facteur des lettres, celle des imprimés et le petit télégraphiste, les boueux, les graisseurs de l'ascenseur et tout et tout. 5

— Je sais. Je sais ... ils viennent pour les étrennes.

Le facteur des lettres, qui était le doyen de la corporation, donc le plus vénérable, s'avança, et me mit alors dans la main une pièce de vingt francs, en disant, d'une voix mouillée: 10

— Monsieur! Nous nous permettons de vous souhaiter une bonne année et une bonne santé et nous nous sommes cotisés pour vous offrir un louis. N'êtes-vous point respectable et utile entre tous, puisque vous êtes l'usager? Sans vous, qui écrivez et recevez une nombreuse correspondance, je ne porterais pas les 15 lettres et mes collègues n'auraient pas le loisir d'apporter les imprimés et de déposer les télégrammes. Si vous ne jetiez pas dans la boîte aux ordures les résidus de la veille et les reliefs de vos repas, si vous montiez trois étages à pied, comme autrefois, 5 ces messieurs n'auraient pas leur raison d'être. En conséquence, et pour vous remercier, nous vous demandons la permission de vous faire ce petit cadeau.

Emu jusqu'aux larmes, j'allais serrer le facteur dans mes bras, lorsque je me réveillai en sursaut. Le rêve avait fini.

10 P. G. Véber

SUJETS DE COMPOSITION LIBRE

1. Comment je voudrais passer mon Noël prochain.
2. La fête de Noël quand j'étais enfant.
3. Le sort des résolutions que je fais chaque trente-et-un décembre.

QUESTIONNAIRE

1. Expliquez le sens du dicton imprimé en tête du chapitre.
2. Qu'est-ce qu'une «bûche de Noël»? A quelle ancienne coutume doit-elle sa forme?
3. Quel est le plat traditionnel de Noël en France? En Amérique?
4. Pourquoi les enfants français écrivent-ils des lettres au Père Noël?
5. Que font les enfants français la veille de Noël?
6. Qu'est-ce que le «réveillon de Noël»?
7. Que font les grandes personnes le jour de l'an?
8. Pourquoi le concierge, le facteur etc. font-ils visite chez tout le monde le jour de l'an?
9. Pourquoi suspend-on du gui au-dessus des portes?
10. Quelle est l'origine de cette coutume?
11. A quoi sert la galette dans la célébration de la fête des Rois?
12. Que fait celui ou celle qui trouve la fève dans son morceau de galette?
13. Que font les sujets quand le roi porte un toast à sa reine?

CHAPITRE 15

LA MUSIQUE

Dicton: La musique adoucit les mœurs.

On dit volontiers que l'Allemagne est la patrie de la musique symphonique et que l'Italie est la patrie de l'opéra. En France, d'autre part, la culture traditionnelle n'a jamais accordé une grande place à la musique. Jean-Jacques Rousseau n'a-t-il pas écrit: «Les Français n'ont pas de musique et n'en peuvent avoir, ou si jamais ils en ont une, ce sera tant pis pour eux»? En effet, la musique française se rattache au mouvement intellectuel du pays. La tragédie classique de Racine culmine chez Rameau et Gluck. La musique française a été tour à tour romantique et grandiose avec Berlioz à l'époque de Hugo et de Delacroix, réaliste dans le *Carmen* de Bizet à l'époque de Zola et de Manet, impressionniste avec Debussy à l'époque de Mallarmé et Cézanne. Si, jusqu'au XIXe siècle, la culture française a été plutôt littéraire, on constate néanmoins qu'à partir de Hector Berlioz (1803–1869), la musique est devenue en France l'égale des autres arts. Il suffit de lire les programmes des concerts et des opéras représentés dans toutes les grandes villes du monde pour voir que depuis plus d'un siècle la France a produit des compositeurs qui attirent le grand public.

En France, comme partout ailleurs, peut-être, c'est dans la chanson qu'il faut chercher au Moyen-Age les premières manifestations musicales. Les trouvères et les troubadours, anonymes pour la plupart, furent à la fois compositeurs et poètes,

Grand escalier de l'Opéra de Paris.

inventant ceux-ci en langue d'oïl (français), ceux-là en langue d'oc (provençal), leurs chansons. Ces mélodies se répandaient en France grâce surtout aux jongleurs et ménestrels, qui parcouraient villes et campagnes et divertissaient seigneurs, bourgeois et paysans dans les châteaux et les auberges, en s'accompagnant d'une harpe, vielle (ancêtre du violon), ou luth. L'histoire a conservé surtout le nom de Blondel de Nesle, jongleur de Richard Cœur de Lion et serviteur fidèle du roi anglais exilé.

La Renaissance donna une vie nouvelle à la musique française comme à tous les autres arts. C'est grâce à cette régénération que naît la *Chanson française*, amoureuse ou satirique, en style polyphonique, et chantée *a cappella*, c'est-à-dire, sans accompagnement instrumental. Le plus original des compositeurs de l'époque fut, peut-être, Clément Janequin, élève de Josquin des Prés, et auteur de chœurs imitatifs qu'on exécute encore aujourd'hui, tels que *Les Cris de Paris*, qui font vivre devant l'auditeur la ville avec tous les bruits transposés par l'imagination d'un musicien, et *La Chasse*, qui fait [1] assister aux épisodes d'une chasse à courre. Dans *La Bataille* (de Marignan, 1515), Janequin a su, par ses trouvailles imitatives, exprimer l'héroïsme mêlé d'horreur de son sujet. «Quand on chantait la chanson *la Bataille* devant le grand roi François pour la victoire qu'il avait eu sur les Suisses, écrivit un contemporain du compositeur, il n'y avait personne qui ne regardât si son épée tenait au fourreau et qui ne se haussât sur les orteils pour se rendre plus bragard et de riche taille.» [2]

Les dernières manifestations musicales des grands contrepointistes du XVIe siècle laissent deviner une tendance vers un art plus monodique. La révolution dans ce sens s'opéra brusquement en Italie, grâce surtout au génie d'un Monteverdi (1567–1643). Désormais une mélodie unique, dégagée des broderies polyphoniques, sera l'expression musicale idéale.

Deux musiciens surtout apporteront à la France ce style nouveau: un Français formé en Italie sous Carissimi, Marc-Antoine Charpentier (1634–1704), et son contemporain, Jean-Baptiste Lulli, un Italien formé en France. Francisé de nom (de Lully), d'esprit et de manières, protégé par la faveur de Louis XIV, Lulli ne permettra à aucun autre compositeur pendant les longues années de sa vie de s'imposer à l'attention du public. Bien que Marc-Antoine Charpentier fût dans une large mesure victime de cette dictature musicale, il devint néanmoins collabo-

[1] **fait** enables one
[2] **de riche taille** taller

rateur de Molière après la brouille de ce dernier avec Lulli, et écrivit des intermèdes vocaux et instrumentaux destinés à égayer les pièces de Molière. Après un oubli de presque trois cents ans, ce sont les intermèdes de Charpentier pour *Le Malade Imaginaire* de Molière que l'on a repris depuis plusieurs années à la Comédie-Française. Les travaux de musicologues, les concerts, et surtout les disques microsillons, font connaître chaque jour davantage les compositions de Charpentier, et le grand public commence de nos jours à entrevoir le mérite de cet artiste trop longtemps négligé.

Quant à la musique de clavecin, François Couperin, et après lui, Rameau, ont composé pour cet instrument au cours du dix-huitième siècle des œuvres remarquables pour leur clarté, et nuances harmoniques, qualités que l'on trouve plus tard dans les compositions de Gabriel Fauré (1845–1924).

C'est du mouvement romantique au commencement du dix-neuvième siècle qu'est venu le premier compositeur français de renommée mondiale, le fougueux Hector Berlioz (1803–1869). Génie inégal et longtemps discuté, Berlioz avait dans ses partitions telles que sa *Symphonie Fantastique*, son *Requiem* et son *Roméo et Juliette*, les accents d'un lyrisme et d'une émotion puissante

Plaque et buste pour honorer le souvenir du compositeur Jean-Philippe Rameau (1683–1764) dans l'Eglise Saint-Eustache à Paris.

Le compositeur Claude Debussy (1862–1918), maître de la musique impressionniste.

que la musique française de concert n'avait jamais connus jusqu'à là. Berlioz fut *le* compositeur romantique grâce à l'éclat passionné de ses mélodies et rythmes et à la richesse et au coloris de ses orchestrations. Georges Bizet (1838–1875) mourut très jeune avant d'avoir développé tout son talent exceptionnel. Il avait 5 déjà terminé deux œuvres toutefois qui allaient le rendre immortel: ses *Suites Arlésiennes*, et son opéra, *Carmen*, partition typiquement espagnole, bien que son compositeur n'ait jamais visité l'Espagne.

Le poète Baudelaire (1821–1867), un des inspirateurs du mouvement symboliste, a expliqué comment les arts se répondent: 10

> ... Comme de longs échos qui de loin se confondent
> Dans une ténébreuse et profonde unité,
> Vaste comme la nuit et comme la clarté,
> Les parfums, les couleurs et les sons se répondent ... 15
>
> *Les Fleurs du Mal*

En tout cas, les grands musiciens de la fin du dix-neuvième siècle font écho aux grands peintres contemporains. L'on a appelé Claude Debussy (1862–1918), le «poète des sons». Debussy a été pour la musique ce qu'a été Claude Monet pour la peinture. 20 Ses compositions de piano comme *Clair de lune*, et pour l'orchestre, comme *Prélude à l'après-midi d'un faune* et *La Mer*, sont influencées par la poésie symboliste de Mallarmé[3] et par la peinture impressionniste. D'après le texte du drame symboliste *Pélleas et Mélisande* du poète belge Maurice Maeterlinck (1862–1949), 5 Debussy a écrit un opéra dans un style nouveau et original, où le compositeur rejette toute forme mélodique. Effectivement Debussy a renouvelé la musique française en rompant avec le style grandiose du romantisme, et en opérant une synthèse entre la mélodie modale du chant grégorien et sa technique personnelle: 10 petits intervalles dans la mélodie, déclamation syllabique, harmonies modales. Après le symbolisme de Debussy, l'impressionnisme devait se réaliser surtout avec Maurice Ravel (*Schéhérazade, Ma Mère l'Oye*).

Dans la génération suivante, il y avait l'Ecole des Six (nés 15 vers 1890). De ce groupe, Darius Milhaud, Poulenc et Honegger sont les mieux connus en Amérique. La musique française contemporaine reste encore en partie sous l'influence de Debussy. Suivant dans les traces de ce dernier, Olivier Messiaen a rappelé à la vie les vieux chants du Moyen-Age. Novateur aux dons 20 profondément originaux, il utilise aussi les rythmes hindous les plus exotiques et compliqués. Ses compositions sont avant tout dissonantes et il faudra le délai d'au moins une génération pour juger avec sérénité d'âme une œuvre comme son *Réveil des Oiseaux*, pour piano et orchestre, acclamée par certains mélomanes 25 et sifflée bruyamment par d'autres.

DEUX DEVINETTES ET DEUX DEFINITIONS

— Quelle ressemblance y a-t-il entre un musicien et un hôtelier?
— Les notes.

— Pourquoi un geôlier ressemble-t-il à un musicien?
30 — Tous deux manient les clefs.

Le ronflement, c'est la musique de chambre.

La musique est le moins désagréable des bruits mais le plus cher.

[3] Pour Mallarmé, le poème était «un mystère dont le lecteur doit chercher la clef».

LE TEMPS PASSE

Quand Gounod, compositeur de l'opéra *Faust*, avait une quarantaine d'années, quelqu'un lui demanda:

— Quel âge donnerez-vous à Faust au premier acte?

— Ma foi, l'âge normal d'un vieillard, soixante ans. 5

Vingt ans plus tard, à l'occasion d'une nouvelle mise en scène de *Faust*, on lui posa la même question.

— Ma foi, dit-il, l'âge normal d'un vieillard, quatre-vingt ans!

PAUVRE TOUTOU

Le compositeur Jean-Philippe Rameau avait un caractère 10 impulsif. Il avait aussi l'ouïe fine et même susceptible. Un jour, rendant visite à une belle dame, il fut accueilli par un odieux chien qui, blotti dans les jupes de la dame, poussait des hurlements de fureur. Rameau se leva tout à coup, prit le chien et le jeta subitement par la fenêtre d'un troisième étage. La dame, épou- 15 vantée, exclame: «Hé! que venez-vous de faire, Monsieur? — Justice, madame, votre chien aboyait faux»[4] dit le compositeur, en s'allant avec la sainte et légitime horreur d'un homme dont l'oreille avait été horriblement déchirée.

QUI EST L'IMBECILE? 20

A l'Opéra-Comique, un monsieur se trouve installé dans une loge à côté d'un jeune homme qui s'amuse à fredonner tous les airs que chante le ténor.

— Quel imbécile! s'exclame le monsieur.

— De qui parlez-vous? demande le jeune homme avec vivacité. 25

— Mais de cet imbécile de ténor qui m'empêche de vous entendre.

SUJETS DE COMPOSITION LIBRE

1. Bien des opéras doivent leur livret à des œuvres littéraires françaises. *La Traviata* doit son texte à *La Dame aux Camélias; Rigoletto* au drame *Le Roi s'amuse; Carmen* à une nouvelle de Mérimée. En connaissez-vous d'autres?

[4] **faux** out of tune

2. Quel est votre compositeur favori et pourquoi l'aimez-vous?
3. Quels instruments avez-vous appris à jouer? Pourquoi? Comment?
4. Décrivez vos souvenirs du premier opéra (ou du premier concert) auquel vous avez assisté.
5. Que veut dire le poète Saint-Lambert quand il dit: «Souvent j'écoute encore quand le chant a cessé»?

QUESTIONNAIRE

1. Pourquoi la musique française se rattache-t-elle au développement intellectuel du pays?
2. Où trouve-t-on en France les premières manifestations musicales?
3. Qu'est-ce qu'une vielle?
4. Comment les jongleurs et les ménestrels répandaient-ils les chansons des troubadours et des trouvères?
5. Identifiez Blondel de Nesle.
6. Nommez trois compositions de Janequin.
7. Quelle est la différence en musique entre le style monodique et le style polyphonique?
8. Pourquoi le compositeur Marc-Antoine Charpentier est-il resté encore aujourd'hui si peu connu malgré ses grands mérites?
9. Décrivez le style de Couperin et de Rameau.
10. Comment les œuvres de Berlioz sont-elles typiquement romantiques?
11. Pourquoi compare-t-on Debussy avec Claude Monet?
12. Pourquoi l'opéra *Pelléas et Mélisande* a-t-il soulevé des critiques défavorables à sa création en 1902?
13. Caractérisez le style musical de Ravel et nommez deux de ses compositions.
14. Pourquoi est-il difficile de juger la valeur d'un compositeur contemporain comme Olivier Messiaen?

CHAPITRE 16

LES MORALISTES

«Il connaît l'univers et ne se connaît pas.»

La Fontaine

La psychologie ou l'étude de l'âme humaine tient une place prépondérante dans la littérature française. L'homme, son caractère, ses mœurs, sont, pour ainsi dire, l'inspiration unique des écrivains du XVIIe siècle. Non contents de cacher leurs observations sur les gloires et les misères de l'«honnête homme» sous les dehors 5 de la fable (La Fontaine), ou des pièces de théâtre (Molière, Corneille, Racine) certains moralistes, tels que La Rochefoucauld et La Bruyère, rapportèrent leurs réflections austères dans des recueils de morale. Le jeu des maximes — définitions et analyses concises et abstraites de la nature humaine — était fort à la mode 10 dans les salons de Paris et à la cour royale. Le recueil de La Rochefoucauld, comprenant 504 maximes, et publié peu à peu entre 1665 et 1678, éclipsa les autres.

C'est le livre d'un pessimiste et d'un désabusé. «Les vertus se perdent dans l'intérêt, y lit-on, comme les fleuves dans la mer ... 15 Les vices entrent dans la composition des vertus comme le poison entre dans la composition des remèdes.» Chacune de ces *Maximes* était une piqûre d'épingle destinée à dégonfler la vanité humaine.

La Rochefoucauld formulait impartialement, avec une probité scientifique, et dans un style brusque, court et serré, les lois des 20 faits qu'il avait observés. Il voulait montrer combien la nature humaine, pour lui du moins, est laide, égoïste, et vaniteuse sous son masque d'hypocrisie. Tantôt La Rochefoucauld se moque de la nature humaine, tantôt il la méprise. Voici quelques-unes de ses maximes caractéristiques:

5 L'amour-propre est le plus grand de tous les flatteurs.

Nous aurions honte de nos plus belles actions, si le monde voyait tous les motifs qui les produisent.

Le refus des louanges est le désir d'être loué deux fois.

Les querelles ne dureraient pas longtemps si le tort n'était que 10 d'un côté.[1]

La reconnaissance en la plupart des hommes n'est qu'une forte et secrète envie de recevoir de plus grands bienfaits.

Ce qu'on nomme liberalité n'est le plus souvent que la vanité de donner, que nous aimons mieux que ce que nous donnons.

15 L'amour de la justice n'est en la plupart des hommes que la crainte de souffrir l'injustice.

La Rochefoucauld est quelquefois plus ironique que pessimiste:

On ne donne rien si libéralement que ses conseils.

Nous ne trouvons guère de gens de bon sens que ceux qui sont 20 de notre avis.

Nous avons tous assez de force pour supporter les maux d'autrui.

Voici une maxime qui résume toute sa philosophie:

Nos vertus ne sont le plus souvent que des vices déguisés.

Ayant presque atteint la quarantaine, Jean de La Bruyère 25 (1645–1696) entrait chez les Condé, branche collatérale de la maison de Bourbon, pour y diriger les études littéraires du duc de Bourbon, alors âgé de seize ans. Dans l'hôtel des Condé à Paris et dans leur château de Chantilly, la haute société du royaume passait et repassait sans cesse sous les yeux du précep- 30 teur, de tempérament comme de naissance, bourgeois de Paris. La Bruyère, bien que peu révolutionnaire, était ambitieux. Il a dû cacher son amertume avec soin, et elle n'a guère paru que dans ses observations et réflexions peu indulgentes sur ses contemporains, qu'il a mises, en un style coupé et épigrammatique,

[1] **d'un coté** on one side

dans *Les Caractères de Théophraste traduits du grec avec les Caractères ou les Mœurs de ce siècle* (1688). Le livre est un mélange de maximes et de portraits groupés en 16 chapitres sous un plan général assez vague où La Bruyère veut faire la satire de l'homme et de la société. Ici nous trouvons, bien entendu, l'homme de La Rochefoucauld, égoïste, inconstant, vaniteux, incapable d'un sentiment profond ou généreux:

On dit du bien de quelqu'un pour deux raisons: la première, afin qu'il apprenne que nous disons du bien de lui; la seconde, afin qu'il en dise de nous.

Il n'y a pour l'homme que trois événements; naître, vivre, mourir. Il ne se sent pas naître, il souffre à mourir, et il oublie de vivre.

Il faut rire avant d'être heureux, de peur de mourir sans avoir ri. Un beau visage est le plus beau de tous les spectacles; et l'harmonie la plus douce est le son de voix de celle que l'on aime.

Portrait de Paysan

L'on voit certains animaux, farouches, des mâles et des femelles, répandus par la campagne, noirs, livides, et tout brûlés du soleil, attachés à la terre qu'ils fouillent et qu'ils remuent avec une opiniâtreté invincible; ils ont comme une voix articulée, et, quand ils se lèvent sur leurs pieds, ils montrent une face humaine: et en effet ils sont des hommes. Ils se retirent la nuit dans des tanières, où ils vivent de pain noir, d'eau et de racines: ils épargnent aux autres hommes la peine de semer, de labourer et de recueillir pour vivre, et méritent ainsi de ne pas manquer de ce pain qu'ils ont semé.

Si La Rochefoucauld et La Bruyère sont les deux plus célèbres des moralistes français, il faut dire que la tendance moralisante est très vivace dans la littérature française. Les fables, les maximes, les épigrammes, les «pensées», en vers et en prose, sont, pour ainsi dire, une «spécialité» des Français, moralistes par excellence. Presque tout écrivain français, qu'il soit poète, romancier, dramaturge ou essayiste, est analyste des mœurs humaines à ses heures. En France ce genre donne, peut-être, à la littérature française son cachet particulier.

Voici, pour terminer ce chapitre, encore d'autres échantillons de ces réflexions et traits d'esprit, si typiquement français:

Mieux est de ris que de larmes écrire, — ris *laughter*
Pour ce que rire est le propre de l'homme. — pour ce que = parce que

5 *Rabelais (1494–1553)*

Et rose, elle a vécu ce que vivent les roses,
L'espace d'un matin.

Malherbe (1555–1628)

Fable du Lion Devenu Vieux

10 Le lion, terreur des forêts,
chargé d'ans et pleurant son antique prouesse, — chargé d'ans = très vieux
Fut enfin attaqué par ses propres sujets,
devenus forts par sa faiblesse.
15 Le cheval, s'approchant, lui donne un coup de pied;
le loup, un coup de dent; le bœuf, un coup de corne.
Le malheureux lion, languissant, triste et morne,
Peut à peine rugir, par l'âge estropié.
Il attend son destin sans faire — destin = mort
20 aucunes plaintes; — aucunes plaintes = aucune plainte
Quand, voyant l'âne même à son antre accourir: — l'âne même = même l'âne
Ah! c'est trop, lui dit-il, je voulais bien mourir,
Mais c'est mourir deux fois que souffrir tes atteintes.

25 *Jean de La Fontaine (1621–1695)*

Le nez de Cléopâtre: s'il eût été plus court, toute la face de la terre aurait changé.

Le cœur a ses raisons que la raison ne connaît point ... C'est le cœur qui sent Dieu et non la raison ... La pensée fait la grandeur 30 de l'homme. Toute la dignité de l'homme consiste en la pensée. L'homme n'est qu'un roseau, le plus faible de la nature; mais c'est un roseau pensant. Il ne faut pas[2] que l'univers entier s'arme pour l'écraser: une vapeur, une goutte d'eau suffit pour

[2] **Il ne faut pas = Il n'y a pas besoin**

le tuer. Mais, quand l'univers l'écraserait, l'homme serait encore plus noble que ce qui le tue, parce qu'il sait qu'il meurt, et l'avantage que l'univers a sur lui, l'univers n'en sait rien. Toute notre dignité consiste donc en la pensée ... Travaillons donc à bien penser: voilà le principe de la morale ... L'homme 5 n'est ni ange ni bête, et le malheur veut que qui veut faire l'ange fait la bête ... Voulez-vous qu'on croie du bien de vous? N'en dites pas.

Blaise Pascal (*1623–1662*)

Un idiot riche est un riche. Un idiot pauvre est un idiot. 10

Madame de La Sablière (*1636–1693*)

Le superflu, chose très nécessaire ...
Si Dieu n'existait pas, il faudrait l'inventer ...

Voltaire (*1694–1778*)

Je me presse[3] de rire de tout, de peur d'être obligé d'en pleurer... 15

Beaumarchais (*1732–1799*)

Le hasard est l'expression de notre ignorance ...

Laplace (*1749–1827*)

La parole a été donnée à l'homme pour déguiser sa pensée ...

Talleyrand (*1754–1838*) 20

On entre, on crie,
Et c'est la vie.
On bâille, on sort,
Et c'est la mort.

Ausone de Chancel (*1808–1876*) 25

La culture, c'est ce qui reste quand on a tout oublié ...

Edouard Herriot (*1872–1957*)

SUJETS DE COMPOSITION LIBRE

1. Etes-vous d'accord avec La Rochefoucauld, qui suppose que l'amour de soi-même est le motif unique de toutes les actions humaines, bonnes ou mauvaises? Que pensez-vous du docteur Albert Schweitzer par exemple?
2. Expliquez la morale de la fable du «Lion Devenu Vieux».

[3] **Je me presse = Je me dépêche**

QUESTIONNAIRE

1. Quel genre littéraire était fort à la mode dans les salons de Paris au cours du dix-septième siècle?
2. Quel était le but des fables de La Fontaine?
3. Comment, d'après La Rochefoucauld, les vices, entrent-ils dans la composition des vertus?
4. A quelle condition, selon ce même auteur, les querelles ne dureraient-elles pas longtemps?
5. Quelle est la maxime qui résume toute la philosophie de La Rochefoucauld?
6. A quoi La Bruyère répugnait-il malgré son ambition?
7. Quels sont d'après La Bruyère les trois événements pour l'homme?
8. Quel genre littéraire donne son cachet spécial à toute la littérature française?
9. Citez la phrase de Pascal qui caractérise sa philosophie du cœur.
10. Si, selon Voltaire, Dieu n'existait pas, que faudrait-il faire?
11. Pourquoi, d'après Talleyrand, la parole a-t-elle été donnée à l'homme? Etes-vous d'accord avec Talleyrand? Justifiez votre jugement.

CHAPITRE 17

LA FONTAINE

«Je me sers d'animaux pour instruire les hommes.»

La Fontaine

Parmi les poètes français, il n'y a pas de personnage plus original et plus charmant que Jean de La Fontaine (1621–1695). Rêveur épicurien et doucement paresseux, il a réussi pourtant à écrire des recueils de *Contes*, et de *Fables*, où, souvent sous le déguisement des animaux, il a critiqué la société française de son époque. 5
Trop indépendant et trop personnel pour se plier aux règles classiques, La Fontaine ne semble pas avoir été apprécié à sa juste valeur par les lettrés de son temps. C'est cette originalité qui lui vaut[1] d'être considéré aujourd'hui comme le plus grand et, peut-être, le seul poète lyrique français du 17ᵉ siècle. 10

On aurait tort de croire que les fables de La Fontaine ne conviennent qu'aux enfants. Ce sont, au contraire, d'exquis petits drames, de ton et de genre très différents, où le poète fait parler l'homme universel. Voici un échantillon typique de l'art de La Fontaine: 15

Le Corbeau et le Renard

Maître corbeau, sur un arbre perché,
Tenait en son bec un fromage.

[1] **qui lui vaut** which makes him worthy

Maître renard, par l'odeur alléché,
Lui tint à peu près ce langage:
«Hé! bonjour, Monsieur du Corbeau,
Que vous êtes joli! que vous me semblez beau!
5 Sans mentir, si votre ramage
Se rapporte à votre plumage,
Vous êtes le phénix des hôtes de ces bois.»
A ces mots le corbeau ne se sent pas de joie;
Et pour montrer sa belle voix,
10 Il ouvre un large bec, laisse tomber sa proie.
Le renard s'en saisit, et dit: «Mon bon monsieur,
Apprenez que tout flatteur
Vit aux dépens de celui qui écoute:
Cette leçon vaut bien un fromage, sans doute».
15 Le corbeau, honteux et confus,
Jura, mais un peu tard, qu'on ne l'y prendrait
plus.

Lui ... langage: = lui parla à peu près en ces termes:

ramage = chant

phénix = le plus remarquable, le roi des oiseaux

ne se ... joie *cannot restrain his joy*

un *his*

aux dépens *at the expense*

qu'on ... plus *that he would never be taken in again*

Né à Château-Thierry en Champagne, le jeune La Fontaine y exerça la charge de *maître des eaux et forêts* qu'il avait héritée de 20 son père, sans s'en occuper autrement qu'en se promenant dans les bois et sur les bords des eaux dont l'inspection lui était confiée. Il put ainsi parcourir la campagne, regarder vivre les animaux, observer non en[2] naturaliste mais en[2] poète, mille traits pittoresques qui devaient[3] enrichir plus tard ses fables. Irrésponsable de nature, il se défit le plus tôt de sa charge, quitta sa femme 25 et s'installa à Paris. Il trouva d'abord un puissant mécène dans la personne de Fouquet, surintendant des finances. Celui-ci fit à La Fontaine une pension à condition que le poète lui enverrait de temps en temps des vers en guise de quittances. Grâce à la 30 générosité de Madame de la Sablière, femme distinguée par son esprit, son savoir et sa bienfaisance, le poète vécut vingt ans chez elle, exempt de tout souci. Quand elle mourut, son ami M. d'Hervart vint chercher La Fontaine et le pria de loger chez lui: «J'y allais», répondit La Fontaine. Ayant ainsi trouvé, au

[2] **en** as a
[3] **devaient** were to

cours de son existence insouciante, de puissants protecteurs, La Fontaine put travailler à ses heures[4] en artiste, débarrassé de tout soin matériel.

Sur la recommandation de ses amis, le roi Louis XIV voulut bien recevoir le poète, qui devait lui remettre un poème. La Fontaine arrive devant le monarque ... mais il avait oublié sa poésie! 5

— Cela ne fait rien, Monsieur de La Fontaine, dit le roi, charmé par la bonhomie du fabuliste distrait, ce sera pour une autre fois.

Malgré ses distractions et son insouciance, La Fontaine était un artiste scrupuleux et perspicace, qui n'a pas craint de démasquer les courtisans obséquieux devant le roi. 10

La Grenouille qui se veut faire aussi grosse que le Bœuf

Une grenouille vit un bœuf
Qui lui sembla de belle taille. 15
Elle, qui n'était pas grosse en tout comme un œuf,
Envieuse, s'étend, et s'enfle, et se travaille
Pour égaler l'animal en grosseur,
Disant: «Regardez bien, ma sœur; (sœur = ami)
Est-ce assez? dites-moi; n'y suis-je point encore? 20
— Nenni. — M'y voici donc? — Point du tout. (Nenni = Non)
— M'y voilà?
— Vous n'en approchez point.» La chétive pécore (pécore = animal)
S'enfla si bien qu'elle creva.
Le monde est plein de gens qui ne sont pas plus sages: 25
Tout bourgeois veut bâtir comme les grands seigneurs;
Tout petit prince a des ambassadeurs;
Tout marquis veut avoir des pages.

Les salons des nobles et la Cour offraient à La Fontaine maintes occasions d'étudier les hommes, avec leurs bonnes qualités, leurs défauts et faiblesses, et de s'exercer à avoir toujours la repartie prompte et spirituelle. Le Prince de Condé, célèbre général dans les campagnes de Flandre, l'invita un jour à un dîner chez lui; mais le poète, oublieux comme d'habitude, n'y alla pas, ce qui fâcha le prince. Sur l'avis de ses amis, La Fontaine se rendit au 30 35

[4] **à ses heures** whenever he felt like it

palais du prince pour lui présenter ses excuses. Aussitôt que Condé l'eut aperçu, il lui tourna le dos.[5]

— Merci, monseigneur, s'écria le fabuliste adroitement. On m'avait dit que vous étiez fâché contre moi, mais je vois bien qu'il n'en est rien.[6]

— Voilà qui est singulier, répondit le prince fort surpris, et à quoi[7] voyez-vous cela?

— C'est très facile à expliquer. Vous me tournez le dos, et vous n'avez pas l'habitude d'agir de cette façon avec vos ennemis.

Ce compliment malin plut à Condé, qui salua cordialement le poète.

Même à Paris, La Fontaine surveillait de près les animaux, les oiseaux, les insectes. Chez la duchesse de Bouillon on s'étonna un jour de ne pas le voir paraître au repas auquel il avait été invité. Il arriva tout pensif, longtemps après que les convives étaient déjà partis. Sa perruque était de travers, ses vêtements souillés de terre et couverts de brins. On lui demanda d'où il venait.

— Ma foi, répondit gravement le poète, je vois bien que je me suis attardé. Mais figurez-vous que je viens d'assister à l'enterrement d'une fourmi. Comme c'était passionnant de suivre le convoi de la fourmi dans le jardin et puis reconduire la famille jusqu'à leur fourmilière! Je n'ai pas pu m'arracher à contempler ce spectacle jusqu'au bout.

Si La Fontaine puisait les actions de ses fables chez les anciens, notamment Esope et Phèdre, il savait embellir ses modèles et égayer les contes courts et secs de ses prédécesseurs. «La Fontaine, sachez-le bien, dit le poète romantique Alfred de Musset, En prenant tout, n'imita rien.»

Et voici la fable que La Fontaine lui-même aurait préférée[8] à toutes les autres. Elle fut inspirée par Esope, mais La Fontaine a remplacé l'olivier par le chêne.

[5] **il ... dos** he turned his back on him
[6] **qu'il n'en est rien** that it is not so
[7] **à quoi** by what
[8] **aurait préférée** is supposed to have preferred

Jean de La Fontaine, fabuliste et poète.

Le Chêne et le Roseau

Le chêne un jour dit au roseau:
«Vous avez bien sujet d'accuser la nature;
Un roitelet pour vous est un pesant fardeau;
Le moindre vent qui d'aventure
Fait rider la face de l'eau, 5
Vous oblige à baisser la tête,
Cependant que mon front, au Caucase pareil,
Non content d'arrêter les rayons du soleil,
Brave l'effort de la tempête.
Tout vous est aquilon, tout me semble zéphyr. 10
Encor si vous naissiez à l'abri du feuillage,
Dont je couvre le voisinage,

Vous avez bien sujet = vous avez raison

d'aventure *perchance*

Cependant que = Tandis que

Encor(e) si *If at least*

Vous n'auriez pas tant à souffrir,
Je vous défendrais de l'orage:
Mais vous naissez le plus souvent
Sur les humides bords des royaumes du vent.
5 La nature envers vous me semble bien injuste.

— Votre compassion, lui répond l'arbuste,
Part d'un bon naturel, mais quittez ce souci:
Les vents me sont moins qu'à vous redoutables;
Je plie et ne romps pas. Vous avez jusqu'ici
10 Contre leurs coups épouvantables
Résisté sans courber le dos;
Mais attendons la fin.» Comme il disait ces mots,
Du bout de l'horizon accourt avec furie
Le plus terrible des enfants
15 Que le Nord eût portés jusque-là dans ses flancs.
L'arbre tient bon, le roseau plie.
Le vent redouble ses efforts,
Et fait si bien qu'il déracine
Celui de qui la tête au ciel était voisine,
20 Et dont les pieds touchaient à l'empire des morts.

arbuste = petit arbre

Bien que La Fontaine fût, dans les dernières années de sa vie, redevenu «presque enfant», il gardait la vivacité d'esprit de sa jeunesse. Il avait l'habitude de manger tous les soirs une pomme cuite. Un soir il en avait mis une sur la cheminée pour la laisser refroidir, et, en attendant, il était allé chercher un livre dans 25 sa bibliothèque. Un de ses amis entre dans la pièce, où tout était, bien entendu, en grand désordre, aperçoit la pomme et la mange. Le poète, en rentrant, ne voyant plus sa pomme, devine ce qui est arrivé.

— Ah! mon cher ami, où est ma pomme cuite? Vous ne l'avez 30 pas mangée, j'espère!

— Mais non, répond l'ami, gêné, car il avait cru le poète plus distrait que cela.

— Ah! tant mieux.

— Pourquoi dites-vous «tant mieux»?

35 — Parce que, répond La Fontaine, j'avais mis de l'arsenic dedans pour empoisonner les rats.

— Ah, mon Dieu! je suis empoisonné. Vite, un médecin!

— Rassurez-vous, mon cher ami, dit le poète en riant cordialement, c'était une plaisanterie. J'ai voulu tout simplement savoir qui avait mangé ma pomme.

Depuis plus de deux siècles et demi les *Fables* de La Fontaine ont eu une immense popularité en France et ont exercé une forte influence sur la langue française elle-même. Elles y apportèrent une fusion heureuse du langage naïf et énergique du siècle de François Ier et de l'élégance du siècle de Louis XIV. Voici pour terminer, une des plus sérieuses de ces fables, où La Fontaine exprime d'une manière directe et touchante, la résignation nécessaire aux humbles, aux faibles — à tous les hommes! 5 10

La Mort et le Bûcheron

Un pauvre bûcheron, tout couvert de ramée, — ramée = branchage
Sous le faix du fagot aussi bien que des ans — faix = fardeau 15
Gémissant et courbé, marchait à pas pesants,
Et tâchait de gagner sa chaumine enfumée. — chaumine = petite chaumière

Enfin, n'en pouvant plus d'effort et de douleur,
Il met bas son fagot, il songe à son malheur.
Quel plaisir a-t-il eu depuis qu'il est au monde? 20
En est-il un plus pauvre en la machine ronde? — machine ronde = la terre

Point de pain quelquefois, et jamais de repos:
Sa femme, ses enfants, les soldats, [9] les impôts,
Le créancier et la corvée,[10]
Lui font d'un malheureux la peinture achevée. — peinture achevée *perfect picture* 25

Il appelle la Mort. Elle vient sans tarder,
Lui demande ce qu'il faut faire.
«C'est, dit-il, afin de m'aider
A recharger ce bois; tu ne tarderas guère.» [11]

[9] **les soldats = l'obligation de loger les soldats** (Il n'y avait point encore de casernes; l'habitant des villes et des campagnes était forcé de les loger.)
[10] **la corvée = travail gratuit imposé jadis aux paysans par leurs seigneurs**
[11] **tu ne tarderas guère** you'll be here soon enough

Le trépas vient tout guérir;
Mais ne bougeons d'où nous sommes:
Plutôt souffrir que mourir,
C'est la devise des hommes.

le trépas = la mort

SUJETS DE COMPOSITION LIBRE

1. Racontez la fable «Le Corbeau et le Renard», en remplaçant les deux personnages de La Fontaine par des personnages humains.
2. L'écrivain allemand Lessing (1729–1781) a refait cette fable. Ce que le corbeau tient dans ses pattes, c'est de la viande empoisonnée; le renard meurt pour avoir flatté et volé. Comparez la morale de Lessing avec celle de La Fontaine.
3. Imaginez-vous une suite à la fable de «La Mort et le Bûcheron»:
   a. Quelles sont la mine, les pensées, les paroles, les actions du bûcheron?
   b. De retour chez lui, que dira le bûcheron à sa femme? Faites répondre la femme.

QUESTIONNAIRE

1. Pourquoi n'a-t-on pas apprécié La Fontaine à sa juste valeur de son vivant?
2. Aux dépens de qui le flatteur vit-il?
3. Comment La Fontaine a-t-il exercé sa charge de *maître des eaux et des forêts?*
4. A quelle condition Fouquet a-t-il aidé La Fontaine?
5. Pourquoi Louis XIV ne s'est-il pas fâché contre La Fontaine?
6. Faites une application de la morale de la fable sur la grenouille aux arrivistes de nos jours.
7. Qui était Condé?
8. Comment La Fontaine a-t-il réagi quand Condé lui a tourné le dos?
9. Pourquoi la Fontaine est-il arrivé en retard un jour chez la duchesse de Bouillon?
10. Quel jugement Musset a-t-il fait sur La Fontaine?
11. Quelle fable La Fontaine aurait-il préférée à toutes les autres?
12. Pourquoi le poète a-t-il dit que la pomme était empoisonnée?
13. Expliquez l'influence des *Fables* sur la langue française.
14. Pourquoi le suicide répugne-t-il au bûcheron?

CHAPITRE 18

PARIS

Dicton: Paris n'a pas été bâti en un jour.

Quoique Paris ne soit pas la France, il y a peu de capitales qui dominent leur pays autant que Paris domine la France. Paris n'est pas seulement la ville la plus peuplée de la France (plus de cinq millions d'habitants, si on y ajoute la banlieue); sa population est en outre beaucoup plus riche et plus active que celle du reste 5 de la nation. Paris est le centre politique, artistique, intellectuel, économique et géographique de la France, étant le «pôle attractif»[1] d'un des pays les plus centralisés du monde. C'est pourquoi l'on dit communément en France: «Quand Paris prend du tabac, toute la France éternue». Rome n'est la véritable capitale de l'Italie 10 que depuis 1871; Berlin n'a jamais représenté toute l'Allemagne. Mais Paris, qui fut la ville royale entre toutes, fut aussi le point de départ des révolutions; son rôle est capital en temps de paix, capital en temps de guerre pour toute la France.

Quand les soldats romains sont venus en Gaule, ils ont trouvé 15 un village de pêcheurs sur une petite île dans la Seine. Ce village, habité par les *Parisi,* fut appelé *Lutetia* par les Romains, mais il reçut au quatrième siècle après Jésus-Christ le nom de *Parisea Civitas,* d'où vient le nom actuel de Paris.[2] Cette colonie s'étendit

[1] **pôle attractif** center of attraction

[2] Au IIe siècle une ville romaine s'éleva sur la rive gauche de la Seine, dont les Arènes de la rue Monge et les Thermes englobés dans le Musée de Cluny sont les vestiges.

La Place de l'Etoile et l'Arc de Triomphe.

La Place de la Concorde.

au cours des siècles, dépassa les deux rives de la Seine, et construisit peu à peu ses maisons, ses palais et ses églises sur les collines voisines. A la fin du Ve siècle, le roi Clovis y installa sa capitale; puis, au début du XIIIe siècle, Philippe Auguste en fortifia les murs: à partir de ce temps-là, les rois de France ne cessèrent 5 d'en accroître le rôle et le prestige.

Il y a des villes qui se sont figées dans une époque, telles que Florence et sa Renaissance, ou Versailles et le «Grand Siècle» de Louis XIV, ou Bruges «la Morte» en Belgique, ou Cordoue, ancienne capitale des Arabes en Espagne. Rien de semblable à 10 Paris. Cette ville a évolué lentement mais de façon continue.

Aujourd'hui Paris, appelé «Ville-Lumière» à cause de son animation et vitalité, représente un résumé de toute l'histoire de France et de toute la civilisation française. Il n'y a pas *un* Paris, il y en a plusieurs, très distincts et uniques, car selon les quartiers, 15 l'aspect et les habitants de Paris changent.

Il y a le Paris des touristes venus de tous les coins du monde qui n'y font que flâner et s'amuser, et le Paris des bourgeois qui travaillent beaucoup et se détendent les dimanches et les jours de fête. N'oublions pas le Paris des quartiers ouvriers aux rues 20 étroites, aux maisons pouilleuses;[3] le Paris qui étudie et pense, celui du Quartier Latin; le Paris animé de l'Avenue de l'Opéra et de la Rue de la Paix, quartier des magasins de luxe et des terrasses de café; le Paris des jardins et des parcs, d'un calme reposant. Il y a aussi, comme dans toutes les grandes villes du monde, un 25 Paris nocturne «Paris by night», avec ses cabarets, ses boîtes de nuit, où l'on boit et danse jusqu'au matin.

Paris est traversé par la Seine, qui divise la capitale en deux parties: la rive droite et la rive gauche, qui sont reliées entre elles par une trentaine de ponts. Entre les deux rives, un peu à l'est 30 du centre de la ville moderne, est l'Ile de la Cité[4] berceau de Paris, l'antique Lutèce (*Lutetia* des Romains). C'est ici que se trouvent la cathédrale Notre-Dame et le Palais de Justice, autrefois le palais royal.

[3] C'est la vie de ces Parisiens qu'on a décrite quelque peu cyniquement comme: «métro, boulot, bistrot, mégots, dodo, zéro».

[4] Le mot *cité* est employé à Paris, comme à Londres, pour désigner la partie la plus ancienne et la plus centrale de la ville, entourée autrefois par une enceinte ou par un fossé. Il faut distinguer entre l'Ile de la Cité, située au milieu de la Seine, et l'Ile-de-France, qui est la région autour de Paris.

La Place de la Concorde, centre de la rive droite, est une des plus vastes places du monde. C'est de là que part l'Avenue des Champs-Elysées, rue la plus large de Paris et longue de deux kilomètres. Cette avenue cosmopolite, embellie de magasins 5 d'articles de luxe et où circulent des milliers de voitures, monte doucement, pour arriver à la Place de l'Etoile, ainsi appelée parce que dans toutes les directions rayonnent 12 larges avenues qui portent des noms de victoires et de généraux de Napoléon Premier. Au milieu de cette place s'élève l'immense Arc de 10 Triomphe, commencé en 1806 par Napoléon pour célébrer sa victoire d'Austerlitz. Ce monument possède depuis la fin de la Première Guerre mondiale la Flamme Eternelle et la tombe du Soldat Inconnu. En se promenant le long des Champs-Elysées, on entend parler toutes les langues du monde. On voit des 15 Japonaises en kimono, des Hindoues en «sari» à côté des Américaines en «shorts» ... et l'on rencontre parfois des Françaises et des Français ... Cette partie de Paris a été dessinée par le même Pierre Charles L'Enfant qui a dressé le plan de Washington, D. C.

Montmartre et Montparnasse, qui étaient il y a un demi-siècle 20 quartiers de prédilection de la bohème artistique, ont changé quelque peu d'ambiance et de caractère. Près de la basilique du Sacré-Cœur pourtant, et sur la Place du Tertre, on rencontre dans toutes les rues un peintre bohème, pinceau en main devant son chevalet. C'était là que le peintre français Maurice Utrillo 25 (1883–1955) venait saisir le gris du ciel de Paris et reproduire sur toile le charme des vieilles rues de Montmartre.

Avec toutes ses bonnes qualités et ses défauts, et malgré les efforts de décentralisation lancés par le gouvernement du pays, Paris domine encore la France. Si Paris était toute la France, 30 le pays flamberait et brûlerait comme un bol de punch, telle est la vivacité des Parisiens. D'autre part, si la France n'avait pas sa capitale, elle serait terne, sans couleur, comme un tas de cendres sans étincelles. N'oublions cependant pas que Paris n'est que le cœur ou la tête d'un pays, dont les provinces forment le corps. 35 Pour la France, Paris est ce que c'est qu'un génie pour une famille bourgeoise. On se dit fier de lui et en même temps on se plaint de lui. C'est pourquoi les Français disent en plaisantant: «Le monde est divisé en trois parties: Paris, la province, et l'étranger».

En tout cas, il s'est établi très tôt en France un courant de va-et-vient entre les Parisiens et les Provinciaux qui brasse les traits divers locaux en les croisant et les fusionnant. C'est sans doute ce courant qui a surtout contribué à faire disparaître les rivalités régionales et à établir et préserver l'unité nationale des Français. 5

DICTON

«Paris vaut bien une messe», boutade qui aurait été dite par Henri IV (1553–1610) lorsque les habitants de Paris, en majorité catholiques, refusaient de le reconnaître comme roi s'il n'abandonnait pas son protestantisme pour se faire catholique. 10

DEVINETTE

Quelle est la meilleure défense de Paris? — La lettre A, car sans elle, Paris serait pris.

Variante Vous connaissez Paris.
Eh bien, mes bons amis, 15
Sans moi, ce beau pays
A coup sûr serait pris.

SA SECONDE IMPRESSION

Un brave paysan a voulu, au moins une fois dans sa vie, se payer le voyage de Paris. Lorsqu'il est de retour au village, un voisin 20 lui demande sa première impression.

— Ma première impression, répond-il, a été un grand étonnement devant la circulation dans les rues.

— Et puis?

— Et puis ma seconde impression a été une odeur d'hôpital et 25 une voix de médecin qui me demandait si, à présent, je me sentais mieux.

SUJETS DE COMPOSITION LIBRE

1. Décrivez ce que vous feriez le premier jour d'une visite à Paris.
2. Comparez le rôle centralisateur de la ville de Washington pour les Américains avec le rôle centralisateur de Paris pour les Français.

3. Que préférez-vous personnellement: les grandes capitales ou les petites villes de province?

QUESTIONNAIRE

1. Pourquoi Paris domine-t-il tant la France?
2. Que font les provinciaux quand Paris prend du tabac? Expliquez cette expression.
3. Expliquez l'origine du mot «Paris».
4. Pourquoi appelle-t-on Paris la «Ville-Lumière»?
5. Quelle formule décrit la vie des ouvriers de Paris?
6. Où se trouve l'Ile de la Cité? Expliquez son importance historique.
7. Qu'est-ce que l'Ile-de-France?
8. Quel est le quartier des étudiants à Paris? Où se trouve-t-il?
9. Dans quels deux quartiers de Paris surtout trouve-t-on beaucoup d'artistes?
10. Où se trouve la Place de l'Etoile? D'où vient son nom?
11. Expliquez l'importance historique et patriotique de l'Arc de Triomphe.
12. Quel architecte a dessiné le quartier des Champs-Elysées?
13. Expliquez l'attitude du reste de la France envers la capitale du pays.

CHAPITRE 19

LES CAFES

Dicton: Chacun prend son plaisir où il le trouve.

C'est le café qui donne son cachet aux grands boulevards de Paris et de toutes les grandes villes françaises. En effet, à peu près la moitié du trottoir devant certains cafés et restaurants est réservée aux propriétaires de ces établissements. Ceux-ci aménagent sur les trottoirs un nombre de tables et chaises où ils servent leurs clients en plein air. C'est ici que viennent les Français et les touristes qui désirent se reposer en buvant un verre de bière ou une tasse de café. De ce poste avantageux, appelé la terrasse, on peut regarder défiler sur les trottoirs la foule pressée ou flâneuse, riante, changeante. C'est là aussi que le Français «prend un verre»,[1] comme on dit, et lit son journal. Il y rencontre souvent ses collègues du bureau ou de l'atelier, ses relations d'affaires, ses amis personnels. Le samedi ou le dimanche il y offre un café filtré ou un bock de bière à sa famille. Même en hiver le Français aime à s'asseoir et causer aux terrasses, qui sont alors chauffées à l'extérieur par des radiateurs électriques. Mais quand le temps est beau, il est quasi impossible de trouver une place libre aux terrasses des grands cafés situés sur les boulevards importants.

A l'intérieur des cafés des boulevards il y a généralement un long comptoir, le «zinc», où viennent s'accouder des gens pressés,

[1] **«prend un verre»** has a drink

assoiffés, qui ne font qu'entrer, boire et sortir, à moins que ce ne soit pas un café-restaurant. En province et dans les rares cafés à l'ancienne qui subsistent à Paris, on trouvera en entrant la «salle», où les «habitués de la maison» ont leur coin, leur jeu de cartes, d'échecs ou de billard. A leur arrivée ces clients serrent la main du patron, font une remarque galante à la caissière et saluent le garçon par son prénom. Ce dernier généralement sait d'avance ce qu'il doit leur servir, et à quelle table il faut donner un damier ou des cartes, car tout ici est réglé par des habitudes immémoriales.

Les consommations servies dans les cafés varient suivant les périodes de la journée. Dans la matinée on sert surtout du café (café au lait, café-crème, etc.) ou du chocolat chaud, généralement avec des croissants ou des brioches. Avant l'heure du déjeuner et du dîner, le Français aime aller au café prendre l'apéritif. Celui-ci est un vin un peu plus fort que le vin ordinaire et dont

Terrasse de café, près de l'Arc de Triomphe, à Paris.

l'effet est «d'ouvrir l'appétit». Parmi les apéritifs les plus populaires citons Vermouth, Byrrh, Dubonnet et Cinzano. «L'heure de l'apéro» est le moyen pour des amis de se réunir à leur café attitré avant le repas et de causer avant d'aller dîner dans un restaurant ou de rentrer à la maison. 5

Après le repas c'est l'heure de boire à la terrasse une tasse de café, souvent accompagnée de cognac ou de rhum. Viennent ensuite les petits verres de liqueur: Anisette, Chartreuse, Bénédictine ... Au cours de l'après-midi et de la soirée, on boit dans les cafés de la bière, servie à la pression (dans des bocks) ou en 10 bouteille. Si l'on préfère, on peut prendre le thé, déguster des sirops variés, limonade, citron pressé, et bien entendu, commander du Coca Cola. En Amérique, lorsque vous désirez une crème glacée ou un «soda», vous entrez dans un «drug-store». En France, si vous voulez vous rafraîchir, vous entrez dans un café 15 où vous trouverez du matin au soir du café, du thé, de la bière, des boissons gazeuses, des sandwiches, de la pâtisserie, etc. Souvent comme les Français, vous irez au café non seulement pour boire quelque chose mais surtout pour regarder d'un œil amusé les gens qui passent, car on peut, à une terrasse, demeurer aussi longtemps 20 qu'on le désire sans prendre plus d'une seule consommation.

Dans les grandes villes, la foule sur les boulevards n'est jamais ennuyeuse, souvent amusante, toujours variée. De temps en temps vous serez interrompu par les marchands de fleurs, les vendeurs de journaux qui crient les nouvelles comme si la fin du 25 monde était imminente, et par les camelots qui essaient vainement d'écouler une pacotille que personne ne désire leur acheter. Ce sont pour la plupart des étrangers infortunés. Paris surtout leur est accueillant. Il faut bien, vous dirait un habitué du café, que tout ce monde vive. 30

SANS QUOI?

Un client entre dans un café et commande:

— Un café, je vous prie.[2] Un café *sans crème.*

— Ah, Monsieur, répond le garçon, je vais vous donner un café *sans lait,* parce que nous n'avons plus de crème ... 35

[2] **je vous prie** please

LES DEUX GARCONS

Un client disait à un jeune garçon de café qui le servait mal: «Il faut que vous vous mariiez». —«Pourquoi cela?» —«Parce que vous n'êtes pas fait pour rester garçon.»

5 *CHACUN A SON GOUT*

— Je voudrais épouser une femme qui m'apporte chaque matin le café au lit.

— Et moi, une qui m'apporte chaque soir le lit au café.

LES PERES ET LES FILS

10 Deux pères et deux fils entrent ensemble dans un café et commandent quatre bocks. Ils en boivent chacun un, et, lorsqu'ils se retirent, il reste un bock plein. Comment cela se fait-il?

SUJETS DE COMPOSITION LIBRE

1. Que pensez-vous du jugement d'un médecin français: «Prendre des apéritifs avant le repas, c'est s'ouvrir l'estomac avec une fausse clé»?
2. Pourquoi les cafés au sens français du mot, sont-ils rares en Amérique?

QUESTIONNAIRE

1. Qu'est-ce qu'une terrasse de café?
2. Comment les cafés sont-ils utiles dans la vie d'un Français?
3. Qu'est-ce que le «zinc»? Où le trouve-t-on?
4. Expliquez l'expression «habitués de la maison».
5. Que sert-on dans les cafés le matin?
6. Qu'est-ce qu'un apéritif?
7. Nommez trois apéritifs.
8. Expliquez la coutume de «l'heure de l'apéro».
9. Pourquoi la foule des grandes villes n'est-elle jamais ennuyeuse?
10. Pourquoi achète-t-on rarement la marchandise des camelots?
11. Comment distingue-t-on entre un café *sans crème* et un café *sans lait?*
12. Expliquez le double sens du mot «garçon» tel qu'il est employé dans le dialogue entre le mauvais garçon de table et le client.

CHAPITRE 20

MOYENS DE TRANSPORT

Dicton: Pierre qui roule n'amasse pas mousse.

Puisque la France est beaucoup plus centralisée que d'autres pays comme l'Allemagne ou l'Italie, son réseau ferré, routier et aérien est convergé vers Paris, qui reste encore le centre politique, culturel, administratif et économique du pays. Même les voies navigables, fleuves, rivières et canaux, sont centrés autour de la Seine. 5

Le réseau routier qui, bien entendu, rayonne de Paris, comprend environ 700,000 kilomètres de voies dont 80,000 sont routes nationales. Puisque dans les prochaines années il faudra faire face en France comme dans tous les pays du monde à une grande augmentation prévisible de la circulation routière,[1] le gouvernement français a envisagé la création d'un réseau de voies nouvelles; autoroutes «de dégagement», à la sortie des villes, et «de liaison» entre les grands centres de population, pour suppléer aux autostrades existantes. 10 15

A cause de son prix élevé, l'aviation à l'intérieur de la France n'en est encore qu'à ses débuts, alors que les Etats-Unis possèdent un réseau serré de liaisons aériennes régulièrement assurées. Il ne faut pas oublier que les distances à l'intérieur du territoire français ne sont pas si grandes qu'elles obligent à prendre l'avion, 20

[1] Bien qu'on voie encore en France des centaines de milliers de motocyclettes et de bicyclettes, celles-ci se font de plus en plus rares dans les grandes villes.

sauf en cas d'urgence. La liaison Paris-Nice est normalement effectuée dans une Caravelle en moins d'une heure trente minutes.

Air France, compagnie contrôlée par l'Etat, se charge de plus des deux tiers du trafic aérien français; elle se classe au premier rang 5 mondial par la longueur totale de ses lignes exploitées: 310,000 kilomètres. En 1961, Air France a transporté plus de trois millions et demi de passagers. Pendant cette même période, le nombre des passagers embarqués ou débarqués à Paris dépassait les trois millions, avec une moyenne de plus de 20 voyageurs par 10 avion. Air-France dispose de plus de 200 avions commerciaux.

Les plus importants aéroports de Paris sont Le Bourget, à une dizaine de kilomètres au nord de la capitale, et Orly, à distance égale au sud, tous les deux reliés par des autocars à l'aérogare des Invalides au centre de la ville.

15 On a souvent remarqué que le réseau ferré français ressemble à une gigantesque toile d'araignée dont Paris serait le centre. En France comme partout en Europe, le chemin de fer subit la concurrence de la route; l'automobile particulière et l'autocar et plus récemment l'avion, lui enlèvent les voyageurs. Le camion 20 et les canaux aussi lui prennent les marchandises. Pour la grande majorité des Français, cependant, et pour la plupart des touristes, les «grandes lignes», d'une rapidité et d'une exactitude incomparables, restent encore le principal moyen de transport pour

Les hangars d'Air-France à l'aéroport d'Orly.

voyager par terre en France et en Europe. La longueur du réseau ferroviaire français est de 42,000 kilomètres; le nombre des voyageurs transportés d'environ 550 millions par an.

Quand on voyage par chemin de fer en France, on fait bien d'arriver à la gare une demi-heure avant le départ du train. Cela est surtout vrai des grandes gares où les voyageurs sont plus nombreux et où l'encombrement est plus accentué. On prend son billet au guichet en spécifiant première ou deuxième classe. Si l'on compte revenir par la même ligne, on ajoute les mots «aller et retour».

En France, les billets des voyageurs, même dans les petites gares, sont toujours contrôlés avant que l'on monte dans la voiture et de nouveau quand on sort de la gare. Dans les wagons américains il y a un passage au milieu de chaque voiture. Les wagons français, d'autre part, se composent de compartiments où des banquettes à trois ou quatre places sont face à face. Ces compartiments donnent sur un long couloir placé tout d'un côté de chaque voiture, et sont fermés par des portes à glissière.

Les places dans chaque compartiment des wagons des «grandes lignes» sont numérotées et dans les gares principales on peut toujours retenir des places d'avance en payant un petit supplément. L'on évite ainsi le besoin de chercher en route une place assise, démarche énervante et souvent inutile.

En France le touriste pressé préférera les «trains rapides», qui vont plus vite mais qui sont plus chers que les «express». Pour le touriste peu pressé qui veut voir les détails du paysage, il y a aussi les «trains omnibus». Quelquefois ceux-ci vont moins vite que les trains de marchandises puisqu'ils semblent s'arrêter dans toutes les gares. En tout cas ils apprennent au voyageur à être patient sinon résigné. Les trains «rapides» méritent leur nom. Beaucoup d'entre eux circulent à une vitesse moyenne qui dépasse 110 kilomètres (ou 70 milles) à l'heure. Le trajet de Paris à Lyon, d'une distance de 512 kilomètres, prend généralement quatre heures par le *Mistral*, le train le plus rapide du monde.

VAUT-IL MIEUX TARD QUE JAMAIS?

Un voyageur entre comme une tornade dans un petit aéroport, et s'apercevant que la piste est libre:

— Est-ce que l'avion est en retard?
— Non, Monsieur, mais c'est vous qui l'êtes.

IL Y A SECONDE ET SECONDE!

Un jeune homme, l'air très pressé, se précipite vers le guichet
5 d'une gare. L'employé, qui arrange son timbre, ne semble pas remarquer sa présence. Le jeune homme frappe à la vitre.
— Une première pour Orléans, s'il vous plaît.
— Une seconde, dit l'employé.
— Mais non ... une première. J'ai dit une première, c'est une
10 première que je veux.
— Monsieur, dit l'employé, un peu de patience; vous aurez votre première dans une seconde.

L'ARCHE DE NOE

Le train qui va partir est bondé. L'un des compartiments est
15 occupé par une grosse dame et son chien, une petite fille et son chat, une vieille demoiselle et son perroquet. Trois autres

«Le trajet de Paris à Lyon, d'une distance de 512 kilomètres, se fait généralement en quatre heures par le *Mistral.*»

voyageurs sont installés tant bien que mal[2] et observent avec curiosité leurs compagnons de route. Un jeune homme ouvre la porte du compartiment et demande ironiquement:

— C'est ici l'arche de Noé?

— Oui, répond la vieille demoiselle. Nous sommes tous là, il ne manque plus que l'âne.[3] Entrez donc. 5

TANT PIS!

Le train est sur le point de partir. Les compartiments sont bondés. Un voyageur cherche vainement une place. Enfin il croit trouver un coin libre. «Pardon, Monsieur, dit alors un gros 10 monsieur, la place est prise: elle est à mon ami. Voyez sa valise.» Et il montre du doigt une valise noire qui, en effet, occupe la place.

Les autres voyageurs rient sous cape car il savent bien que le gros monsieur ment. Le chef de train donne le signal du départ.

«Mais votre ami ne vient pas», dit le voyageur. Le gros 15 monsieur veut faire bonne mine à mauvais jeu[4]; il prend un air inquiet. Alors le train se met en marche. Voilà, l'ami a manqué le train!

«Tant pis, dit le voyageur gaiement, il ne perdra pas sa valise du moins.» Et il la lance par la fenêtre sur le quai, à la grande 20 stupéfaction du propriétaire, le gros monsieur.

PASSAGE A NIVEAU

Lu sur un passage à niveau, près de Cannes: *Le train met 14 secondes à franchir ce passage, que votre auto y soit ou non.*

FEMME MODERNE 25

Dialogue téléphonique. La cliente:

— Allô! Orly! ... Quelle est la durée du voyage Paris-Rome par Caravelle?

L'employé, affairé: — Une minute, Madame ...

La cliente: — Merci. 30

Elle raccroche sans manifester le moindre étonnement.

[2] **tant bien que mal** more or less comfortably
[3] **il me ... l'âne** only the donkey is missing
[4] **veut faire ... jeu** tries to make the best of a bad situation

SUJETS DE COMPOSITION LIBRE

1. Que veut dire le mot «Sabena»?
2. Comment préfériez-vous voyager en Europe et pourquoi?
3. Quels sont les avantages d'une compagnie aérienne nationalisée comme Air-France sur les compagnies privées, telles que TWA, etc.? Quels sont les inconvénients?
4. Quelles mesures a-t-on prises dans votre ville pour y améliorer les conditions de la circulation? Donnez vos propres idées calculées à alléger ou éviter la congestion de la circulation en ville et sur les autoroutes.
5. L'attrait des pays lointains. L'avez-vous senti? Pouvez-vous en retracer les origines?

QUESTIONNAIRE

1. Quels sont les moyens de transport dont disposent les Français à l'heure actuelle?
2. Pourquoi les moyens de transport en France convergent-ils vers Paris?
3. Que fait actuellement le gouvernement français pour faire face à l'augmentation de la circulation routière?
4. Pourquoi l'aviation intérieure est-elle moins développée en France qu'aux Etats-Unis?
5. Qu'est-ce qu'une Caravelle?
6. Nommez les deux grands aéroports de Paris.
7. Qu'est-ce qu'une aérogare?
8. Quelle est l'importance du réseau d'Air-France?
9. Quelle concurrence le chemin de fer subit-il de plus en plus en France?
10. Où prend-on son billet à la gare?
11. Que faut-il spécifier lorsqu'on demande un billet de chemin de fer?
12. Quand contrôle-t-on les billets dans les gares françaises?
13. Quelles sont les différences entre le wagon français et le wagon américain?
14. Qu'est-ce que le «Mistral»? D'où vient son nom?
15. Qu'est-ce que l'arche de Noé?
16. Pourquoi le gros monsieur était-il stupéfait quand le voyageur a lancé la valise noire par la fenêtre sur le quai?

CHAPITRE 21

POUR CIRCULER A PARIS

Dicton: Mieux vaut tard que jamais.

Dans Paris il y a de nombreux taxis, qui gênent quelquefois la circulation comme en Amérique, et qui semblent rouler mille fois plus vite! Mais le moyen de transport le plus pratique, le plus rapide et le moins cher à l'intérieur de Paris est le métro, qui est un chemin de fer souterrain. Il a été commencé en 1898. Le mot *métro* est l'abréviation traditionnelle des «chemins de fer métropolitains de Paris». Le métro est un moyen de communication très pratique car partout, à Paris et dans la banlieue parisienne, vous trouverez des stations de métro. Il offre de nombreux points de correspondance et franchit la Seine à plusieurs endroits. Sur son réseau de 180 kilomètres, le métro parisien transporte plus de voyageurs par an que tous les chemins de fer en France.

Il y a une première et une deuxième classe dans les trains du métro. Pour prendre le métro il faut souvent descendre d'interminables escaliers et acheter son ticket au guichet, si l'on ne possède pas d'avance un carnet de billets ordinaires. On trouve

L'Avenue des Champs-Elysées à Paris.

à chaque entrée du quai un employé qui poinçonne votre billet et vous empêchera de continuer vers la plate-forme si vous arrivez juste au moment de l'arrivée du train. Puisqu'un seul billet vous donne le droit de voyager sur toutes les lignes, il est donc inutile 5 de désigner votre destination à la receveuse en achetant votre billet. Souvent il faut descendre du train pour prendre la correspondance. «Prendre la correspondance» veut dire «changer de train». Pour changer de direction il faut suivre des passages souterrains jusqu'au quai où s'arrête le train qu'on cherche. Ces 10 couloirs de correspondance sont parfois assez longs, mais on peut s'y distraire en écoutant quelque musicien ambulant, ou en jetant un coup d'œil sur les affiches.

Dans toutes les stations (il y en a plus de deux cents), et à toutes les bouches de métro, il y a des plans de Paris sous verre 15 qui indiquent très clairement le parcours des trains, les correspondances possibles, et la disposition des rues de chaque quartier.

Plus de 4,000,000 de Parisiens prennent chaque jour le métro. Très tôt le matin on peut voir une foule d'ouvriers qui se rendent 20 à leur travail par le métro. Vers huit heures en semaine s'y pressent d'innombrables commis, fonctionnaires et étudiants. Presque tous possèdent un journal qu'ils lisent en restant debout, serrés comme des sardines en boîte, car pénétrer dans les wagons aux heures d'affluence est un véritable problème, sauf 25 pour ces heureux mortels qui peuvent se permettre le luxe d'un billet de première classe. Entre midi et deux heures les places sont prises de nouveau, car c'est l'heure du déjeuner et beaucoup d'employés et de vendeuses quittent leur travail pour rentrer chez soi.

30 Pour le touriste qui ne veut pas rester presque tout le temps sous terre, mais préfère voir le spectacle de la ville en circulant, la solution économe est l'autobus. Les autobus qui filent dans tous les sens à travers Paris coûtent plus cher que le métro car leur prix est fixé par le receveur d'après la distance du trajet de chaque 35 voyageur. En montant, on achète au receveur un carnet et on lui remet le nombre de billets qu'il réclame. On peut aussi lui payer directement, mais c'est plus cher. Les autobus vous permettent d'aller plus vite que le métro pour les petites distances, quelque-

fois par une route plus directe. Et puis, on ne peut pas fumer dans le métro à Paris!

Avant de monter dans un autobus aux moments d'affluence, chaque personne prend à l'arrêt un numéro d'ordre dans une petite boîte qui contient de petits papiers portant des numéros consécutifs. De cette manière les premiers arrivés montent à tour de rôle[1] quand le receveur appelle leur numéro.

Il y a parfois dans le métro et l'autobus des scènes amusantes, car les Parisiens aiment la plaisanterie. Un jeune homme regarde le journal par-dessus l'épaule d'un monsieur. Celui-ci, agacé, lui dit: «Vous voulez mon journal, Monsieur?» Et l'autre de répondre, impassible: «Non merci, j'ai fini». Ou encore la vieille dame un peu distraite qui demande au receveur d'arrêter l'autobus à 47, rue Bonaparte, et qui se fait répondre: «A quel étage?», pourrait-elle être ramenée au monde réel avec moins de mots?

SUJETS DE COMPOSITION LIBRE

1. Pourquoi les autobus de Paris coûtent-ils plus cher que le métro?
2. Comment circulait-on dans Paris il y a deux cents ans?

QUESTIONNAIRE

1. Quels sont trois avantages du métro parisien?
2. Combien de classes y a-t-il dans les trains du métro?
3. Pourquoi est-il superflu de désigner à la receveuse sa destination lorsqu'on achète un ticket de métro?
4. Expliquez comment on «prend la correspondance» au métro.
5. Quel est le grand avantage de voyager au métro en première classe?
6. Pourquoi l'employé de métro vous empêchera-t-il de passer au quai si vous arrivez au moment de l'arrivée du train?
7. Quel est le seul grand inconvénient du métro pour le touriste?
8. Quels sont trois avantages de l'autobus par rapport au métro pour le touriste?
9. Pourquoi faut-il dire sa destination au receveur d'autobus?
10. En attendant aux moments d'affluence que faut-il faire avant de monter dans un autobus parisien?
11. Pourquoi le monsieur était-il agacé quand le jeune homme lisait le journal au-dessus de son épaule?

[1] **à tour de rôle** in turn

CHAPITRE 22

LES SCIENCES

«La vraie science et la vraie étude de l'homme, c'est l'homme.»

Pierre Charron (1541–1603)

La science, comme l'art et la musique, n'a pas de patrie. Ses bienfaits se font sentir partout. Chaque nation y a apporté sa contribution, car le temps n'est plus où un mathématicien de génie pouvait dans son laboratoire bouleverser le monde scientifique par une intuition. A proprement parler, il n'y a donc pas de science française qui ne doive rien à l'influence étrangère; il n'y a que des hommes de science français. Les recherches et le progrès en science sont de nos jours de plus en plus une vaste entreprise qui exigent des mises de fonds immenses et où il y a beaucoup de collaborateurs de toutes nationalités. Nous trouvons cependant dans l'histoire de la science toute une série de savants français qui ont fait des découvertes importantes et dont la renommée appartient à l'humanité entière.

Avec René Descartes et Blaise Pascal, la France fut en tête du prodigieux mouvement scientifique du XVIIe siècle. C'est Descartes qui a fondé la philosophie moderne et les sciences mathématiques. Il est également le fondateur de la méthode scientifique, que l'on a résumé ainsi: «Pour atteindre à la vérité, il faut une fois pour toutes se défaire de toutes les opinions que l'on a reçues, et reconstruire de nouveau, et depuis le fondement, tout le système de ses connaissances». Non seulement Descartes a donné à la science dans son *Discours de la Méthode*

TRAITE' DES SINVS du quart de Cercle.

Lemme, fig. 26.

OIT ABC vn quart de Cercle ; dont le rayon AB soit consideré comme axe, & le rayon perpendiculaire AC comme base ; soit D vn point quelconque dans l'arc, duquel soit mené le sinus DI sur le rayon AC ; & la touchante DE, dans laquelle soient pris les points E où l'on voudra, d'où soient menées les perpendiculaires ER sur le rayon AC.

Ie dis que le rectangle compris du sinus DI & de la touchante EE, est egal au rectangle compris de la portion de la base (enfermée entre les paralleles) & le rayon AB.

Car le rayon AD, est au sinus DI, comme EE, à RR ou à EK : Ce qui paroist clairement à cause des triangles rectangles, & semblables DIA, EKE, l'angle EEK ou EDI, estant egal à l'angle DAI.

Proposition I.

LA somme des sinus d'vn arc quelconque du quart de cercle, est egale à la portion de la base, comprise entre les sinus extremes, multipliée par le rayon.

Prop. II.

LA somme des quarrez de ces sinus, est egale à la somme des ordonnées au quart de cercle, qui seroient comprises entre les sinus extremes, multipliées par le rayon.

Prop. III.

LA somme des cubes des mesmes sinus, est egale à la somme des quarrez des mesmes ordonnées comprises entre les sinus extremes, multipliées par le rayon.

Prop. IV.

LA somme des quarre-quarrez des mesmes sinus, est egale à la somme des cubes des mesmes ordonnées comprises entre les

A

Extrait du traité sur le triangle arithmétique par Blaise Pascal (1623–1662).

un guide pour chercher la vérité, en laissant le passé entièrement derrière soi et en marchant du connu vers l'inconnu, du particulier vers le général, mais il a également contribué par ses recherches sur le corps et les passions de l'homme au développement de la physiologie et de la psychologie. Il a créé la géométrie analytique et découvert les lois de la réfraction, grâce auxquelles on peut aujourd'hui fabriquer avec une précision mathématique les lentilles et les téléscopes.

Le précoce Pascal (1623–1662) fut aussi grand savant que philosophe et écrivain. A douze ans il découvrit les premières propositions de la géométrie d'Euclide sans le recours de livre ni de professeur. A l'âge de dix-huit ans il inventa une machine à calculer. Au sommet du puy de Dôme (cratère éteint en Auvergne), il fit une célèbre expérience sur la pesanteur de l'air et de l'équilibre des liquides. Voici le principe qui s'attache au nom de Pascal: *Dans un liquide en équilibre, toute pression exercée sur une surface déterminée se transmet intégralement à toute surface égale prise dans le liquide, quelle que soient d'ailleurs la position ou l'orientation de cette dernière.*

Un autre nom important dans l'histoire de la science est celui de Lavoisier, né en 1743 et guillotiné en 1794. Lavoisier montra dès sa jeunesse un goût très prononcé pour les sciences, surtout pour la chimie. Suivant son célèbre principe que «rien ne se perd, rien ne se crée, dans la nature, tout se transforme», Lavoisier

Un synchrotron au Centre de recherches atomiques de Saclay.

prouva que l'air n'est pas un corps simple. Il décomposa l'eau en oxygène et en hydrogène, et établit une classification rationnelle des espèces chimiques et leur donna une nomenclature simple et claire. Il comprit l'importance de la pesée dans les expériences chimiques et fit de la balance un instrument de travail indis- 5 pensable. C'est lui aussi qui a démontré comment la respiration entretient la vie et règle la chaleur de notre corps.

Il faut constater que Lavoisier se livrait à toutes ses recherches scientifiques par amour de la science et dans le but de venir en aide à l'humanité. Il vivait, cependant, au moment de la Ré- 10 volution Française, et les révolutionnaires, ne sachant plus distinguer leurs amis de leurs ennemis, envoyèrent Lavoisier à la guillotine comme tant d'autres innocents.[1] La remarque du géomètre Lagrange, un contemporain, est bien justifiée concernant l'exécution de Lavoisier par ordre des révolutionnaires: 15 «Il ne leur a fallu qu'un moment pour faire tomber cette tête, et cent années, peut-être, ne suffiront pas pour en reproduire une semblable».

Au cours du XIXe siècle la science française a su un rayonnement extraordinaire. Grâce aux découvertes du savant André- 20 Marie Ampère (1775–1836), le télégraphe et le téléphone nous rendent service aujourd'hui. Citons les noms d'autres savants français qui ont contribué au progrès des sciences modernes malgré leurs moyens techniques les plus précaires: Cuvier, fondateur de la paléontologie ou science des fossiles; Laënnec, qui a inventé le 25 stéthoscope, si utile dans la guérison du cancer; le biologiste Claude Bernard, qui fonda la physiologie expérimentale; les Curie, qui découvrirent le radium, et surtout Louis Pasteur.

Il faut noter qu'autant les grandes entreprises françaises privées telles que l'Institut de Recherches sidérurgiques et l'Institut 30 national du Pétrole, que les entreprises nationalisées, S.N.C.F.,[2] Electricité de France et Charbonnages de France, ont de nos jours d'importants laboratoires où sont poursuivis des travaux de recherche fondamentale et de recherche appliquée, sur des questions scientifiques, avec un esprit neuf et souvent avec succès. 35 *Air-France*, par exemple, a à son actif la «Caravelle», avion bi-

[1] On raconte que le savant avait demandé un délai au tribunal pour terminer une expérience de chimie et que le président du tribunal aurait répondu: «La République n'a pas besoin de savants».

[2] Société Nationale des Chemins de Fer Français.

moteur à réaction, moyen courrier dont la valeur est mondialement reconnue.

QUI A INVENTE QUOI?

Un Russe et un Français sont en train de décider lequel de leurs 5 deux pays a contribué le plus au développement des sciences et au bien de l'humanité.

— Savez-vous ce qu'on a trouvé récemment, en faisant des excavations dans le sol, près de Moscou? demande fièrement le Russe au Français.

10 — Non, mon ami, qu'est-ce que vous y avez trouvé?

— Eh bien, on y a trouvé des fils de fer ...

— Des fils de fer? Qu'est-ce que cela signifie donc?

— Ce que cela signifie? Cela signifie tout simplement que ce sont les Russes qui ont inventé la télégraphie!

15 Le Français réfléchit quelques moments en silence, puis dit tranquillement:

— A propos, savez-vous ce qu'on a trouvé récemment en creusant le sol, près de Paris?

— Non, qu'est-ce qu'on y a trouvé?

20 — Rien.

— Comment? Rien? Qu'est-ce que cela signifie, «rien»?

— Ce que cela signifie? Cela signifie tout simplement que ce sont les Français qui ont inventé la télégraphie sans fil!

PAUVRE PROFESSEUR

25 «Monsieur, dit un étudiant en médecine à son professeur, vous dites que, si je suis suspendu par les pieds, le sang afflue à ma tête: pourquoi n'afflue-t-il pas à mes pieds quand je suis debout? — C'est parce que vos pieds ne sont pas vides», répond le professeur au milieu des éclats de rire de tous les étudiants.

30 Ce fut le même étudiant peut-être qui passait un jour son examen de doctorat. On le questionnait sur les sciences accessoires, et conséquemment un peu négligées.

— Pouvez-vous me dire, demande l'examinateur au candidat, quels sont les effets de la chaleur et du froid?

35 Après un moment de réflexion, le jeune homme répond d'une voix assurée:

— La chaleur dilate les corps, les allonge, les agrandit et le froid les contracte, les condense, les rapetisse.

— Bien, et maintenant pouvez-vous me donner un exemple de la dilation par la chaleur et de la contraction par le froid?

— Parfaitement. En été, quand il fait chaud, les jours s'allon- 5 gent tandis qu'en hiver, quand il fait froid, les jours diminuent.

SUJETS DE COMPOSITION LIBRE

1. Comment les sciences peuvent-elles aider l'établissement de la paix mondiale?
2. A votre avis, la vraie science, doit-elle s'occuper plutôt de l'homme que de la nature?
3. Est-ce un Français, Charles Cros, ou bien est-ce Edison, qui a construit le premier phonographe?
4. Lequel est plus important, le téléphone ou le télégraphe? Justifiez votre réponse.

QUESTIONNAIRE

1. Pourquoi n'y a-t-il pas de science qui soit, à strictement parler, française?
2. Résumez la méthode scientifique de Descartes.
3. Qu'est-ce son *Discours de la Méthode?*
4. Comment utilise-t-on les lois de la réfraction découvertes par Descartes?
5. Qu'est-ce que Pascal a découvert à douze ans? A dix-huit ans?
6. Résumez le principe qui s'attache au nom de Pascal.
7. Comment Lavoisier a-t-il renouvelé la chimie?
8. Quel est le célèbre principe de Lavoisier?
9. Comment Lavoisier est-il mort?
10. Citez la remarque de Lagrange concernant la mort de Lavoisier.
11. Quelles découvertes associez-vous aux noms de Cuvier, Laënnec, Claude Bernard, aux Curie?
12. Qu'est-ce qu'une «Caravelle»?
13. Comment le Russe a-t-il prouvé que ce sont les Russes qui avaient inventé la télégraphie?
14. Le Français, comment prouve-t-il que ce sont les Français qui ont inventé la télégraphie sans fil?
15. Pourquoi le sang n'afflue-t-il pas aux pieds quand on est debout?

CHAPITRE 23

LOUIS PASTEUR

Dicton: Mieux vaut prévenir que guérir.

Sans aucun doute un des plus grands chercheurs du XIXe siècle est Louis Pasteur (1822–1895). Nombreuses sont les activités humaines qui ont profité des découvertes de ce savant humanitaire. Grâce à ses travaux, des milliers de vies ont été sauvées.
5 Chimiste et non pas médecin, Pasteur a prouvé que le travail, jusqu'alors mystérieux, des fermentations organiques était causé en réalité par des êtres vivants, des microbes ou bactéries, que l'on pouvait isoler.

Cette nouvelle doctrine microbienne, on s'en doute,[1] marque
10 une date dans l'histoire de la science, car elle démentit l'idée traditionnelle que les êtres organisés sont le produit d'une combinaison fortuite des atomes. A l'époque de Pasteur, on prétendait encore que les microbes, par exemple, se développaient d'eux-mêmes. Dans une conférence historique à la Sorbonne en 1864,
15 Pasteur montra comment une infusion de matière organique placée dans un vase à long col courbé se conserverait pour toujours, si on ne laissait pénétrer qu'un air libéré de tous germes. Voici les conclusions que Pasteur tira de ses expériences si soigneusement contrôlées pendant quatre ans:

20 «J'ai pris dans l'immensité de la création ma goutte d'eau et je l'ai prise toute pleine de la gelée féconde, c'est-à-dire, pour parler le langage de la science, toute pleine des éléments appropriés au développement des êtres inférieurs. Et j'attends, et j'observe, et je l'interroge, et je lui demande de vouloir bien recommencer
25 pour moi la primitive création; ce serait un si beau spectacle!

[1] **on s'en doute** undoubtedly

Louis Pasteur, un des plus grands chercheurs du XIXe siècle.

Mais elle est muette! Elle est muette depuis plusieurs années que ces expériences sont commencées. Ah! c'est que j'ai éloigné d'elle, et que j'éloigne encore en ce moment, la seule chose qu'il n'ait pas été donné à l'homme de produire, j'ai éloigné d'elle les
5 germes qui flottent dans l'air, j'ai éloigné d'elle la vie, car la vie c'est le germe, et le germe c'est la vie. Jamais la doctrine de la génération spontanée ne se relèvera du coup mortel que cette simple expérience lui porte.»

De sa découverte que toute maladie contagieuse est due à un
10 microbe spécifique, Pasteur n'avait qu'un pas à faire: neutraliser ces microbes par des vaccins. Après avoir prouvé que la chaleur tue les microbes, Pasteur découvrit le procès que nous appelons, d'après son inventeur, la pasteurisation, et qui a sauvé et sauve encore tant de vies humaines. La pasteurisation consiste à
15 chauffer un liquide, le lait, par exemple, de dix à trente minutes, à une température de 55° à 70° centigrade (131° à 158° Fahrenheit), et à le refroidir ensuite subitement.

La plupart des découvertes de Pasteur sont bien connues, mais la plus dramatique application en fut la vaccination contre la
20 rage. Pasteur n'avait jamais oublié l'impression que lui avait faite dans sa jeunesse une femme mordue par un chien enragé. S'étant donc mis à étudier la rage, il avait déjà réussi à guérir les animaux qui avaient cette maladie, quand un jour un garçon âgé de neuf ans et nommé Joseph Meister, qui deux jours avant avait
25 été mordu en plusieurs endroits, fut apporté dans le laboratoire du savant. La question se posa de savoir s'il avait le droit d'essayer un sérum destiné aux animaux sur un être humain. Après avoir pris l'avis d'un médecin que l'enfant mourrait certainement d'une mort féroce si Pasteur ne le guérissait pas, Pasteur essaya
30 pour la première fois de guérir de la rage un être humain avec son vaccin. De savants médecins doutaient du succès de cette guérison. Cependant le garçon ne montrait plus la moindre trace de la maladie. A partir de cette guérison, la méthode de Pasteur se pratique couramment dans tous les hôpitaux du monde.

35 La vie de Pasteur n'était pas celle d'un savant dans un laboratoire, isolé du monde. Quoiqu'il ne se soit jamais préparé pour une carrière de médecin, les hôpitaux modernes ont profité énormément de ses expériences médicales. Puisque la génération spontanée n'existe pas, conclut Pasteur, ne pouvait-on pas par

la stérilisation de l'air et des instruments chirurgicaux, empêcher les microbes de contaminer les blessures? Par ses découvertes sur l'antisepsie et la valeur de l'isolement des maladies contagieuses, l'infatigable chercheur causa une révolution dans les méthodes de la chirurgie, de la médecine préventive, de l'art vétérinaire et de l'hygiène sociale. 5

Ce fut alors que la gloire de Pasteur devint mondiale. Une souscription internationale rendit possible la fondation à Paris de l'Institut Pasteur, dont la cérémonie d'ouverture eut lieu le 14 novembre 1888. Selon Pasteur lui-même, cet établissement devait être «à la fois un dispensaire pour le traitement de la rage, un centre d'études pour les maladies virulentes et contagieuses, et enfin, un centre d'enseignement».[2] 10

A l'occasion du jubilé organisé en son honneur à la Sorbonne, le 27 décembre 1892, Pasteur s'adressa aux délégués des nations étrangères en des mots dont l'actualité est vraiment frappante: 15

«Vous, délégués des nations étrangères, qui êtes venus de si loin, vous m'apportez la joie la plus profonde que puisse éprouver un homme qui croit invinciblement que la science et la paix triompheront de l'ignorance et de la guerre, que les peuples s'entendront, non pas pour détruire, mais pour édifier.» 20

Tout le monde admire les facultés intellectuelles de Louis Pasteur, mais c'est surtout la simplicité de ses manières et son humilité d'esprit qui nous frappent en regardant de près sa vie. Un jour, on lui avait demandé quel était le plus sûr moyen pour conserver la jeunesse. L'illustre savant répondit sans hésiter: 25

— Ne se désintéresser de rien, mais savoir renoncer à tout.

Voici comment, dans l'allocution jubilaire déjà mentionnée, Pasteur s'adressa aux jeunes étudiants:

«Jeunes gens, jeunes gens, confiez-vous à ces méthodes sûres, puissantes, dont nous ne connaissons encore que les premiers secrets. Et tous, quelle que soit[3] votre carrière, ne vous laissez pas atteindre par le scepticisme dénigrant et stérile, ne vous laissez pas décourager par les tristesses de certaines heures qui passent sur une nation. Vivez dans la paix sereine des laboratoires et des bibliothèques. Dites-vous d'abord: ‹Qu'ai-je fait pour 30 35

[2] C'est là qu'un médecin a inventé un traitement de la diphtérie par le sérum de cheval.

[3] **quelle que soit** whatever may be

mon instruction?› Puis, à mesure que vous avancerez: ‹Qu'ai-je fait pour mon pays?› ... C'est à vous surtout qu'il appartiendra de ne point partager l'opinion de ces esprits étroits qui dédaignent tout ce qui dans les sciences n'a pas une application immédiate. 5 Vous connaissez le mot charmant de Franklin. Il assistait à la première démonstration d'une découverte purement scientifique. Et l'on demande autour de lui: ‹Mais à quoi cela sert-il?› Franklin répond: ‹A quoi sert l'enfant qui vient de naître?› Oui, messieurs, à quoi sert l'enfant qui vient de naître?»

---

10 *SENS DESSUS DESSOUS*

Voici une question embarrassante que Pasteur aimait poser à ses étudiants: Dans la glace ma main gauche devient ma main droite et ma main droite est à la place de ma main gauche. Alors, pourquoi est-ce que ma tête n'est pas à la place de mes pieds 15 et mes pieds à la place de ma tête? Savez-vous expliquer cela?

UN SAVANT DISTRAIT

Pasteur parlait volontiers de ses découvertes scientifiques à sa famille. Un jour, à table, au moment du dessert, sa fille Cécile apporta du raisin.

20 «Donne-m'en une grappe, dit Pasteur à sa fille, et apporte-moi un second verre, je te prie.»[4]

Elle le lui apporta, Pasteur versa de l'eau dans le verre et y trempa le raisin, car il était très méticuleux en ce qui concerne la propreté.[5]

25 «Regardez, dit-il, ce raisin si appétissant, et pourtant couvert de microbes. Cécile, ne nous le sers jamais comme on l'a acheté au marché mais sers-le-nous toujours bien lavé!»

Et il montra à ses enfants le danger des microbes. Il le leur expliqua longuement. Puis, comme cette longue leçon lui avait 30 donné soif, il avala d'un trait l'eau dans laquelle il avait rincé sa grappe de raisin.

Toute la famille éclata de rire.

[4] **je te prie** please
[5] **en ce qui concerne la propreté** as regards cleanliness

«Papa, tu te trompes, tu as avalé tes microbes et pourtant, tu nous le défends!»

Pasteur rit de bon cœur: «C'est une distraction, dit-il. Espérons que mes ennemis, les microbes, me la pardonneront. Et vous, mes enfants, ne suivez pas l'exemple de votre père!» 5

SUJETS DE COMPOSITION LIBRE

1. Ecrivez une lettre imaginaire adressée par Joseph Meister à Louis Pasteur, à l'occasion du jubilé du savant, célébré à la Sorbonne.
2. Quelles mesures devrions-nous prendre aujourd'hui pour que la science «triomphe de l'ignorance et que les peuples s'entendent non pour détruire, mais pour édifier»?
3. Quelle réponse donneriez-vous à la question de Pasteur: «A quoi sert l'enfant qui vient de naître»?
4. Ecrivez un discours que vous êtes invité à faire à l'occasion d'une célébration en l'honneur de Pasteur.

QUESTIONNAIRE

1. Qu'est-ce que Pasteur a prouvé concernant le travail des fermentations organiques?
2. Comment Pasteur a-t-il démenti la doctrine des matérialistes qui expliquaient l'apparition de la vie par le hasard?
3. De quel mot universel Pasteur a-t-il doté les langues vivantes?
4. Comment a-t-il neutralisé les microbes?
5. Que fait-on pour pasteuriser le lait? Quels sont les avantages de ce procédé?
6. Quelle était la plus dramatique des découvertes de Pasteur? Pourquoi?
7. Comment Pasteur a-t-il causé une révolution dans les méthodes de la chirurgie?
8. Quelle est la valeur de la stérilisation des instruments chirurgicaux?
9. Comment a-t-on honoré Pasteur en 1888?
10. Quels devaient être, selon Pasteur, les buts du nouvel Institut?
11. Comment a-t-on honoré Pasteur en 1892? A quelle occasion?
12. Quel est le plus sûr moyen pour conserver la jeunesse, selon Pasteur?
13. A quel propos Pasteur cite-t-il Franklin?
14. Pourquoi Pasteur a-t-il avalé d'un trait l'eau où il avait lavé le raisin?

CHAPITRE 24

LES ANCIENNES PROVINCES

... Et en quelle saison
Reverrai-je le clos de ma pauvre maison,
Qui m'est une province, et beaucoup davantage?

Joachim du Bellay, *Les Regrets*

Si Paris domine la France, il n'en reste pas moins vrai qu'en dehors de la capitale, il y a la France — celle des anciennes provinces. Sous l'Ancien Régime, c'est-à-dire, jusqu'à la Révolution de 1789, le royaume de France était divisé en «pays» et 5 en provinces d'étendue inégale telles que l'Ile-de-France (la région autour de Paris), la Touraine, la Champagne, la Normandie, qui gardaient toutes une certaine variété de langues, de lois et de coutumes, et même des barrières douanières.[1] Car les diverses populations qui s'étaient installées en France venaient générale- 10 ment en groupes compacts, restaient dans une même région et cherchaient à préserver leur originalité propre: ainsi les fonctionnaires et colons romains dans le Midi et les Normands venus de Scandinavie au 10e siècle. Souvent les populations antérieures se refoulaient dans des régions d'accès difficile, les Bretons, par 15 exemple, et les Basques, et se défendaient contre la romanisation. D'autre part, les diverses provinces avaient été rattachées à la couronne de France à des moments différents, après avoir mené pendant des siècles une vie propre. La Bretagne a été un

[1] «En France, dit Voltaire dans une boutade, un homme qui voyage change de lois autant que de chevaux de poste.»

Ruines d'un ancien théâtre romain à Arles.

duché indépendant jusqu'au 16ᵉ siècle. L'Alsace ne devenait française qu'un siècle plus tard, sous Louis XIV.

Pour éliminer le particularisme provincial et permettre l'unification et la centralisation de la nouvelle république, l'Assemblée constituante (1789–91) supprima la division du pays en 32 provinces et la substitua par celle de départements,[2] soumis au pouvoir central résidant à Paris et dont le nombre actuel pour la France métropolitaine est de 90 avec la Corse. Les départements sont des unités administratives, judiciaires, électorales et scolaires. Il n'y a plus rien en France donc qui rappelle légalement les anciennes provinces mais le souvenir n'en est pas totalement effacé. Si bien que[3] l'on dit rarement d'un Français, «Il est de tel ou tel département», mais plutôt, «C'est un Breton, un Normand, un Lorrain ... ».

[2] Les départements sont divisés en districts qu'on appelle *arrondissements,* les arrondissements sont divisés en *cantons,* et les cantons en *communes.*

[3] **Si bien que = par conséquent**

La plus ancienne de ces provinces est la Provence, située dans le Midi sur la Mer Méditerranée. Maîtres de l'Espagne depuis deux siècles avant Jésus-Christ, les Romains songeaient à s'établir dans le sud de la Gaule pour relier par terre leur grande province de
5 l'Espagne à l'Italie. Le riche port de Marseille, fondé par les Grecs, qui était l'allié des Romains, eut l'imprudence d'appeler les légions romaines à l'aide contre les montagnards voisins qui le gênaient. Les Romains ont profité de l'occasion pour pourchasser les Celtes jusqu'à l'Isère (125 avant Jésus-Christ). Ils
10 y resteront[4] en s'établissant tout près de Marseille, dans la ville d'Aix. Tout le sud-est de la Gaule fut bientôt annexé à l'Empire Romain (campagne de Jules César, 58–53), et reçut le nom de *Provincia Romana*, que l'on raccourcissait tout simplement en *Provincia*, d'où le nom actuel de «Provence».
15 Le mélange de races et le climat méridional de cette région ont donné aux Provençaux un cachet d'animation gaie, d'exagération bavarde, de vantardise amusante. Les Provençaux attribuent volontiers[5] leur exubérance au soleil du Midi, qui, disent-ils, grossit tout. En tout cas, c'est un personnage imaginaire, hâbleur
20 mais sympathique, nommé parfois Marius, parfois Olive, qui représente pour les autres Français le type du Midi, le Provençal. Voici quelques histoires typiques de Marius et son copain Olive.

A une table de restaurant à Paris Marius et Olive sont sur le point de manger un plat de champignons.
25 — C'est ça ce qu'ils appellent des champignons à Paris, s'écrie Marius avec dédain.
— C'est gros comme rien![6]
— Dans mon patelin ils sont énormes, presque aussi gros qu'un arbre.
30 — Dans mon patelin, riposte Olive, ce sont les arbres qui poussent aux pieds des champignons.

Marius rencontre Olive à la terrasse d'un café.
Marius — Voyons,[7] Olive, tu as tort de boire comme ça.

[4] **y resteront** were to stay there
[5] **attribuent volontiers** like to attribute
[6] **C'est gros comme rien!** They're next to nothing!
[7] **Voyons** Come, come

Olive — C'est pour noyer mon chagrin.
Marius—Eh bien! depuis le temps il doit être noyé, ton chagrin.[8]
Olive — Eh non! bagasse! il sait nager!

Marius narrait avec force [9] détails pittoresques autant que palpitants, la façon dramatique dont un prisonnier s'était échappé 5 de sa geôle.

— Le malheureux avait eu la patience, expliquait-il, de se fabriquer une échelle de corde avec ses cheveux. Cela lui prit des années. Quand elle fut assez longue, il s'évada une nuit, pendant une tempête effroyable. 10

— Peuh! riposta Olive. C'est un fait banal. Mais ce qui est vraiment prodigieux, c'est l'aventure survenue à un de mes amis. Moins heureux que ton prisonnier, il était chauve comme un genou,[10] comme un morceau de marbre.

Enfermé pour ses vues politiques dans un donjon, couché sur 15 les dalles, sans vêtements, il ne pouvait, cela se conçoit, effiler des draps ou ses habits pour s'en faire un instrument de délivrance. Il se sauva pourtant. Comment, demandez-vous? Il se fit une échelle avec ses cordes vocales!

Olive est allé passer quelques jours à Paris. Sur une autoroute 20 aux environs de la capitale, il rencontre un automobiliste accroupi près d'une voiture en panne. Il s'arrête et reconnaît son vieux copain Marius.

— Té, Marius!

— Té, Olive! Quelle bonne surprise! Qu'es-tu venu faire 25 par ici?

— Eh bien! je suis venu faire un petit tour à Paris. Et toi?

— Mais moi aussi, parbleu! Entre nous Paname [11] ne vaut pas Marseille, eh?

— Bien sûr que non, mon vieux.[12] Mais dis donc, que fais-tu 30 là arrêté sur la route? Tu as crevé,[13] sans doute? Veux-tu que je t'aide?

[8] **depuis ... ton chagrin** your troubles should be drowned by this time
[9] **force = beaucoup de**
[10] **chauve comme un genou** bald as a billiard ball
[11] **Paname** *slang name for* Paris
[12] **Bien ... vieux.** I should say not, my good friend.
[13] **Tu as crevé** You had a blowout (tire)

— Mais non, ce n'est pas cela qui m'ennuie. Je m'embête trop ici dans le Nord, je n'y pouvais plus tenir,[14] alors j'ai crevé un pneu pour respirer un peu l'air de Marseille.

Quel contraste pour le voyageur quand il quitte le soleil du Midi et monte nord-ouest vers le brouillard de la Bretagne! Cette province s'étend sur un territoire d'environ 250 kilomètres de long (de Rennes à Brest), sur 100 kilomètres de large. Elle est habitée principalement par les descendants des Celtes qui avaient été chassés de Grande-Bretagne au 5e siècle. On y parle encore dans certaines régions, celles des «Bretons bretonnants», un ancien dialecte celtique, qui n'a rien de commun, ni par les racines, ni par les formes, ni par la syntaxe, avec la langue française.[15]

Les Bretons sont des Celtes. Comme leurs cousins gallois et irlandais, ils ont volontiers l'esprit religieux ou mystique. Comme eux, ils se laissaient aller autrefois à la superstitition. La Bretagne devint, après la conquête romaine, chrétienne comme le reste de la Gaule, mais à contre-cœur. Les prêtres païens bretons, dits druides, résistèrent longtemps. Toute cette province est encore couverte des vestiges de ses anciennes croyances: des bornes géantes qui commémorent quelque exploit, et d'énormes roches plates qui servaient d'autels aux mystères des druides. Les premiers s'appellent des menhirs, les seconds, des dolmens. Les menhirs sont très nombreux; on en compte plus de 2,000 dans la commune de Carnac, plus vieux que les pyramides égyptiennes. Le plus grand menhir connu est celui de Locmariaquer, qui mesure plus de vingt mètres de hauteur et pèse 300 tonnes.

La Bretagne est le pays de légendes par excellence. Outre les vieilles poésies qui chantent les exploits des Chevaliers de la Table-Ronde, pairs d'Arthur, roi de Bretagne, celle de Tristan et Iseult est également célèbre. Cette légende celtique décrit la passion irrésistible et malheureuse de deux jeunes gens qui ne peuvent se détacher l'un de l'autre. Elle forme le sujet de l'opéra, *Tristan und Isolde*, du compositeur allemand Richard Wagner (1813–1883). Jean Cocteau a fait une transposition moderne de la légende dans son film *L'Eternel Retour* (1943). Le long des

[14] **je n'y pouvais plus tenir** I couldn't stand it any longer

[15] Le *breton*, langue gaélique (celtique), est apparenté à l'irlandais, au gallois, et à certains patois celtiques en Angleterre.

Calvaire de Plougastel-Daoulas en Bretagne, 17e siècle.

côtes, disent les vieux Bretons, il y a au fond de la mer une vieille cité, la ville d'Ys, ensevelie sous les vagues pour avoir offensé Dieu, et à certaines heures de brouillard, on peut entendre ses cloches qui sonnent un glas funèbre. C'est cette légende bretonne que Claude Debussy, compositeur impressionniste, a évoquée 5 dans son beau prélude *La Cathédrale engloutie*, où les accords du piano reproduisent le tintement des cloches de cette église en deuil.

La Bretagne, terre rocheuse, aride et triste, a toujours attiré les musiciens, les artistes. «J'aime la Bretagne, écrivait Gauguin 10 un jour, j'y trouve le sauvage, le primitif. Quand mes sabots résonnent sur ce sol de granit, j'entends le son sourd, mat et puissant que je cherche en peinture.»

La Bretagne resta longtemps duché indépendant; elle ne fut réunie définitivement à la couronne de France qu'en 1532, par François Ier. C'est, peut-être, la province française la plus conservatrice, la plus attachée à ses anciens usages, d'où l'expression «têtu comme un Breton». Il y a environ trois millions d'habitants en Bretagne, dont 800,000 habitent à proximité de la mer. Ceux-ci fournissent à la Marine Française et à la pêche d'excellents marins. Mais étant peu industrialisée, la Bretagne souffre d'une émigration de sa jeunesse dans d'autres parties de la France, notamment à la capitale, car son économie demeurée surtout agricole n'offre aux jeunes que des débouchés industriels et techniques très insuffisants. Bien que le taux de natalité y soit élevé, la province perd toujours d'habitants, et reste stationnaire dans une France dont la population monte rapidement.

Le long de l'Océan Atlantique, et sur les deux pentes des Pyrénées qui séparent la France et l'Espagne, vivent les restes d'une race de montagnards dite Basque. Ce furent les Basques qui écrasèrent l'arrière-garde de l'armée de Charlemagne au col de Roncevaux et tuèrent le chevalier Roland (778). Les Basques présentent encore un grand problème aux historiens qui s'intéressent aux origines des diverses races qui peuplent la France. Ce problème est renforcé par l'usage persistant d'une langue compliquée, l'«euskara», qui est sans rapport avec les idiomes voisins et dont la présence dans les Pyrénées demeure un mystère pour les linguistes.

Le peuple basque, gardant jalousement sa langue et ses coutumes, a maintenu jusqu'à nos jours la pureté d'une race qui est l'une des plus anciennes d'Europe. Ils vivent comme agriculteurs dans les vallées, bergers dans les montagnes, portant encore, au moins dans les petits villages, le béret, la blouse serrée à la taille, et les espadrilles. Une de leurs distractions favorites est la fameuse pelote basque.

Les provinces servent de refuge aux Parisiens qui viennent s'y détendre le corps et l'esprit. D'autre part, la capitale qui consume tant de talent et de main-d'œuvre, ne cesse pas de renouveler sa parade incessante en attirant les habitants des provinces. Mais même à Paris, les provinciaux, qui sont venus s'y établir pour vingt ou trente ans, restent dans leur grande majorité fidèles à leur province d'origine — à la «petite patrie» disent-ils. La vie tranquille de certains quartiers de Paris habités en grande partie par des «émigrés» d'une province ou d'une autre, étonne les touristes américains, s'ils ont l'occasion de la voir de près. La politique française n'est plus décidée par 5 les intellectuels de Paris comme dans le passé, mais par les milliers de provinciaux de Paris ou de province, qui travaillent, jouent aux boules, pêchent à la ligne et discutent la politique aux terrasses de café ou devant leurs postes de télévision.

«99 MOUTONS ET UN CHAMPENOIS FONT 100 BETES» 10

Dans la province de Champagne au nord du pays, province qui fournit le vin le plus célèbre du monde, les gens vivaient pendant l'Ancien Régime très pauvrement. Car les hivers étaient souvent durs et la vigne gelait. Pour suppléer à leur disette les Champenois élevaient des moutons qui étaient parmi 15 les meilleurs de France. Leurs voisins, les riches Bourguignons, les achetaient volontiers. Pour un troupeau de 100 moutons, la taxe douanière était très élevée, mais au-dessous de 100 têtes elle était moindre. Les bergers champenois, non sans quelque malice, passaient donc la frontière avec 99 bêtes, pas une de plus, 20 pas une de moins. Cela irritait les Bourguignons, bien entendu.

Un jour, un de leurs douaniers eut une idée. Il poussa le berger au milieu de son troupeau. «Cela fait le compte, dit-il, 99 moutons et un Champenois font 100 bêtes.» On rit beaucoup de ce mot, devenu depuis lors, dicton français. 25

SUJETS DE COMPOSITION LIBRE

1. Expliquez comment l'Ile-de-France devint la province royale par excellence.
2. Tracez une carte de France et insérez les frontières de toutes les anciennes provinces.
3. Que peut découvrir le touriste étranger qui quitte Paris et voyage en province?

QUESTIONNAIRE

1. Expliquez l'origine de la variété des lois et des coutumes qui existait en France avant la Révolution de 1789.
2. Pourquoi l'Assemblée constituante a-t-elle supprimé les provinces?
3. Quelle est la plus ancienne des provinces françaises et pourquoi a-t-elle été la première?
4. Quelle est l'origine du mot «Provence»?
5. A quoi les Provençaux attribuent-ils leur exubérance?
6. Que représentent Marius et Olive pour les Français?
7. Pourquoi Marius a-t-il crevé un pneu sur la route de Paris?
8. Dans quelle partie de la France se trouve la Bretagne?
9. Qu'est-ce qu'un «Breton bretonnant»?
10. Que sont les druides?
11. Pourquoi la Bretagne a-t-elle pu conserver son individualité mieux que d'autres provinces?
12. Que font la plupart des jeunes Bretons pour gagner leur vie?
13. Pourquoi la population de la Bretagne diminue-t-elle?
14. Dans quelle partie de l'Europe se trouve le pays basque?
15. Pourquoi considère-t-on les Basques comme une race à part?
16. Pourquoi tant de Parisiens surmenés visitent-ils les provinces?
17. Comment Paris renouvelle-t-il sa parade incessante?

CHAPITRE 25

VERSAILLES

«Le roi est mort, vive le roi!» [1]

A une vingtaine de kilomètres au sud-ouest de Paris se dresse le château de Versailles, le plus grand et le plus important des palais français. Choisi par Louis XIII au début du dix-septième siècle comme pavillon de chasse, puis élargi par Louis XIV, Versailles restait pendant plus de deux siècles le symbole de la monarchie française. Louis XIV n'aimait pas sa capitale, Paris, car son grand-père, Henri IV, y avait été assassiné, et lui-même se souvenait toute sa vie de la Fronde, cette guerre civile sanglante contre l'absolutisme royal, qui eut lieu à Paris pendant sa minorité. Au commencement de son règne donc, la cour dut suivre le jeune roi de château en château, puis elle put se fixer en 1682 dans l'immense et somptueux palais de Versailles qui devint la capitale de la monarchie absolue. Le «Roi-Soleil» croyait au droit divin des rois — c'est Dieu qui l'avait choisi et il n'avait de comptes à rendre qu'à Dieu seul — et jugeait que ce droit lui imposait le devoir de bâtir avec magnificence et de vivre avec splendeur. Sous la direction de l'architecte Mansard, trente mille ouvriers avaient travaillé donc à la construction de cette nouvelle demeure royale et des vastes jardins qui l'entourent.

Tracé par Le Nôtre sur un terrain sans eau vive, le parc de Versailles au temps de Louis XIV comptait 1,400 fontaines. Orné

[1] Formule employée à Versailles sous l'ancienne monarchie à la mort des rois. Un héraut, placé au balcon du palais, annonçait trois fois de suite la mort du roi défunt et l'accession au trône du successeur.

d'allées symétriques et de parterres soigneusement cultivés, il fut le plus parfait modèle du jardin à la française de son temps. Le «Roi-Soleil» y donna des fêtes somptueuses qui rendirent Versailles plus éblouissant encore la nuit que sous les plus beaux
5 rayons du soleil. Les arbres des jardins et les statues furent décorés de 200,000 lampions qui se reflétaient sur les eaux dansantes des bassins. De brillants spectacles où excellaient le génie de l'acteur-écrivain Molière, le talent du compositeur Lulli et d'autres grands artistes, étaient suivis de festins magnifiques
10 et de feux d'artifice si grandioses que, d'après les gazetiers de l'époque, le ciel paraissait s'effrondrer en cataractes de lumière sur les spectateurs émerveillés.

On ne doit pas croire que ce palais était seulement la demeure du roi, de la reine et de leurs enfants. Une foule de gens vivait
15 autour d'eux, et d'habitude il n'y avait pas un coin vide dans tout l'immense château. On y logea jusqu'à 10,000 personnes et plus. Au temps de Louis XIV, les nobles devaient habiter près de lui ou au moins être vus de temps en temps aux fêtes du palais, s'ils voulaient garder la faveur du monarque. «Je ne le connais
20 pas» ou «C'est un homme que je ne vois jamais», répondait invariablement Louis XIV, lorsqu'on voulait solliciter une faveur pour un malheureux seigneur qui ne venait pas souvent rendre hommage au roi à la cour de Versailles.

Mais tout cela coûtait fort cher. Derrière ces belles façades
25 se cachaient la misère, le chagrin et le désespoir du peuple opprimé dont les maux augmentaient au cours du dix-huitième siècle. Ne voyait-on pas le long des routes de malheureux paysans morts de faim, ayant encore à la bouche l'herbe dont ils avaient essayé de se nourrir? Entrons au palais de Versailles donc en 1789, et
30 regardons les députés du peuple qui essaient de se lever contre les extravagances de Louis XVI et de sa femme, Marie-Antoinette, et de rompre les privilèges de la noblesse et du haut clergé.

Dès cette époque, Versailles fut délaissé de tous, comme une relique des plus mauvais jours du passé: les hautes fenêtres du
35 palais furent closes; la chapelle, où le roi seul regardait l'autel, tandis que les courtisans avaient les yeux fixés sur le roi, fut fermée. Chaque pièce du palais fut dépouillée de son précieux mobilier; les mauvaises herbes envahirent les allées mélancoliques des jardins et poussèrent entre les fentes des bassins desséchés.

La Galerie des Glaces dans le Palais de Versailles.

En 1831, le roi Louis-Philippe décida de transformer le palais en un musée d'art dédié «à toutes les gloires de la France». On y admire surtout la salle dite la Galerie des Glaces, qui fut construite par Mansard. Cette salle, la plus belle du palais, est une
5 longue pièce éclairée par dix-sept grandes fenêtres qui donnent sur les jardins. En face des fenêtres se trouvent dix-sept grands miroirs. La Galerie des Glaces est célèbre dans l'histoire parce que c'est là qu'en 1871, après la défaite de la France, Guillaume premier, roi de Prusse, fut proclamé empereur d'Allemagne et que
10 l'Empire allemand a commencé. C'est là également où fut signé, le 28 juin 1919, le traité de paix mettant fin à la Première Guerre mondiale.

Actuellement le gouvernement français est en train de reconstituer les appartements du grand château tels qu'ils étaient au
15 XVIIIe siècle. Malgré tant de salles vides — les meubles furent vendus pendant la Révolution — le visiteur est encore ébloui par la richesse de la décoration. Les murs et les plafonds ont conservé les peintures des décorateurs de l'époque de Louis XIV, dont le principal était Le Brun. Les jardins, qui étaient, par
20 leur symétrie géométrique, l'expression du goût classique du dix-septième siècle, sont de nouveau soigneusement entretenus, et tous les dimanches d'été les jets des «Grandes Eaux» des fontaines jaillissent, plus beaux que jamais. Et lorsque, dans la nuit, les gerbes phosphorescentes des feux d'artifice se reflètent dans les

Vue de la Cour d'Honneur à Versailles et la statue de Louis XIV.

bassins et que les chants, les ballets et les cors de chasse des spectacles d'été remplissent les sombres bois, Versailles apparaît alors, «tel qu'en lui-même ... immortel».

LE ROI ET LES PAYSANS

Louis XIV ne portait jamais de gants quand il allait à la chasse dans la forêt de Versailles, même au plus fort de l'hiver. Deux paysans l'y ont rencontré en cette saison. L'un d'eux paraissant surpris de ce que le souverain ne prît pas plus de précautions contre le froid: «N'en sois pas étonné, répondit l'autre, c'est que le roi a toujours ses mains dans nos poches».

L'HISTOIRE SAINTE

C'était à Versailles que fut signé en 1783 le traité qui mit fin à la guerre d'Amérique. On a célébré cet événement au palais par un brillant banquet. Le jeune Pitt dans un toast comparait l'Angleterre au soleil qui brille toujours sur ses possessions. Monsieur Talleyrand représentait la France comme la lune qui donne sa lumière argentée à toutes les mers et à tous les continents. Quand le tour de Benjamin Franklin est venu, il a comparé l'Amérique à ce jeune Josué qui, d'après la Bible, a commandé au soleil et à la lune de s'arrêter, et ils se sont arrêtés.

SUJETS DE COMPOSITION LIBRE

1. Décrivez comment un jardin à la française diffère d'un jardin à l'anglaise.
2. Que veut dire «l'esprit classique français»? Comment l'architecture de Versailles symbolise-t-elle cet esprit?
3. La formule d'Ancien Régime, «Le roi règne et ne gouverne pas», a-t-elle justifié le faste de Versailles?

QUESTIONNAIRE

1. Où se trouve Versailles?
2. Quel roi a choisi Versailles pour la première fois comme résidence permanente?

3. Pourquoi Louis XIV n'aimait-il pas Paris?
4. Que veut dire le mot «la Fronde»?
5. Qu'entendait Louis XIV par l'expression «le droit divin des rois»?
6. Qui sont les deux architectes qui ont dessiné respectivement la façade et le parc du château de Versailles?
7. Nommez deux artistes qui ont collaboré aux fêtes de Versailles.
8. Pourquoi fallait-il que les nobles habitent Versailles de temps en temps?
9. Pourquoi le peuple a-t-il chassé la famille royale de Versailles?
10. Décrivez l'état de Versailles quelques années après le départ de Louis XVI.
11. Quelle décision Louis-Philippe a-t-il prise pour restaurer Versailles?
12. Décrivez la Galerie des Glaces.
13. Nommez deux événements historiques qui ont eu lieu dans cette galerie.
14. Quel était le décorateur principal de l'intérieur du Palais de Versailles?
15. Décrivez Versailles au moment d'un spectacle d'été.
16. Pourquoi, d'après le paysan, Louis XIV ne prenait-il pas de précautions contre le froid?
17. Nommez les trois orateurs au banquet donné à Versailles pour célébrer le traité qui a mis fin à la guerre d'Amérique.
18. Pourquoi Franklin a-t-il comparé l'Amérique à Josué?

CHAPITRE 26

LA REVOLUTION FRANCAISE

Dicton: Les hommes s'agitent, mais Dieu les mène.

Il est indéniable que dans la France de 1789, la révolution dans les arts, les mœurs et la littérature s'était déjà faite. S'insurgeant contre les mièvreries des peintres d'éventails, les artistes de l'époque mettaient à la mode l'antiquité païenne de Rome. Le sculpteur Houdon drape Voltaire dans les plis d'une toge; dans son 5 *Serment des Horaces*, le peintre David, devançant l'actualité, exalte l'amour de la patrie et de la liberté. On a dit des nobles du XVIIIe siècle qu'ils passaient leur vie à «faire sérieusement des choses frivoles et gaiement des choses sérieuses». Voici quelques-unes des impertinentes réflexions de Figaro, l'homme du peuple qui, 10 dans les deux pièces de Beaumarchais, *Le Barbier de Séville* (1775), et *Le Mariage de Figaro* (1784), raille spirituellement les abus de l'Ancien Régime et critique audacieusement les classes privilégiées:

Figaro Un grand nous fait assez de bien quand il ne nous fait 15 pas de mal. Aux[1] vertus qu'on exige dans un domestique, votre Excellence connaît-elle beaucoup de maîtres qui fussent dignes d'être valets?

Le Comte Au tribunal, le magistrat s'oublie; il ne connaît que l'ordonnance. 20

Figaro Oui, indulgente aux grands, dure aux petits. Qu'avez-

[1] **Aux** To judge by

«Le peuple parisien répondit à l'oppression par le siège et la prise de la Bastille (le 14 juillet 1789).»

vous fait pour tant de biens? Vous vous êtes donné la peine de naître, et rien de plus!

Puisque dans *Le Mariage de Figaro*, comme dira plus tard Napoléon Ier, «la Révolution est déjà en action», un changement radical dans le gouvernement n'était-il pas inévitable? Avant que la révolution n'éclatât aux Etats-Unis et en France, les buts de la société démocratique étaient déjà tracés. S'il n'y avait pas l'impatience des réformateurs, gagnés aux idées libérales des philosophes du XVIIIe siècle, Voltaire, Rousseau, Montesquieu, et si l'aristocratie et la bourgeoisie anoblie n'étaient pas si aveugles, et si surtout l'autorité centrale, le roi, n'était pas si faible, les changements auraient pu se faire, sans doute, à l'amiable.

Mais les soldats de La Fayette et Rochambeau étaient revenus d'Amérique imbus des idées de la liberté et de l'égalité, qu'ils répandaient parmi le peuple. De plus, les difficultés financières croissantes du roi Louis XVI l'obligèrent à consulter la Nation. De sorte que le roi a dû à contre-cœur convoquer pour la première fois depuis 1614, les Etats-Généraux, l'assemblée où siégeraient les représentants de la nation tout entière, c'est-à-dire, les députés du haut clergé, de la noblesse, et du peuple (tiers-état).[2]

Dès la séance d'ouverture (Versailles, le 5 mai 1789), les délégués du peuple révélèrent en vain les buts de leurs «cahiers de doléances»: mettre fin à l'absolutisme et à l'arbitraire en limitant les pouvoirs du roi et les privilèges du clergé et de la noblesse par une constitution monarchique. Le discours de Louis XVI fut faible et vague: le roi demandait de l'argent sans parler d'une constitution. D'ailleurs, l'ambiance de Versailles était peu favorable pour une telle assemblée. Ce roi plein de

[2] Au lieu de convoquer les Etats-Généraux, les rois de France consultaient quelquefois dans des circonstances particulièrement difficiles les réunions (dites *Assemblées des Notables*) des plus hauts personnages du royaume, choisis parmi les nobles, évêques et bourgeois anoblis. Au moment d'une réunion des Notables en 1787, Calonne, ministre des finances, soutint que cette assemblée n'avait pas le droit de lever ou de supprimer les impôts, mais uniquement de désigner le mode de taxation. Une caricature de l'époque représenta un paysan ressemblant à Calonne, qui, ayant réuni les animaux de sa basse-cour, leur parla comme suit:

«Mes bons amis, je vous ai réunis tous pour vous demander à quelle sauce vous voulez être mangés.» Un coq, levant la tête répondit: «Mais nous ne voulons pas être mangés! — Vous vous écartez de la question, interrompt le paysan, il n'est pas question de savoir si cela vous fait plaisir ou non d'être mangés, mais seulement à quelle sauce vous voulez être mangés.»

bonnes intentions n'avait pas compris que la fastueuse vie de cour y serait pour les députés du peuple un scandale qu'il fallait éviter à tout prix. Dès la séance d'ouverture, le tiers-état auquel le costume noir était imposé, se vit installé à part dans la salle,
5 tandis qu'autour du monarque les soutanes pourpres des prélats et les habits bariolés des nobles resplendissaient.

Pour remplacer le vote par ordre, le tiers-état obtient d'abord une *représentation double*. Puis se rendant compte de sa force,[3] il demande que l'on vote par tête. Sur le refus du roi, les députés
10 du peuple se déclarent *Assemblée nationale* (17 juin), et se réunissent à part. Louis XVI ordonne la réunion des trois états. Devant une séance de l'Assemblée où le monarque finalement se montra (23 juin), ce dernier refusa froidement de discuter les critiques faites concernant son règne, et quitta brusquement la
15 salle. Les seigneurs et les évêques sortirent après leur roi. Alors le marquis de Dreux-Brézé vint donner aux députés du peuple l'ordre de se retirer en leur disant: «Vous avez entendu, messieurs, les ordres du roi». Mirabeau, député du tiers-état, quoiqu'il fût noble, osa répondre: «Monsieur, allez dire à votre maître que nous
20 sommes ici par la volonté du peuple, et que nous n'en sortirons que par la puissance des baïonnettes.» Le roi, ne sachant que faire, dut céder. «Eh bien, dit-il, s'ils ne veulent pas s'en aller, qu'ils restent.»

C'était la première brèche faite pour la liberté; la volonté du
25 peuple l'emportait sur celle du gouvernement. La colère des Français montant avec le thermomètre, la révolution continua sans arrêt. Les Etats-Généraux se réunirent de nouveau, mais cette fois sous le nom d'*Assemblée nationale constituante.*

Pour faire face à la Constituante et à Paris qui la soutenait,
30 Louis XVI fit venir près de lui huit régiments de mercenaires étrangers. Les Parisiens crurent que le roi s'apprêtait à dissoudre l'Assemblée. Le 14 juillet, ce fut donc jour d'une insurrection dans la capitale et de la prise de la Bastille.[4] Ce même jour, le roi Louis XVI avait chassé dans le bois autour de Versailles. Le
35 15, au matin, son grand maître de la garde-robe le réveille, pour

[3] «Qu'est-ce que le Tiers? —Tout, disait-on à l'époque. —Qu'a-t-il jusqu'à présent? —Rien. —Que demande-t-il? —A devenir quelque chose.»

[4] La Bastille était un donjon-prison, où l'on enfermait les gens sans les juger, seulement sur un ordre signé du roi, l'odieuse «lettre de cachet».

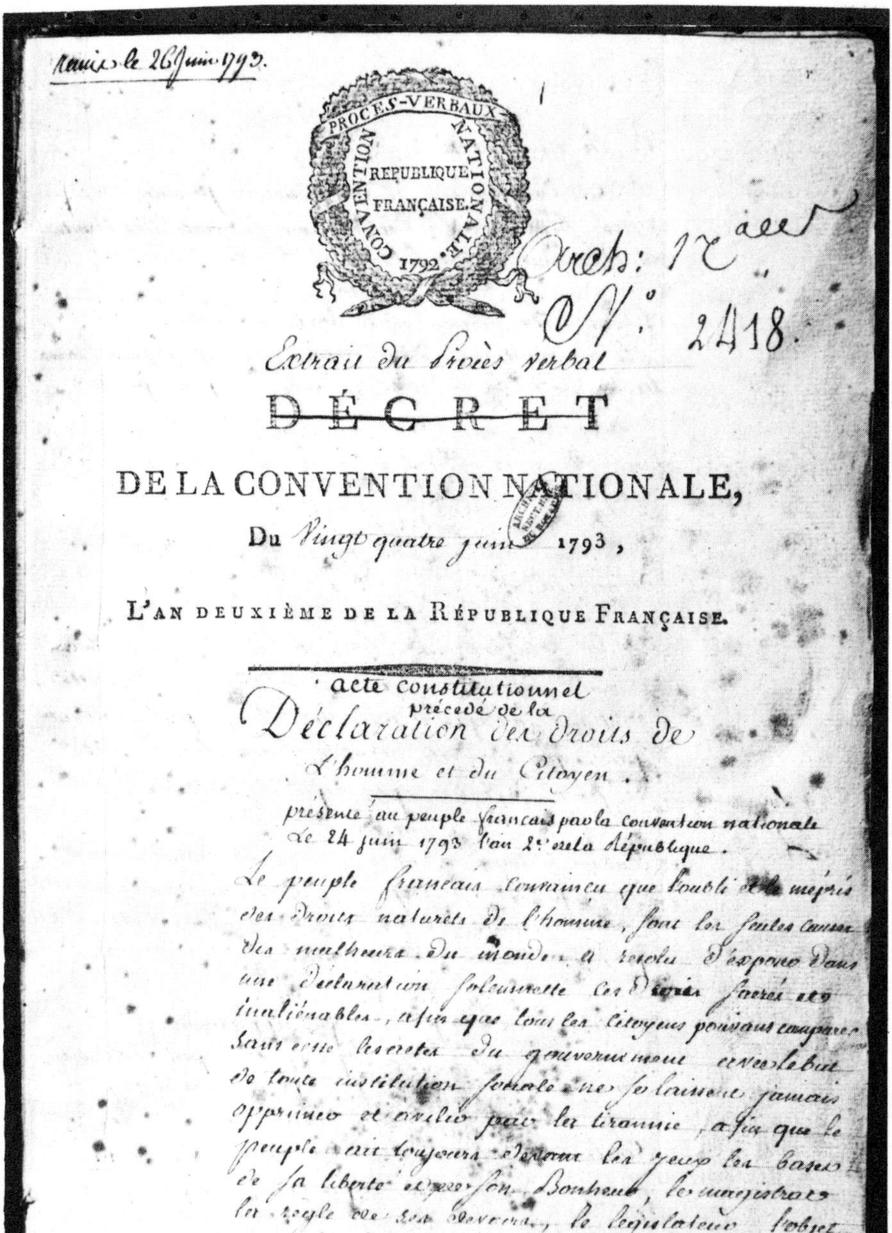

Remis le 26 juin 1793.

PROCES-VERBAUX CONVENTION NATIONALE
REPUBLIQUE FRANÇAISE.
1792

Arch: 1re
N.° 2418.

Extrait du procès verbal

DÉCRET

DE LA CONVENTION NATIONALE,

Du vingt quatre juin 1793,

L'AN DEUXIÈME DE LA RÉPUBLIQUE FRANÇAISE.

acte constitutionnel
précédé de la
Déclaration des droits de l'homme et du Citoyen.

présenté au peuple français par la convention nationale le 24 juin 1793 l'an 2e de la République.

Le peuple français convaincu que l'oubli et le mépris des droits naturels de l'homme, sont les seules causes des malheurs du monde, a résolu d'exposer dans une déclaration solennelle ces droits sacrés et inaliénables, afin que tous les citoyens pouvant comparer sans cesse les actes du gouvernement avec le but de toute institution sociale ne se laissent jamais opprimer et avilir par la tyrannie, afin que le peuple ait toujours devant les yeux les bases de sa liberté et de son bonheur, le magistrat la règle de ses devoirs, le législateur l'objet

Première page d'une déclaration des droits de l'homme et du citoyen, proclamée au moment de la Révolution Française.

lui annoncer la nouvelle. «C'est une révolte? demande le monarque endormi. — Non, Sire, c'est une révolution.» Lorsqu'on annonça que le roi allait venir ce même jour à l'Assemblée constituante, l'audacieux Mirabeau prit la parole et cria: «Qu'un morne respect soit le premier accueil fait au monarque dans ce moment de douleur. Le silence des peuples est la leçon des rois.»

L'Assemblée bientôt ordonna la formation d'une garde nationale, sous le commandement de La Fayette, et adopta la cocarde tricolore (bleu et rouge, couleurs de Paris, séparés par le blanc, couleur du roi). Abolissant d'un coup les privilèges et droits seigneuriaux la nuit du 4 août, l'Assemblée se hâta de préparer une constitution.

Cependant, les événements de Paris, déformés, avaient provoqué une panique paysanne d'un bout à l'autre de la France. Les paysans s'armaient, brûlaient les châteaux, prisons et monastères, et forçaient les nobles effrayés à s'exiler à l'étranger. «En trois jours, dit Chateaubriand, on a détruit l'ouvrage de douze siècles.» Si la cathédrale de Chartres a échappé à la pioche, c'est que, par miracle, un architecte a signalé aux démolisseurs que les débris encombreraient les rues; on s'est contenté de brûler une statue ancienne de la Vierge Marie. La maison même de Jeanne d'Arc à Domrémy n'a pas échappé aux outrages des révolutionnaires fanatiques.

Le 27 août, suivant l'exemple des treize états américains, l'Assemblée proclama «les immortels principes de 89», la *Déclaration des droits de l'homme et du citoyen.* En voici des passages importants:

«Les hommes naissent et demeurent libres et égaux en droits ... Le but de toute association politique est la conservation des droits naturels et imprescriptibles de l'homme; ces droits sont la liberté, la propriété, la sûreté et la résistance à l'oppression. Le principe de toute souveraineté réside essentiellement dans la nation ... La loi est l'expression de la volonté générale ... elle doit être la même pour tous, soit qu'elle[5] protège, soit qu'elle punisse ... Nul ne doit être inquiété pour ses opinions, même religieuses ... tout citoyen peut donc parler, écrire, imprimer librement, sauf à répondre de l'abus de cette liberté dans les cas déterminés par la

[5] **soit qu'elle** whether it

loi ... La libre communication des pensées et des opinions est un des droits les plus précieux de l'homme ... La propriété étant un droit inviolable et sacré, nul ne peut en être privé, si ce n'est lorsque[6] la nécessité publique ... l'exige évidemment, et sous la condition d'une juste et préalable indemnité.» 5

En octobre 1789, la royauté absolue fit place à une monarchie constitutionnelle. Le roi tardant de sanctionner les décrets de l'Assemblée, le peuple se rendit en foule à Versailles (5 octobre). Le lendemain, il ramena le roi et la famille royale de Versailles au palais des Tuileries dans la capitale, sous la protection de la 10 garde nationale et La Fayette. Tout en feignant d'être en bon rapport avec l'Assemblée, Louis se mit à négocier secrètement avec les souverains étrangers, en particulier avec son beau-frère, Léopold II, à Vienne. Il leur demandait de masser des troupes aux frontières de la France pour intimider les révolutionnaires: 15 lui-même irait rejoindre les nobles réfugiés en Allemagne.

Effectivement, Louis XVI s'échappa avec sa famille de Paris, le 20 juin 1791, mais fut reconnu en route vers la frontière allemande, arrêté et ramené à la capitale, où il prêta serment de fidélité à la Constitution. Cependant la scission entre le peuple 20 exaspéré par la famine, et le roi, devenait de plus en plus large. En 20 avril 1792, la guerre fut déclarée contre l'Autriche, qui massait des troupes aux frontières du nord et de l'est. La Prusse se joint alors à l'Autriche et menace de détruire Paris si l'on touchait à Louis XVI. Ce fut la goutte d'eau qui fait déborder 25 le vase. Le peuple exige la déchéance du roi, et comme l'*Assemblée législative* (qui avait remplacé la Constituante) hésitait, on attaque et prend le palais royal des Tuileries avec l'aide des soldats-citoyens marseillais, qui venaient d'arriver à Paris en chantant l'hymne patriotique composé à Strasbourg par Roger de Lisle 30 et destiné à devenir l'hymne national, la Marseillaise.

Arrêté par le peuple, le roi fut incarcéré dans la prison du Temple avec sa femme, Marie-Antoinette, leur fils, leur fille et quelques intimes. Se transformant en tribunal, la *Convention nationale* (qui avait succédé à l'Assemblée législative) accusa Louis XVI 35 de trahison et le condamna à mort le 17 janvier 1793. Le roi fut décapité quatre jours plus tard sur la Place de la Révolution

[6] **si ce n'est lorsque** except when

(anciennement Place Louis XV, et aujourd'hui Place de la Concorde). Il mourut avec beaucoup de courage, suivi de Marie-Antoinette neuf mois plus tard.

Pour parer au danger d'anarchie, les révolutionnaires pro-
5 clamèrent la République (21 septembre 1792), et votèrent une constitution, libérale, même radicale.[7] En présence des menaces de l'invasion étrangère et de l'opposition des provinces royalistes et farouchement catholiques de Vendée, de Bretagne et de Normandie, on organisa un gouvernement autoritaire, dirigé par
10 le *Comité de Salut public.* Ce comité décréta, le 17 septembre 1783, la «loi des suspects». Cette mesure permit à Robespierre et ses partisans d'envoyer à la guillotine environ 20,000 victimes, parmi lesquelles la reine Marie-Antoinette, et Bailly, maire de Paris.[8] Le 27 juillet 1794, la Convention nationale, menacée
15 d'être décimée par les excès du règne de la Terreur, fit arrêter Robespierre et ses amis pour «tyrannie». Le lendemain Robespierre périt sur l'échafaud, où il avait fait monter tant de victimes. Lorsque sa tête tomba sous le couperet de la guillotine, parmi l'impressionnant silence, ce cri partit de la foule: — Bis! Ce fut
20 la fin de la Terreur.[9]

Avant de se séparer définitivement, le 26 octobre 1795, la Convention nationale établit plusieurs «Grandes Ecoles», l'Ecole Polytechnique, Saint-Cyr (le «West Point» de France), l'Ecole Normale Supérieure, fondée «pour apprendre l'art d'enseigner»,
25 et l'Ecole de Médecine; elle décréta le système métrique ou décimal et abolit l'esclavage dans les colonies.

«IL N'EST PIRE AVEUGLE QUE CELUI QUI NE VEUT POINT VOIR.»

Louis XV (1710–1774) eut une nuit un rêve bizarre. Il crut voir quatre chats qui se battaient près de lui: un gras, un maigre,

[7] On abolit la religion catholique par exemple, et introduit le «Culte de la Raison». Une belle jeune fille fut choisie comme Déesse de la Raison, promenée en apothéose dans les rues de la capitale et adorée ensuite sur l'autel de la cathédrale de Notre-Dame. Bientôt après, cette même demoiselle fut conduite à la guillotine.

[8] On raconte que comme les préparatifs du supplice de celui-ci se prolongeaient, un de ses bourreaux lui dit: «Tu trembles, Bailly? — Je tremble, mon ami, mais c'est de froid.»

[9] Pour la tombe de Robespierre un rimeur anonyme composa ce distique funèbre:

Passant, qui que tu sois, ne pleure pas mon sort:
Si je vivais, tu serais mort.

un borgne et un aveugle. Ce songe troubla profondément le roi; il en fut si frappé qu'il parut tout soucieux le matin à son valet de chambre. Celui-ci s'inquiéta de ce qui troublait Sa Majesté, et Louis XV, sans se faire prier, raconta son rêve. Le valet de chambre l'écouta gravement, le menton dans la main, puis il dit, avec toute la déférence possible:

— Si Votre Majesté le souhaite, je puis lui donner l'explication de ce rêve.

Le roi assentit en inclinant la tête.

— Parle donc, fit le souverain.

— Mais que Votre Majesté ne m'accuse pas ensuite d'avoir oublié un instant le respect que je lui dois.

— Non, continue, parle avec confiance, te dis-je.

— Eh bien! Sire, dit le domestique, le chat maigre représente votre peuple.

— Ah, dit le roi, un peu confus.

— Le chat gras est le corps des financiers.

— Je le crois, dit le roi. Et il sourit pour encourager le valet, qui continua ainsi:

— Le chat borgne représente votre Conseil des Ministres.

— Ma foi, c'est bien possible. Mais le quatrième, qui est-il?

Le valet de chambre s'arrêta, embarrassé; il ouvrait, fermait la bouche.

— Le quatrième, dit-il enfin, le chat aveugle, c'est Votre Majesté qui ne veut rien voir.

L'impertinence était forte, mais le Roi ne voulut pas se fâcher, et il lui dit seulement:

— Eh! drôle, comment veux-tu que ça marche dans un pays où les valets font la leçon[10] à leurs souverains?

UN PLURIEL SINGULIER

Au commencement de la Révolution Française, l'écrivain Rivarol, très suspect de s'être anobli lui-même, se trouvait un jour en société avec M. de Créqui et quelques autres grands seigneurs. Il répétait sans cesse: «*Nous* avons perdu *nos* droits, perdu *notre* fortune. M. de Créqui disait à voix basse: — Nous, nous ... Rivarol reprit: — Eh bien, qu'est-ce que vous trouvez

[10] **font la leçon** teach

donc d'extraordinaire en ce mot? — C'est, répliqua M. de Créqui, c'est ce pluriel que je trouve singulier.»

COMMENT S'APPELLE-T-IL DONC?

C'était en pleine Révolution, en 1793. Les titres de noblesse
5 avaient été supprimés ou changés par le nouveau régime laïc. Tous les Français devaient donc se tutoyer et s'appeler «citoyens». Un homme est arrêté à une des sorties de Paris.

— Ton nom?

— Je suis Monsieur le Marquis de Saint-Cyr.

10 — Il n'y a plus aucun monsieur; nous sommes tous des citoyens.

— Je suis le Marquis de Saint-Cyr.

— Il n'y a plus de nobles, plus de marquis.

— Eh bien, je suis de Saint-Cyr.

— Le «de» n'existe plus.

15 — Alors, je m'appelle Saint-Cyr.

— Il n'y a plus de saints.

— Bien. Pour vous plaire, je m'appelle Cyr tout court.

— Il n'y a plus de sires,[11] le dernier vient d'être guillotiné.

SUJETS DE COMPOSITION LIBRE

1. La Fayette, le «Washington français».
2. Pourquoi disaient les révolutionnaires: «Guerre aux châteaux, paix aux chaumières»?
3. On avait traduit la devise des révolutionnaires: «Liberté, égalité, fraternité» par ces mots: «Sois mon frère, ou je te tue». Qu'en pensez-vous?
4. Jean-Jacques Rousseau avait-il raison d'écrire en 1762: «L'homme est né libre, et partout il est dans les fers»?
5. «Ils sont toujours en retard d'une armée, d'une année et d'une idée.» Rivarol (1753–1801) appliquait cette pensée à la noblesse de son temps. Pourquoi?
6. A quelqu'un qui demandait à l'abbé Sieyès ce qu'il avait fait pendant les années de la Terreur, il répondit: «J'ai vécu». Que voulait-il dire?

[11] **«sire» = titre réservé au roi**

QUESTIONNAIRE

1. On dit que le monologue de Figaro semble annoncer les «cahiers de doléances». Pourquoi?
2. Pourquoi Houdon a-t-il drapé Voltaire dans les plis d'une toge?
3. Quels trois philosophes du dix-huitième siècle ont inspiré, par leurs idées libérales, les révolutionnaires?
4. Quelles étaient les trois classes avant la Révolution?
5. Qu'est-ce que l'assemblée des Etats-Généraux?
6. Pourquoi Louis XVI a-t-il convoqué les Etats-Généraux?
7. Quels étaient les buts du tiers-état au moment de la séance d'ouverture des Etats-Généraux?
8. Pourquoi l'ambiance de Versailles était-elle peu favorable pour une assemblée des Etats-Généraux?
9. Pourquoi le tiers-état a-t-il préféré le vote par tête au vote par ordre?
10. Qu'est-ce que Mirabeau a crié quand le marquis a donné l'ordre aux députés du peuple de se retirer?
11. Citez quelques principes de la Déclaration des droits de l'homme.
12. Qu'est-ce qu'une «lettre de cachet»?
13. Pourquoi le peuple a-t-il forcé la famille royale de quitter Versailles et d'habiter Paris?
14. Pourquoi Louis XVI voulait-il que son beau-frère Leopold II masse des troupes aux frontières de la France?
15. D'où vient le nom de «Marseillaise» que l'on a donné à l'hymne national français?
16. Où a-t-on guillotiné Louis XVI?
17. Qu'est-ce que la «loi des suspects»?
18. Décrivez la mort de Robespierre. Citez l'épitaphe écrite à son sujet.
19. Quelles décisions la Convention nationale a-t-elle faites avant de se séparer définitivement?

CHAPITRE 27

L'INDUSTRIE FRANCAISE

Dicton: Nécessité est mère d'industrie.

Depuis la conquête romaine, la France, placée sur les grandes routes vers le centre de l'Europe, a vu se développer dans tout son territoire un commerce actif. Elle a, par la suite, créé les industries nécessaires pour alimenter ce commerce. Ce furent 5 d'abord des industries artisanales, orientées vers le produit de qualité. Quand au dix-neuvième siècle est venu l'âge de l'industrie de quantité, la France se trouvait médiocrement approvisionnée en matières premières, sauf en fer. Elle n'avait pas tout le charbon qu'il lui fallait; elle n'avait presque pas de 10 pétrole. Un grand nombre de métaux importants manquaient et elle devait importer presque tout dont elle avait besoin en plomb, zinc, caoutchouc, etc.

Cette circonstance a fait qu'au moment de la grande révolution industrielle mise en mouvement au début du XIXe siècle par 15 l'invention de la machine à vapeur et les métiers mécaniques, la France résistait à l'industrialisation du pays. On aurait tort, cependant, de dire que depuis lors les Français ne s'aperçoivent pas que le monde a évolué et qu'il ne suffit plus de se limiter à produire et vendre du cognac, du vin de Champagne, des robes, 20 des parfums, des chapeaux, et une littérature et cinéma plus ou moins «risqués». Il faut aussi améliorer l'enseignement technique et scientifique et accélérer la mécanisation de l'agriculture et l'automation afin d'élargir l'industrie nationale.

Si, comme nous venons de le dire, la France est moyennement munie de matières premières pour l'industrie de quantité, elle tient pour le fer, néanmoins, le troisième rang dans le monde, après les Etat-Unis et la Russie, avec une production qui oscille entre 30 et 50 millions de tonnes par an.[1] Il y a un très important gisement de gaz naturel en Aquitaine, au pied des Pyrénées. Le pays est riche en aluminium, potasse et bauxite.[2] Des bassins houillers et la «houille blanche» (électro-chimie) lui fournissent une grande partie de l'énergie nécessaire aux diverses industries que l'on a su développer. L'industrie chimique française (la troisième du monde), qui se sert du charbon, du fer, du sol, et de la houille blanche, fournit du gaz d'éclairage, des produits chimiques, des engrais, des colorants, des produits pharmaceutiques, du savon, etc.

Depuis 1945, les ingénieurs français ont construit une trentaine de barrages, surtout dans les Alpes et sur le Rhône, et bâti des usines hydroélectriques très puissantes. La source d'énergie la plus récente c'est l'énergie atomique. Il y a déjà plusieurs centrales atomiques en France qui fournissent l'électricité. C'est à l'usine électro-mécanique nucléaire de Décines, près de Lyon, qu'on a réalisé quatre «soufflantes» atomiques qui débitent 4,000 tonnes de gaz carbonique à l'heure. La création, à Besançon, de l'une des premières horloges atomiques du monde, exposée en 1961 au Salon International de l'Horlogerie, est une très haute expression scientifique des techniques concernant la précision.

L'industrie textile est la principale des industries françaises, faisant vivre[3] presque 1,500,000 personnes. Elle dépend, néanmoins, de l'étranger pour une bonne partie de ses matières premières. Cette industrie textile comprend, au nord-ouest, l'industrie lainière à Roubaix et cotonnière à Lille. La capitale de l'industrie de la soie est Lyon. Elle est située à égale distance des mûriers de France dans la vallée du Rhône et des mûriers d'Italie dont les feuilles servent à l'élevage des vers à soie. Mais à Lyon il n'y a pas seulement de filatures de soie; on y fabrique également la soie artificielle dite *rayonne* que l'on exporte dans l'univers entier.

[1] Les mines de fer de Lorraine sont les plus riches d'Europe.

[2] La bauxite est un hydrate d'où l'on extrait l'aluminium. Son nom vient du bourg abandonné des Baux dans les montagnes près d'Arles, où on a découvert ce minéral.

[3] **faisant vivre** giving a livelihood to

Fabrication de la porcelaine: une des industries artisanales, orientées vers le produit de qualité.

L'industrie française se modernise: usine de dégazolinage à Lacq

Quant à l'importante industrie métallurgique, la plupart des grandes fonderies et usines se trouvent au nord, en Flandre, près de la frontière belge. Les aciéries, tout en donnant du travail à quelque 200,000 salariés, ont rapporté à la France en 1958 l'équivalent de 260 millions de dollars. Le nouveau complexe sidérurgique de Dunkerque a été construit sur un terrain de 300 hectares en bordure de mer et est capable de produire 500,000 tonnes d'acier brut, dont 350,000 sont transformées en tôle forte pour la construction navale.

La centralisation politique et administrative à Paris a eu comme corollaire une centralisation commerciale, financière et même industrielle de toute la France. Dans la capitale et sa banlieue, il existe une très importante industrie des articles de luxe: tapisserie, ameublement, jouets, bijoux, et ce qui touche, en général, à l'élégance de la vie domestique quotidienne. La valeur du milieu parisien comme centre de formation d'une main-d'œuvre compétente et nombreuse ne doit pas être sous-estimée. L'industrie automobile, par exemple, s'est étendue surtout autour de Paris parce qu'elle y trouve facilement des métallurgistes spécialistes qu'exigent les moteurs et la carrosserie. La mode est une véritable industrie qui nourrit beaucoup de Français: plus de 20,000 couturiers à Paris, 16,000 modistes, 20,000 tailleurs, sans compter les commerces accessoires, bijoutiers, chausseurs, coiffeurs, etc. La capitale de la France exporte dans le monde entier ses modèles de *Haute Couture*.

Parler d'industrie touriste fait parfois sourire. Où sont les hauts fourneaux, les vastes usines? En 1960, cependant, quelque cinq millions d'étrangers ont visité la France, dont 680,000 Américains, et le tourisme fait vivre 300,000 salariés et des régions entières.

La France est l'un des premiers pays européens où se soient édifiées, sous l'initiative des grandes compagnies technologiques américaines, des sociétés nationales bénéficiant de l'expérience déjà acquise aux Etats-Unis. En 1919, dès la fin de la Première Guerre mondiale, techniciens français et américains se mirent à l'œuvre. Citons à titre d'exemple, le centre d'importation des produits de «General Motors» ouvert à Paris en 1920. Puis en 1925, fut créée la «General Motors (France)», société anonyme française. En 1937, sur l'initiative des Pouvoirs Publics français, commença la production des cuisinières électriques, des réfrigérateurs «Frigidaire» (nouveau mot venu d'outre-Atlantique et de consonnance pourtant si française), des machines à laver, des automobiles, en passant par les camions et moteurs Diesel. Au quartier-général de G.M.F. à Gennevilliers, dans la région parisienne, plus d'un million de réfrigérateurs G.M. et cent millions de bougies d'allumage sont déjà sortis de cette vaste usine et centre technique franco-américain.

L'agriculture française est aujourd'hui la première du continent d'Europe après celle de la Russie. Elle se modernise de plus en plus, grâce à l'électrification des fermes, à l'assolement et surtout à l'emploi plus répandu des tracteurs et moissonneuses-batteuses. En 1947, par exemple, on comptait moins de 50,000 tracteurs en France tandis qu'en 1960 on comptait plus de 600,000.

La France essaie à l'heure actuelle de maintenir un certain équilibre entre l'agriculture et l'industrie. Aujourd'hui encore, presque la moitié de sa population (47%) vit en dehors des villes. Si la population globale du pays augmente toujours, le nombre d'habitants dans les campagnes se stabilise. La population active agricole a diminué d'un quart environ en 25 ans car les paysans sont de plus en plus attirés vers les grandes villes, notamment Paris. En jugeant sur le développement industriel et agricole français, il faut aussi tenir compte qu'il s'agit d'un pays où deux fois en vingt-cinq ans la guerre a sévi.

DICTONS

C'est en forgeant qu'on devient forgeron.

L'argent est rond, il faut qu'il roule.

POMMES OU POIRES?

Un jeune ingénieur-agronome en vacances bavarde avec un vieux paysan.

— Vos méthodes de culture sont complètement périmées, dit-il. Tenez, ça m'étonnerait bien que vous puissiez obtenir plus de dix kilos de pommes de cet arbre.

— Moi aussi, dit le paysan. C'est un poirier.

AFFIRMATION

L'Inspecteur du Travail. — Combien y a-t-il d'ouvriers qui travaillent dans cette usine?

Le Patron. — Tous, lorsque j'y suis.

SUJETS DE COMPOSITION LIBRE

1. Pourquoi vend-on tant de voitures françaises en Amérique?
2. L'agriculture française se caractérise par des petites fermes. Y voyez-vous un avantage pour l'économie du pays?

QUESTIONNAIRE

1. Pourquoi la France est-elle moyennement douée pour l'industrie de quantité?
2. Qu'est-ce que la révolution industrielle du XIXe siècle?
3. Comment la France a-t-elle réagi contre cette révolution?
4. Quelle est l'origine du mot «bauxite»?
5. Qu'est-ce que la «houille blanche»? Quelle est l'origine de ce terme?
6. Que fournit l'industrie chimique?
7. Où a-t-on construit en France récemment des barrages importants?
8. A quoi ces barrages servent-ils?
9. Où trouve-t-on les grandes soieries françaises? Pourquoi a-t-on choisi cet endroit?
10. Qu'est que la rayonne? Où la fabrique-t-on?
11. Où trouve-t-on en France la plupart des fonderies et usines métallurgiques?
12. Quel effet la centralisation politique et administrative à Paris a-t-elle eu sur l'industrie française?
13. Pourquoi l'industrie automobile s'est-elle étendue autour de Paris?
14. Comment la haute couture est-elle devenue une industrie importante?
15. Expliquez l'importance du tourisme pour l'économie française.
16. Qu'est-ce que la «General Motors (France)»? Pourquoi cette société a-t-elle été formée?
17. Comment l'agriculture française se modernise-t-elle?
18. Pourquoi la population active agricole diminue-t-elle en France?

CHAPITRE 28

LES MODES

Dicton: L'homme est le seul animal qui s'habille.

L'Américaine: Les noms des grands couturiers français sont aussi connus chez nous,[1] sinon davantage, que ceux des plus grands artistes ou des plus grands savants français.

La Française: En tout cas nos couturiers sont probablement plus suivis à l'étranger qu'en France.

L'Américaine: Comment, donc? Je croyais que Paris, malgré les efforts des couturiers américains et italiens, restait la capitale de la mode féminine?

La Française: Oui, en effet, vous avez raison. Les maisons parisiennes de couture vivent toujours dans un état de fièvre permanente et les présentations publiques des nouvelles collections ont un intérêt passionnant pour les femmes élégantes du monde entier. Mais les belles robes des grands couturiers de Paris ne sont pas à la portée des bourses de la plupart des Françaises. De telles robes sont surtout un article d'exportation.

L'Américaine: Comment se fait-il, cependant, que tant de Parisiennes soient si bien mises, si elles ne peuvent pas se permettre le luxe d'une création d'un Christian Dior ou d'une Jeanne Lanvin?

La Française: L'élégance ne vient pas toujours de la qualité des étoffes ou de leur prix. La mode change, et on ne peut pas toujours acheter une nouvelle robe. Mais la Parisienne réussit

[1] **chez nous** in my country

Un mannequin parisien montre un nouveau modèle.

avec un peu d'ingéniosité à transformer une vieille robe, un vieux chapeau, et à les mettre à la mode par un nouvel arrangement.

L'Américaine: Mais pour cela elle doit assister aux présentations et étudier les derniers modèles dont on a revêtu les mannequins.[2]

La Française: Mais pas du tout. Son travail fini, la Parisienne ira parfois rue de la Paix, admirer les étalages et les dernières créations. Dans quelques jours, elle sera habillée à la dernière

[2] Le mot *modèle* désigne le vêtement présenté; la femme qui le présente est un *mannequin.*

mode car elle sait se faire elle-même une robe élégante en imitant les modèles qu'elle a vus dans les vitrines. La Parisienne a du goût pour ces choses, et grâce à ce talent, elle sait s'habiller à la dernière mode sans devoir dépenser les prix élevés des couturiers 5 et modistes chics.

L'Américaine: Que les maisons de couture baissent leurs prix pour nous donc! Qu'elles s'industrialisent !

La Française: Comment cela? J'ai lu quelque part que les deux à trois cents modèles, présentés tous les six mois par les plus 10 célèbres des couturiers parisiens, exigent cent mille heures de travail et une dépense de 750,000 francs. L'industriel qui fabrique une machine doit calculer longuement et avec précision son rendement. Mais comment voulez-vous que le couturier qui n'a que six mois sache si sa collection plaira ou non?

15 *L'Américaine:* En effet, il est à plaindre s'il ne réussit pas à chaque présentation. D'autre part, à Paris il faut multiplier les courses chez la modiste, chez la couturière. Pas un de ces commerçants n'est prêt à temps voulu.[3] Tenez, pour un essayage j'ai dû, la semaine passée, revenir quatre fois. Ces gens manquent 20 de parole,[4] ils sont impossibles en affaires.

La Française: Hélas! Mais vous ne m'apprenez rien. Pourquoi obstinez-vous donc à revenir? Pourquoi ne faites-vous pas exécuter vos robes en Amérique ou ne les achetez-vous pas en quelque autre pays?

25 *L'Américaine:* Voilà le hic! Je n'ai pas beaucoup de choix. Ces robes, ces chapeaux, je ne les trouve nulle part ailleurs faits avec la même élégance, la même ingéniosité, le même fini.

La Française: Eh bien, rendez grâces à Dieu qu'il existe encore une ville où la confection en grand n'ait pas encore tué la déli-30 catesse du goût et l'esprit créateur. C'est pourquoi, moi, si j'avais un choix de métier, je serais couturière ou modiste. La mode, la haute couture, c'est ma marotte. Faire un chapeau chic, coudre une belle robe, c'est bien réaliser une création artistique, c'est vraiment créer, puisqu'il s'agit d'une chose nouvelle. 35 Il ne suffit pas d'avoir des idées. Il faut les mettre à exécution.

L'Américaine: Eh bien moi, j'adore assister aux présentations

[3] **à temps voulu** at the right time
[4] **Ces gens ... parole** Those people don't keep their word

des collections, mais malheureusement pour moi, la robe la plus ravissante, c'est toujours celle d'un couturier parisien et qui coûte trop cher pour moi.

La Française: Si ce n'est pas celle portée par une autre femme. Ce que vous dites, cependant, me fait penser au malheur de deux dames qui assistaient à un grand dîner chez un certain ambassadeur portant toutes les deux le même modèle d'un célèbre couturier parisien.

L'Américaine: Le couturier a sans doute perdu par la suite deux de ses meilleures clientes.

La Française: Je me demande. J'ai entendu dire que le couturier leur avait joué ce mauvais tour exprès pour se débarrasser d'elles.

L'Américaine: Peut-être qu'elles payaient mal leurs factures.

ADAM ET EVE

Monsieur et Madame passent devant le magasin d'une modiste. Naturellement, madame s'arrête et contemple les chapeaux affichés.

— Lequel préfères-tu? demande-t-elle à son mari.

— Celui que tu as sur la tête.

VARIANTE

— Comment trouves-tu ma nouvelle robe de Pâques?

— Je ne peux pas juger ... tu ne m'as pas encore montré la facture.

QUESTION DE MODE

Monsieur et Madame Dupont entrent dans un magasin pour faire choix d'un chapeau. La vendeuse s'empresse de leur montrer plusieurs modèles.

— Achète celui-ci, dit M. Dupont.

— Penses-tu!, répond sa femme. Un chapeau que personne ne porte!

— Alors, prends celui-là!

— Penses-tu! Une forme que tout le monde porte!

SUJETS DE COMPOSITION LIBRE

1. Pourquoi la mode masculine change-t-elle moins souvent que la mode féminine?
2. Est-ce que les femmes choisissent véritablement le costume qui leur va le mieux, ou est-ce qu'elles suivent aveuglément la mode? Expliquez votre jugement.
3. Décrivez les diverses façons de s'habiller qui sévissent en ce moment parmi les étudiants de votre école ou université.

QUESTIONNAIRE

1. Pourquoi les noms de certains couturiers français sont-ils si connus en Amérique?
2. Pourquoi les couturiers français sont-ils moins suivis en France qu'à l'étranger?
3. Comment se fait-il que tant de Parisiennes soient si bien mises?
4. Pourquoi la mode féminine change-t-elle chaque saison?
5. Qu'est-ce qu'une «collection de couturier»?
6. Pourquoi les prix des couturiers renommés sont-ils si élevés?
7. Montrez comment il faut avoir dans la haute couture une collaboration étroite entre le couturier et les employés de son atelier pour achever le modèle d'une robe.
8. Pourquoi le couturier ne sait-il pas si sa collection plaira ou non?
9. Pourquoi tant d'Américaines s'obstinent-elles à suivre de près les modes de Paris?
10. Pourquoi est-ce que pour tant de femmes la robe la plus ravissante est celle qui coûte trop cher?
11. «Faire un chapeau chic, coudre une belle robe», est-ce pour vous réaliser une création *artistique?* Justifiez votre réponse.
12. Pourquoi le mari préfère-t-il le chapeau que porte sa femme?

CHAPITRE 29

VINS ET FROMAGES

Dicton: A bon vin point d'enseigne [1]

Les boissons consommées dans le monde varient suivant les latitudes et les races. Les Américains et les Scandinaves, par exemple, boivent beaucoup de lait. Le vin, le cidre et la bière sont consommés surtout dans les pays tempérés. Le café, le thé, le chocolat et le cacao, produits des zones tropicales, sont devenus 5 de nos jours, d'un usage presque universel.

Le vin est la boisson courante de la plupart des Français. Il est obtenu par la fermentation du jus de raisin. Au lieu d'être regardé comme la boisson qui procure l'ivresse, le vin est considéré plutôt comme celle qui ajoute du charme à un repas. «Un 10 repas sans vin, dit-on communément en France, est comme une journée sans soleil.» Dans le nord du pays, cependant, et dans l'est, surtout en Alsace, c'est la bière, faite avec du houblon et de l'orge que l'on fait fermenter, qui est la boisson courante. En Normandie et en Bretagne c'est le cidre, le jus de pomme fermenté, 15 que l'on boit le plus. Les pommiers se plaisent dans l'humide et doux climat de ces deux provinces. Il n'en reste pas moins vrai que[2] la France produit la plus grande quantité de vin (environ 40 millions d'hectolitres chaque année). La vigne y fait vivre plus d'un million et demi de Français. 20

[1] "Good wine needs no bush." (i.e. advertising)
[2] **Il n'en ... que** In any case

Le roquefort se fait en laissant le fromage dans une cave à température constante jusqu'à ce qu'il soit prêt à manger.

Les vins de France ont des qualités diverses qu'ils doivent à la nature du sol et du climat qui les ont produits et aux cépages qui entrent dans leur composition. On produit du vin sur tout le territoire français à l'exception des départements qui bordent la Manche. Dans les différents pays de vignobles, on obtient: 1. des vins ordinaires (le pinard); 2. des vins moins courants (ou crus bourgeois); 3. les vins les plus recherchés, qui se classent en grands crus (ou vins à appellation contrôlée).

C'est le Midi qui fournit surtout le vin ordinaire des Français, le vin de tous les jours. Les grands crus du Bordelais (Graves, Sauternes) se boivent, soit secs avec la viande et le fromage, soit doux avec le dessert. Les vins de Champagne sont des vins de dessert, mousseux et pétillants. Ils ne sont pas le produit direct de la fermentation du raisin. On les met en bouteille avant que leur fermentation soit achevée, afin d'emmagasiner l'acide carbonique qui doit les rendre mousseux. A Reims et à Epernay les touristes sont invités à visiter les coopératives vinicoles et à voir de près le procédé compliqué par lequel ce vin devient mousseux. On les laisse aussi parcourir sous la terre les énormes caves qui contiennent des millions de bouteilles en fermentation.

Le vignoble bourguignon est d'une superficie relativement modeste puisqu'il ne compte que 26,000 hectares plantés de cépages. Mais la Bourgogne produit toute une gamme de vins fins (blancs, rouges et rosés): d'un simple Beaujolais à la plus prestigieuse bouteille de «derrière les fagots». La Bourgogne possède également, assure-t-on, le «chemin du Paradis». C'est un vieux grand'père bourguignon qui faisait cette logique démonstration: «Le plus court chemin pour se rendre au Paradis, c'est l'escalier de la cave, car dans la cave on trouve du bon vin, le bon vin fait naître la bonne humeur, la bonne humeur provoque les bonnes actions, et les bonnes actions conduisent tout droit au Paradis!»

Le cognac tire son nom de la petite ville au nord de Bordeaux où l'on a développé pour la première fois cette eau-de-vie. Pour le fabriquer il faut que le vin blanc de la région soit distillé à feu nu.[3] Puis il est mis dans des fûts neufs de chêne, où il séjournera jusqu'à ce qu'il possède la couleur que lui communique le bois,

[3] **à feu nu** over an open fire

et son parfum et goût inimitables. Signalons aussi le calvados, une eau-de-vie de cidre, fabriqué surtout dans les départements du Calvados et de l'Orne, en Normandie.

La France produit encore trois fois plus de lait que de vin, la 5 production totale dépassant 140 millions d'hectolitres. Les Français consomment beaucoup de lait, et avec le reste on fabrique du beurre et des fromages. En France le fromage tient dans la nourriture de toutes classes sociales une place importante, car il nourrit et appuie le goût du vin. En effet, pour le fin connais-10 seur, chaque fromage a *son* vin ou *ses* vins, puisqu'il n'y a que mille fromages en France tandis qu'il existe plus de cinq mille

On cueille les raisins pour en faire du vin.

vins. D'autre part, un fromage français, comme un plat ou un vin, est presque toujours une spécialité régionale. Les fromages français comprennent ceux à pâte dure: tels que le gruyère, le port-salut, le roquefort; les fromages à pâte molle: le camembert, le brie, le pont-l'évêque; puis les fromages frais: petits suisses, le fromage de chèvre, etc. Malgré cette diversité, la France importe en outre des fromages anglais, italiens et suisses, pour satisfaire ses gourmets.

Le fromage de roquefort se fait en ajoutant du pain moisi au lait de brebis et en laissant le fromage dans une cave jusqu'à ce qu'il soit prêt à manger. Il doit sa naissance à deux conditions fortuites qui se trouvent réunies dans la région de Roquefort (nord de Montpellier): les brebis de Causses et les caves de Roquefort, grottes naturelles à température constante. Le fromage dit de Gruyère est fabriqué, non seulement dans la vallée suisse qui porte ce nom, mais aussi dans tout le Jura français et dans la Savoie.

Les Français pensent que le fromage est un excellent digestif et qu'il constitue un élément nécessaire à tout bon repas. «Un dessert sans fromage, disait le gastronome Brillat-Savarin (1755-1826), est une belle à qui il manque un œil.»

TROIS PROVERBES

Quand le vin est tiré, il faut le boire = Il faut supporter les conséquences de ses actes.

Chaque vin a sa lie = Toute chose a ses inconvénients.

Vin versé n'est pas avalé = Le probable ne se réalise pas toujours.

UN GARÇON SERVIABLE

Le petit Georges revient à la maison son pantalon et sa veste tout déchirés et pleins de trous.

— Mais qu'est-ce que tu as fait pour te mettre dans cet état? demande sa mère.

— Tu vois, maman, on a joué à l'épicerie et je faisais[4] le fromage de Gruyère.

[4] **faisais** played the part of

LE OU LA?

Fils: Papa, dit-on *le* cœur ou *la* cœur?
Père: On dit liqueur, mon fils.

LES BONS COMPTES

5 Pierrot, en réponse à une question demandant de citer cinq choses dans lesquelles il y ait du lait, a écrit:
«Le beurre, le fromage et trois vaches».

SUJETS DE COMPOSITION LIBRE

1. A votre avis, le vin est-il une boisson saine? A-t-on raison de dire «l'eau-de-vie, c'est l'eau de mort»?
2. Discutez cette citation: «On ne boit pas un grand vin (Champagne, etc.) pour se désaltérer».
3. Discutez les mérites de l'abstinence totale et de la tempérance en ce qui concerne la consommation de l'alcool.
4. Expliquez l'expression: «L'eau est l'unique boisson des animaux».

QUESTIONNAIRE

1. Pourquoi les boissons consommées dans le monde varient-elles tellement?
2. Quelle est la boisson courante en Normandie et en Bretagne? Pourquoi?
3. Comment fait-on la bière?
4. Pourquoi les vins français ont-ils des qualités diverses?
5. Quelle partie de la France produit surtout le vin ordinaire?
6. Que fait-on pour rendre les vins de Champagne mousseux?
7. Que visite-t-on dans les caves à Reims et à Epernay?
8. Distinguez entre le cognac et le calvados.
9. Comment la Bourgogne possède-t-elle le «chemin du Paradis»?
10. Quelles sont les trois régions vinicoles les plus célèbres?
11. Pourquoi le fromage tient-il en France une place si importante dans la nourriture?
12. Comment fait-on le fromage de roquefort?
13. Où en France fabrique-t-on le fromage de Gruyère?
14. Que disait Brillat-Savarin d'un dessert sans fromage?

CHAPITRE 30

NAPOLEON PREMIER

«Les hommes de génie sont des météores destinés à brûler pour éclairer leur siècle.»

Napoléon

Après avoir traversé le pont Alexandre à Paris, on arrive à l'Hôtel des Invalides, dont on remarque de loin le dôme qui brille comme de l'or. Ce fut en 1670 que Louis XIV a fait construire cet immense édifice pour le logement et l'entretien des officiers et soldats mutilés et invalides. Dans ce vaste bâtiment, actuellement le «Musée de l'Armée», se trouve depuis 1840 le tombeau de l'empereur Napoléon Ier. Au-dessus de la porte de bronze qui donne accès à la crypte, on peut lire cette phrase tirée du testament de Bonaparte: «Je désire que mes cendres reposent sur les bords de la Seine, au milieu de ce peuple français que j'ai tant aimé». Au-dessous se trouve la tombe, au centre d'un cercle de vingt-trois mètres de diamètre. Soixante drapeaux, symboles des victoires du général, sont arrangés autour du simple mais impressionnant tombeau de marbre noir.

Si Napoléon Bonaparte, «Empereur des Français» (1769–1821), était né un an plus tôt, il aurait été citoyen italien puisqu'il naquit sur l'île de Corse un an seulement après que cette île fut devenue territoire français. Ses parents appartenaient à la petite noblesse du pays. A l'âge de dix ans il entra à l'Ecole militaire de Brienne en Champagne et après de bonnes études partit en 1785 pour Paris avec le grade de sous-lieutenant d'artillerie. La Révolution interrompit ses études dans la capitale et le jeune lieutenant put suivre de près l'agonie de l'Ancien Régime. Dès que la république fut proclamée, l'ambitieux Bonaparte se mit au service du nouveau gouvernement contre ses ennemis. Les Anglais s'étant rendus maîtres de Toulon, le jeune officier les obligea à abandonner la ville. Comme récompense, Napoléon fut nommé général en 1793. Trois ans après, le gouvernement du Directoire, qui avait remplacé la Convention dissoute, l'envoya en Italie pour prendre le commandement des troupes françaises qui se montraient incapables d'avancer contre les Autrichiens. Dans cette campagne de 1796, le jeune Bonaparte livra douze batailles; les douze fois il fut vainqueur. Les Français, qui n'étaient que cinquante et quelque mille hommes, battirent deux cent mille Autrichiens.

Après une expédition victorieuse en Egypte contre les Anglais (1798–1799), Napoléon renversa à son retour le Directoire qui s'était rendu impopulaire et se fit nommer Premier Consul avec les pouvoirs d'un roi absolu.[1] Il réussit alors à établir un système d'ordre qui lui a valu [2] le nom de «fondateur de la France moderne». Il donna à son pays l'admirable *Code Civil*, dont l'essentiel est encore en vigueur dans l'état de Louisiane et la province de Québec, ainsi qu'en France. Il signa avec le pape un traité, le Concordat,[3] qui rétablit l'exercice du culte catholique: ainsi la France regagna son titre de «fille aînée [4] de l'Eglise». Puis Napoléon conclut une paix brillante avec les ennemis de la France, y compris l'Angleterre. Voulant préparer une élite intellectuelle, il fondera les *lycées* et ressuscitera les universités. Grâce à Napoléon, l'enseignement secondaire et supérieur est devenu un monopole de l'état et est confié à un corps hiérarchisé de professeurs qu'on appelle l'Université de France.

Nommé d'abord «Consul à vie», Bonaparte se fit proclamer, le 18 mai 1804, «Empereur des Français», sous le titre de Napoléon

[1] «Pour que Bonaparte fût maître de la France, a-t-il écrit dans ses *Mémoires*, il fallait que le Directoire éprouvât des revers en son absence, et que son retour ramenât la victoire sous nos drapeaux.» Telle fut, si l'on peut croire ces mots de Napoléon, la vraie raison de l'expédition d'Egypte.

[2] **lui a valu** won for him

[3] Ce Concordat fut annulé en 1905 par la Loi de séparation des Eglises et de l'Etat qui, depuis cette date, est restée en vigueur.

[4] **fille aînée** eldest daughter

Premier. Le 2 décembre Pie VII le sacra à Paris, dans la cathédrale de Notre-Dame, renouvelant la tradition établie à Reims pour les rois de France. Au moment où le pontife s'apprêtait à poser la couronne sur sa tête, Napoléon la prit des mains, et orgueilleusement il se couronna lui-même. C'est ce jour-là que 5 Napoléon dit a son frère le mot fameux: «Joseph, si notre père nous voyait!»

La France elle-même ne sera plus assez grande pour ce conquérant: il lui faudra reconstituer l'Empire de Charlemagne. Par une série de guerres, toute l'Italie, toute l'Allemagne jusqu'à 10 l'Elbe et la Pologne reconstituée seront bientôt soumises à son autorité. Il se dénomme pompeusement «par la grâce de Dieu et les Constitutions, Empereur des Français, Roi d'Italie, Protecteur de la Confédération du Rhin». Napoléon a-t-il voulu alors grouper tous les pays d'Europe en un «système continental» 15 pour en faire une sorte d'Etats-Unis d'Europe? Un jour, il écrira:

«Une de mes plus grandes pensées avait été l'agglomération, la concentration des mêmes peuples géographiques qu'ont dissous, morcelés, les révolutions et la politique ... C'est dans cet état de choses qu'on eût trouvé plus de chances d'amener partout 20 l'unité des codes, celles des principes, des opinions, des sentiments, des vues et des intérêts. Alors, peut-être, à la faveur des lumières universellement répandues, devenait-il permis de rêver, pour la grande famille européenne, l'application du congrès américain et quelle perspective alors de force, de grandeur, de jouissance, de 25 prospérité! Quel grand et magnifique spectacle!»

Or l'Angleterre ne voulait pas d'une Europe unie. Sous l'influence des Anglais, la Russie se prononça contre Napoléon et celui-ci se décida donc à l'envahir. Il réussit à prendre Moscou le 14 septembre 1812, mais le centre de la ville fut détruit par 30 un immense incendie. Vaincues par la neige, le froid et la faim, autant que par les Russes les «Grandes Armées» de Napoléon ont dû battre en retraite. Voici quelques strophes d'un poème où Victor Hugo décrit cette retraite désastreuse:

Il neigeait. On était vaincu par sa conquête. 35
Pour la première fois l'aigle baissait la tête.
Sombres jours! l'Empereur revenait lentement,
Laissant derrière lui brûler Moscou fumant.

conquête de la vaste Russie
l'aigle = l'étendard impérial

Il neigeait. L'âpre hiver fondait en avalanche.
Après la plaine blanche une autre plaine blanche.
On ne connaissait plus les chefs ni le drapeau.
Hier la grande armée, et maintenant troupeau.
5 On ne distinguait plus les ailes ni le centre.

Il neigeait. Les blessés s'abritaient dans le ventre
Des chevaux morts; au seuil des bivouacs désolés
On voyait des clairons à leur poste gelés,
Restés debout en selle et muets, blancs de givre,
10 Collant leur bouche en pierre aux trompettes de cuivre.
Boulets, mitraille, obus, mêlés aux flocons blancs,
Pleuvaient; les grenadiers, surpris d'être tremblants,
Marchaient pensifs, la glace à leur moustache grise.

Il neigeait, il neigeait toujours! La froide bise
15 Sifflait; sur le verglas, dans des lieux inconnus,
On n'avait pas de pain et l'on allait pieds nus.
Ce n'étaient plus des cœurs vivants, des gens de guerre,
C'était un rêve errant dans la brume, un mystère,
Une procession d'ombres sous le ciel noir.
20 La solitude, vaste, épouvantable à voir,
Partout apparaissait, muette vengeresse.

vengeresse des pays opprimés

Accablé à Leipzig par des forces supérieures, Napoléon repasse le Rhin, suivi de près par les Alliés. Les Autrichiens, Prussiens et Russes font leur entrée triomphale dans Paris. Louis XVIII 25 reprend son trône. On oblige l'Empereur à abdiquer et l'on l'exile sur l'île d'Elbe, située à l'ouest de l'Italie (avril 1814). Quelques mois après, Bonaparte parvient à s'échapper, rentrer en France et traverser le pays en triomphe. Aidé par l'impopularité du gouvernement de la Restauration, il s'installe de nouveau 30 aux Tuileries. Cependant une armée composée d'Anglais et de Prussiens se concentre rapidement contre lui en Belgique et l'attaque. Après la défaite de la bataille de Waterloo (le 18 juin 1815), qui mit fin à ses derniers espoirs, Napoléon fut envoyé cette fois à la petite île de Sainte-Hélène, au milieu de l'Océan 35 Atlantique, où il mourut seul d'un cancer en 1821.

Napoléon Bonaparte excellait à parler à ses troupes un langage bref, coupé, mordant, qui envoie, d'après Balzac, «comme du feu[5] dans l'estomac». Les promesses — parfois tenues — s'y mêlent aux éloges toujours beaucoup mérités. Ses proclamations ont contribué probablement pour beaucoup à l'ascendant prodigieux de Napoléon sur ses soldats. Voici quelques passages de sa proclamation aux troupes au lendemain de la victoire de Rivoli: 5

«Soldats, vous avez en quinze jours remporté six victoires, pris vingt-et-un drapeaux, cinquante-cinq pièces de canon, plusieurs places fortes, conquis la partie la plus riche du Piémont; vous avez fait dix-sept mille prisonniers, tué ou blessé plus de dix mille hommes. 10

Vous vous étiez jusqu'ici battus pour des rochers stériles ... Dénués de tout, vous avez suppléé à tout. Vous avez gagné des batailles sans canons, passé des rivières sans ponts, fait des marches forcées sans souliers, bivouaqué sans eau-de-vie et souvent sans pain ... Les soldats de la liberté étaient seuls capables 15 de souffrir ce que vous avez souffert. Grâces vous en soient rendues,[6] soldats! La patrie reconnaissante vous devra sa prospérité...

Mais, soldats, vous n'avez rien fait puisqu'il vous reste encore à faire. Ni Turin, ni Milan ne sont à vous ... La patrie a droit d'attendre de vous de grandes choses; justifieriez-vous son at- 20 tente? Les plus grands obstacles sont franchis, sans doute; mais vous avez encore des combats à livrer, des villes à prendre, des rivières à passer. En est-il entre vous dont le courage s'amollisse? ... Non! ... Tous brûlent de porter au loin la gloire du peuple français; tous veulent humilier les rois orgueilleux qui osaient 25 méditer de nous donner des fers;[7] tous veulent dicter une paix glorieuse et qui indemnise la patrie des sacrifices immenses qu'elle a faits; tous veulent, en rentrant dans leurs villages, pouvoir dire avec fierté: ‹J'étais de l'armée conquérante de l'Italie›.»

POUR EXAMINER VOTRE QUOTIENT D'INTELLIGENCE 30

Napoléon, en passant la revue de ses troupes, remarque un soldat qui n'a qu'un bras.

— Où as-tu perdu ton bras? lui dit-il.

[5] **comme du feu** fire, as it were
[6] **Grâces ... rendues** It is fitting that you be thanked
[7] **donner des fers** put us in chains

— A la bataille d'Austerlitz, Sire.
— Quelle récompense as-tu reçue?
— Aucune, Sire.
— Eh bien! Je te fais chevalier de la Légion d'Honneur.
5 — Oh! dit le soldat, que m'auriez-vous donné si j'avais perdu mes deux bras?
— Je t'aurais fait officier de la Légion d'Honneur.
Alors le soldat tire son sabre et se coupe l'autre bras!

JEU DE MOTS

10 Quand Napoléon entra dans la ville de Luçon, il remarqua que les habitants avaient fait des arcs de triomphe pour l'honorer. Le maire, en le recevant, recommanda la ville à sa générosité.
— Mais, dit Napoléon, pourquoi avez-vous fait toutes ces dépenses inutiles?
15 — Oh, répondit le maire, nous n'avons fait que ce que nous *devons*, mais nous *devons* tout ce que nous avons fait.

UN OISEAU RARE

Napoléon, en partant pour une de ses campagnes, s'était reposé au col de Sainte-Marie. Tous les habitants des environs s'étaient
20 montés pour le voir. Il s'arrêta à l'auberge du village, et commanda pour son petit déjeuner un œuf à la coque. Après l'avoir mangé, il appela l'aubergiste.
— Combien cet œuf?
— Trente francs, Sire, répondit la femme.
25 — Diable, dit l'empereur, les œufs sont chers ici. Sont-ils rares?
— Non, riposta la femme avec esprit, mais les Napoléon le sont.

SUJETS DE COMPOSITION LIBRE

1. Les Français, ont-ils raison de garder encore le corps de Napoléon dans un splendide tombeau? Que représente Napoléon pour vous? Un héros ou un dictateur? Justifiez votre jugement.
2. Que voulait dire un contemporain de Napoléon quand il écrivit un jour: «Napoléon commence à me gâter[8] Bonaparte»?
3. Comparez Napoléon et Hitler.

[8] **me gâter** spoil for me

QUESTIONNAIRE

1. Comment la phrase de Napoléon mise en tête de ce chapitre s'applique-t-elle à la vie de Bonaparte?
2. Où se trouve le tombeau de Napoléon?
3. Citez la phrase qu'on trouve écrite au-dessus de la porte de la crypte.
4. Comment Napoléon a-t-il failli être Italien?
5. Combien de temps le jeune Bonaparte est-il resté à l'Ecole militaire?
6. Que fait-il dès que la république est proclamée?
7. A quel âge est-il nommé général?
8. Décrivez sa campagne d'Italie.
9. Que fait Napoléon après son retour d'Egypte?
10. Nommez trois réformes accomplies par Bonaparte consul.
11. Décrivez le sacre de Napoléon dans la cathédrale.
12. Quels titres Napoléon se donnait-il?
13. Quels étaient les plans de Napoléon pour unir l'Europe?
14. Pourquoi a-t-il dû abandonner Moscou?
15. Décrivez les circonstances du premier exil de Napoléon.
16. Quelle est l'importance de la bataille de Waterloo dans la carrière de Napoléon?
17. Caractérisez le style des proclamations de Napoléon.
18. Que dit-il dans la proclamation de Rivoli pour flatter l'amour-propre de ses soldats?

Le tombeau de Napoléon Premier aux Invalides.

CHAPITRE 31

QUELQUES MONUMENTS DE PARIS

Cette ville
Aux longs cris,
Qui profile
Son front gris.
Des toits frêles,
Cent tourelles,
Clochers grêles,
C'est Paris.

Victor Hugo

Paris, vieux de plus de 2,000 ans, la Lutèce des Gaulois, la première capitale des Francs, la capitale de l'Empire napoléonien, la Ville-Lumière du vingtième siècle, a hérité de son passé des monuments impressionnants. Parmi ces nombreux monuments, trois surtout 5 attirent le touriste de nos jours: le Louvre, la Cathédrale de Notre-Dame et la Tour Eiffel.

Le Louvre, aujourd'hui le musée le plus riche du monde, était le principal palais royal avant la construction de Versailles sous Louis XIV. Situé en face des jardins des Tuileries, et divisé en 10 plusieurs ailes de style classique, il forme un ensemble impressionnant. Ce musée contient environ 3,300 tableaux, 20,000 dessins, 1,200 sculptures et de nombreux objets d'art. De grands artistes de toutes les nationalités et de tous les âges (depuis les premiers temps historiques jusqu'à la fin du XIXe siècle) sont représentés 15 au Louvre. En effet, les chefs-d'œuvre les plus visités du Louvre

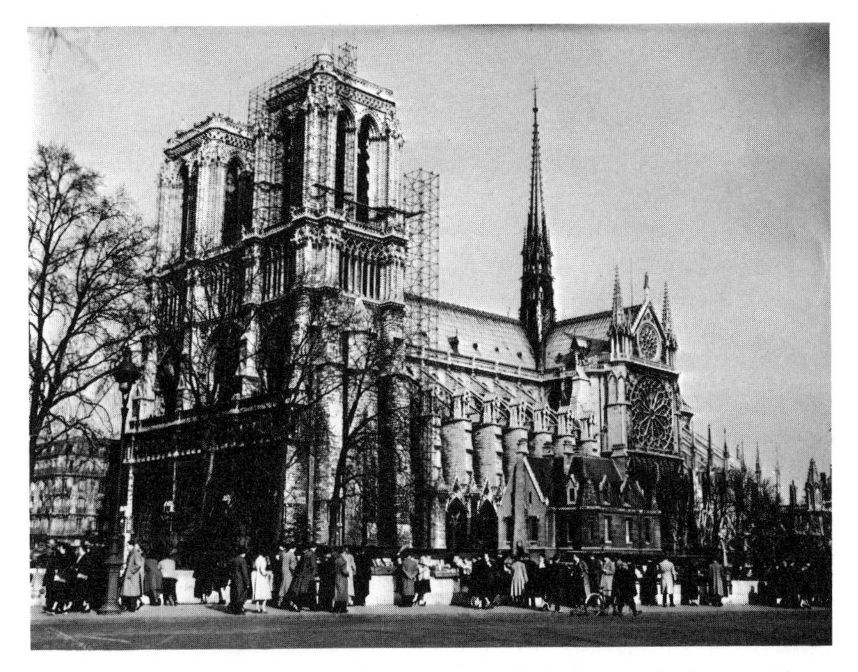

La Cathédrale de Notre-Dame de Paris, chef-d'œuvre de l'art gothique.

sont: «La Victoire de Samothrace» et «La Vénus de Milo», deux admirables statues de la Grèce classique; les diamants de la Couronne;[1] et «La Joconde» de Léonard de Vinci, tableau mieux connu aux Américains sous le nom de «Mona Lisa», et exposé à la Grande Galerie. C'est aussi au Louvre que se trouve le célèbre portrait de sa mère par le peintre américain James McNeill Whistler (1834–1903). 5

«Paris, écrivait Victor Hugo, est né dans cette vieille île de la Cité qui a la forme d'un berceau.» C'est au cœur de cette Cité, entre les deux bras de la Seine, que se dresse une des églises les plus connues du monde: Notre-Dame de Paris. Cette cathédrale en style gothique a été commencée au douzième siècle et terminée au treizième, pendant le règne de Saint Louis. Elle a une façade un peu lourde mais imposante, avec trois portes immenses et deux tours. Au-dessus de la porte centrale il y a une splendide rosace et des orgues magnifiques, réputées parmi les meilleures de France. A quatre-vingt-dix mètres au-dessus du sol, le touriste peut con- 10 15

[1] les bijoux et couronnes des rois de France

templer du haut des deux tours tout Paris étendu à ses pieds. Il y verra de près, autour du toit de l'église, les gargouilles, sculptées en forme de chimères monstrueuses qui devaient, suivant la croyance du Moyen-Age, protéger la cathédrale contre
5 les démons.

Notre-Dame est le plus vaste édifice de Paris. Elle peut recevoir 9,000 fidèles à chaque cérémonie. Parmi les grandes cérémonies qui eurent lieu dans la cathédrale de Notre-Dame, citons: les obsèques de Saint Louis en 1270; le mariage de Marie
10 Stuart avec François II en 1558. On y célébra le sacre de Napoléon en 1804. Rappelons enfin l'entrée triomphale du Général de Gaulle à l'occasion de la libération de Paris en 1945. Cette cathédrale a inspiré à Victor Hugo un roman dramatique *Notre-Dame de Paris,* où l'on admire des descriptions saisissantes de
15 l'église et des tableaux de la vie parisienne au XVe siècle.

Jusqu'à ces dernières années, la Tour Eiffel, construite par l'ingénieur Eiffel pour l'Exposition de 1889, est restée la construction la plus élevée du monde, 336 mètres de haut, c'est-à-dire,

Le Louvre et le Jardin des Tuileries.

1102 pieds. Depuis quelques années deux concurrents l'ont devancée,deux gratte-ciel de New-York. Mais elle reste l'édifice le plus léger du monde, les pièces métalliques qui la composent ne pesant que 45 tonnes, moins que le poids d'air contenu dans ses limites. En été, sous l'action de la chaleur, la Tour Eiffel 5 grandit de 15 à 20 centimètres. A chacune des deux plate-formes inférieures se trouve un restaurant d'où l'on peut contempler Paris, étendu à ses pieds. Au haut de la tour se trouve maintenant un important poste émetteur de radio et de télévision.

L'on a bien critiqué la silhouette d'acier de la Tour Eiffel, la 10 qualifiant de «style pompier». Gravement, des esthètes ont affirmé et affirment toujours que pour renouveler, moderniser le visage de Paris, il faut démolir la Tour Eiffel. «Tu dis que tu n'aimes pas la Tour Eiffel mais tu y es toujours», dit quelqu'un à un ami qui dînait au restaurant du premier étage. «Tu as 15 raison, j'y suis toujours, car c'est le seul endroit d'où je ne puisse pas voir ce monstre.»

DEVINETTES

Deux amis veulent vérifier si la Tour Eiffel a en réalité trois cents mètres de hauteur. Ils prennent d'abord l'escalier et mon- 20 tent. Mais ils s'aperçoivent alors qu'ils n'ont pas de mètre,[2] et ils s'asseyent pour réfléchir. A quelle hauteur sont-ils?

Réponse: Ils sont assis sans mètre (à six cents mètres).

Quelle différence y a-t-il entre la Tour Eiffel et un vieux paletot?

Réponse: La Tour Eiffel est colossale et le vieux paletot est 25 sale au col.

QUAND ON EST PRESSE

Un touriste américain hèle un chauffeur de taxi à Paris et lui demande de lui faire voir en une heure les principales beautés de la capitale française. Le chauffeur le mène d'abord à la Tour 30 Eiffel. Contemplant ce vaste monument le visiteur ne trouve qu'une question à poser: «Combien de temps a-t-il fallu pour la construire? — Un ou deux ans, dit le guide. — Chez nous,[3]

[2] **mètre** (meter) rule
[3] **Chez nous** In my country

riposte l'Américain, il aurait fallu tout au plus deux mois. Deuxième étape au Musée du Louvre. La même question est posée et on y répond: Vingt ou trente ans. — Chez nous, rétorque le touriste, il aurait fallu seulement deux mois. Le brave chauffeur
5 de taxi commence à en avoir assez et lorsqu'une troisième fois, il arrête sa voiture devant la cathédrale de Notre-Dame, et que pour la troisième fois, son passager lui pose la même question, il a déjà préparé sa réponse à propos de l'église, qui date, on le sait, du treizième siècle: «Excusez-moi, dit-il, je ne saurais vous
10 répondre. J'étais passé par ici hier soir, et rien n'était encore construit!»

SUJETS DE COMPOSITION LIBRE

1. Quel est le premier monument que vous voudriez visiter si vous alliez à Paris?
2. Quel symbole convient plus à Paris, Notre-Dame ou la Tour Eiffel? Justifiez votre choix.

QUESTIONNAIRE

1. Pourquoi le Louvre est-il impressionnant?
2. Quels sont les trois chefs-d'œuvre les plus admirés du Louvre?
3. Où Paris, d'après Victor Hugo, est-il né?
4. En quel siècle et pendant le règne de quel roi a-t-on terminé la construction de la cathédrale de Notre-Dame de Paris?
5. Dans quelle partie de Paris se trouve Notre-Dame?
6. Pourquoi a-t-on mis des gargouilles autour de cette cathédrale au Moyen-Age?
7. Quel événement historique a eu lieu dans cette église en 1804? En 1945?
8. Quel est le poids des pièces métalliques qui composent la Tour Eiffel?
9. Pourquoi la Tour Eiffel grandit-elle en été?
10. Qu'est-ce qui se trouve au haut de la Tour?
11. Pourquoi a-t-on critiqué la silhouette de la Tour?
12. Pourquoi le monsieur qui détestait l'architecture de la Tour y venait-il dîner si souvent?

La Tour Eiffel.

CHAPITRE 32

LES REGIMES POLITIQUES DEPUIS LA RESTAURATION

Dicton: Plus ça change, plus c'est la même chose.

L'effondrement du Premier Empire, fondé par Napoléon en 1804, ramena en France la monarchie traditionnelle, d'abord au profit des Bourbons (branche latérale des Capétiens), avec Louis XVIII (1814–1824),[1] et Charles X (1824–1830). Si la monarchie fut alors *restaurée*, c'est-à-dire rétablie, ce ne fut pas avec les mêmes
5 privilèges qu'elle avait à la veille de la Révolution de 1789. Louis XVIII ne fut pas un roi absolu comme ses ancêtres. Avant de rentrer en France, après la bataille de Waterloo, il dut promettre de respecter les principales conquêtes politiques de la Révolution
10 et de l'Empire.

Effectivement, les actions de Louis XVIII étaient contrôlées par deux chambres: la Chambre des pairs (dont les membres étaient en partie héréditaires), et la Chambre des députés (dont les constituants étaient élus par les citoyens payant au moins 300
15 francs d'impôts). Louis XVIII se montrait lui-même le plus libéral des royalistes, mais beaucoup des hommes autour de lui étaient d'anciens émigrés, des nobles qui espéraient qu'il détruirait tout ce que la Révolution avait réalisé. Les émigrés n'avaient rien oublié, et l'exil ne leur avait rien appris. On les
20 appelait ultra-royalistes, c'est-à-dire plus royalistes que le roi.

[1] Le jeune Louis XVII, fils de Louis XVI, qui devint Dauphin en 1789, mourut au Temple, suivant la version officielle, en 1795. Fut-il tué en prison? Réussit-il à s'échapper? Personne ne le sait.

Pendant les «Trois Glorieuses» (juillet 1830), on se battit à Paris derrière les barricades contre la Restauration.

Louis Napoléon Bonaparte, empereur des Français (1852–1870).

Grâce à la prudence et l'habileté du nouveau gouvernement, le territoire national fut délivré, en 1818, des 150,000 soldats ennemis qui étaient restés en France et qui vivaient aux dépens des Français. «J'ai assez vécu, dit alors Louis XVIII, puisque j'ai vu le drapeau français flotter sur toutes les villes de France.» 5

Louis XVIII mourut en septembre 1824 et comme il n'avait pas de fils, son frère lui succéda et se fit sacrer à Reims avec toute la pompe traditionnelle sous le nom de Charles X. Charles ne fut pas habile et prudent comme son prédécesseur et comprenait mal les exigences des temps nouveaux. Le début de son règne 10 fut marqué par des lois impopulaires, telles que le *milliard des émigrés* (indemnité payée à ceux dont la Révolution avait confisqué et vendu les biens), et les mesures sévères contre la liberté de la presse.

Lorsque donc en juillet 1830, Charles X proclama la dissolution 15 de la nouvelle Chambre des Députés et fit réduire le nombre des électeurs au profit des royalistes, le peuple de Paris se révolta et força le roi à quitter la France. Cette émeute est connue sous le nom des «Trois Glorieuses», parce qu'elle ne dura que trois journées. Alors les républicains parlèrent de rétablir la république 20 et les bonapartistes de mettre sur le trône le fils de Napoléon, qui était à Vienne depuis 1815 chez son grand-père, l'empereur d'Autriche. Mais après la fuite de Charles X, le duc d'Orléans, cousin du roi déposé, fut élu roi par les deux chambres sous le nom de Louis-Philippe. Moins réactionnaire que son cousin, 25 il reçut l'affectueux sobriquet de «Roi-citoyen», et son règne est connu comme la «Monarchie de Juillet».[2]

On admirait beaucoup la simplicité des manières du nouveau monarque, qui se promenait à pied dans les rues, un parapluie à la main. Mais on vit bientôt que, malgré son esprit libéral, 30 Louis-Philippe avait de la peine à s'imposer comme roi. Des bonapartistes désiraient le retour de l'Empire; les royalistes considéraient le petit-fils de Charles X comme le roi légitime de la France et Louis-Philippe comme un voleur de couronne et usurpateur. D'autre part, ce fut au mois de juillet, peu de jours 35 avant les «Trois Glorieuses», que Charles X avait envoyé en Afrique une armée pour s'emparer d'Alger, et commença une longue guerre qui allait gêner la France pendant tout le règne de

[2] Parce qu'elle fut établie à la suite de la Révolution de juillet 1830.

Louis-Philippe. Du côté politique, les doctrinaires socialistes voulaient une réforme de la société qui ferait disparaître la pauvreté: les champs, les mines, les chemins de fer, les usines, tout serait en commun.

5 Les républicains et les socialistes se révoltaient plusieurs fois contre le gouvernement de Louis-Philippe. Il y eut beaucoup de victimes. Alors des criminels essayèrent d'assassiner le roi. Ces insurrections et crimes décidèrent le roi et le gouvernement à être moins libéraux et à s'opposer à toute réforme, en particulier 10 à celles du droit de suffrage et de la censure éditoriale. Les républicains continuèrent néanmoins à réclamer sans cesse une réforme électorale permettant le vote à tous les citoyens. La Révolution de 1789 avait été faite, disaient-ils, non pas pour deux à trois cent mille personnes, mais pour toute la nation française. 15 Le gouvernement ne voulant faire aucune concession, le peuple de Paris s'insurge, le 24 février 1848. Pendant trois jours, comme en 1830, on se bat dans la capitale. Comme Charles X, Louis-Philippe doit abdiquer. Il part donc pour l'Angleterre et un gouvernement provisoire proclame la Seconde République.[3] 20 Celle-ci décrète tout de suite le suffrage universel et annule les lois contre la presse.

Le nouveau gouvernement se composa d'une Assemblée législative de 750 députés, et d'un Président de la République, élu celui-ci pour quatre ans. Le Prince Louis-Napoléon, neveu de 25 Napoléon 1er, profitant du prestige toujours vivace de son oncle, se fit élire président de la nouvelle république pour quatre ans. Par un coup d'état audacieux, le 2 décembre 1851, anniversaire du couronnement de Napoléon 1er, le «petit Napoléon» réussit à dissoudre l'Assemblée et se faire donner la présidence pour deux 30 ans. Un an après ce coup d'état, copiant une fois de plus Napoléon 1er, le prince se proclama «Empereur des Français», sous le nom de Napoléon III, le numéro II étant réservé au défunt «roi de Rome», fils de Napoléon Ier, et qui était mort sans héritier à Vienne en 1832, à l'âge de 21 ans.

35 Napoléon III fut d'abord un souverain absolu et despotique. Amoureux de gloire et ambitieux, marchant toujours sur les traces de son oncle mais sans le génie de ce dernier, il entreprit de nom-

[3] La Première République avait été instituée pendant la Révolution en 1792.

breuses guerres. Il oublia vite qu'avant son couronnement, il avait promis de ne pas faire la guerre.[4] Effectivement, le second Empire vit quatre guerres, toutes très épuisantes pour la France.

Avec l'alliance de l'Angleterre, Napoléon fit d'abord la guerre contre la Russie, qui voulait détruire l'empire turc et s'emparer de 5 Constantinople (Istanbul) et des «Lieux Saints». Il aida ensuite le roi de Piémont, Victor-Emmanuel, à secouer le joug de l'empire autrichien et à réaliser l'unité de l'Italie. Car Napoléon III, l'idéaliste, était partisan du *principe des nationalités*, qui consiste à réunir en un état indépendant les peuples de même langue et 10 même race. En récompense des services que Napoléon III lui avait rendus, Victor-Emmanuel donna la Savoie et Nice à la France (1860), après un plébiscite des habitants (155,000 oui contre 2,400 non).

A la suite de son projet fantastique de créer en Amérique un 15 empire «latin et catholique», Napoléon III envoya des troupes au Mexique pour soutenir Maximilien, frère de l'empereur d'Autriche, qui essayait de fonder une dynastie impériale dans ce pays lointain. Mais l'«Empereur des Français» dut retirer ses soldats et abandonner Maximilien aux fusiliers mexicains sur 20 l'intervention des Américains «anglo-saxons et protestants», qui se fâchaient de voir se constituer à la frontière mexicaine un empire rival.

Si après le Congrès de Vienne (1814–1815), l'Allemagne était encore divisée en plus de trente états, la Prusse était devenue, 25 grâce à l'habile politique de Bismarck, ministre du roi de Prusse, la plus puissante. Homme d'état sans scrupule, Bismarck résolut d'employer tous les moyens pour faire la guerre à la France. Il voulut ainsi marquer la fin de la suprématie française sur le continent d'Europe et faire reconnaître l'hégémonie prussienne. 30 Car l'armée prussienne était devenue la plus redoutable de l'Europe.[5]

A l'occasion de la candidature du prince prussien Léopold au trône d'Espagne en 1870, Bismarck fit publier un rapport faux concernant l'opposition de Napoléon III à cette candidature qui 35

[4] Il avait même dit: «L'Empire, c'est la paix». Du vivant de l'Empereur on disait ironiquement: «L'Empire, c'est l'épée».

[5] C'est pourquoi on disait communément à l'époque: «La Prusse n'est pas un pays qui a une armée, c'est une armée qui a un pays».

présentait pour le gouvernement français un caractère offensant. Sans même attendre le rapport de son ambassadeur, le gouvernement français, tombant dans le piège, déclare la guerre à la Prusse, sans être prêt à la faire. Les armées françaises, trop peu nombreuses et mal commandées, sont bientôt encerclées et battues à Sedan; l'empereur, malade, se fait prisonnier sur le champ de bataille même. A Paris, une révolution (4 septembre 1870) renverse le gouvernement impérial et l'on proclame la Troisième République.

Quinze jours plus tard l'armée allemande investissait Paris. Le 18 janvier 1871, le roi de Prusse fut nommé empereur d'Allemagne dans la Galerie des Glaces du palais de Versailles. Dix jours plus tard, Paris se rendit et la paix fut enfin signée à Francfort (mai 1871). L'Allemagne obtenait l'Alsace, qui avait été française depuis plus de deux cents ans, une partie de la Lorraine, et une énorme indemnité de guerre.

Après la capitulation de Paris, les Français élurent une «Assemblée nationale» qui se réunit à Bordeaux. Ce gouvernement provisoire choisit comme «chef du pouvoir exécutif de la République française» un ancien ministre de Louis-Philippe, Adolphe Thiers, et s'installa à Versailles. Au mois de mars 1871, une insurrection sanglante éclata tout d'un coup dans les rues de la capitale. Aussitôt après, les Parisiens nommèrent un gouvernement révolutionnaire qui s'appela la *Commune.* Thiers fut obligé alors d'assiéger la ville, dans laquelle on se battit farouchement derrière les barricades, rue par rue, pendant une semaine entière. Ce fut une guerre civile sans pitié entre les «Versaillais», qui étaient le gouvernement légal, et les «Communards». Les partisans de la Commune fusillèrent leurs prisonniers, mirent feu au palais des Tuileries et à l'Hôtel de Ville. Il y eut plus de 1500 tués. Avant de supprimer la révolte des Parisiens, l'armée des Versaillais fit 30,000 prisonniers, dont 10,000 furent condamnés à la prison perpétuelle.

Malgré le désir qu'elle en avait, l'Assemblée de la Troisième République ne put rétablir la royauté et les républicains parlementaires l'emportèrent. On vota en 1875 une constitution qui confiait le pouvoir législatif à deux Assemblées, le Sénat et la Chambre des Députés. Le Sénat, nommé par les délégués des conseils municipaux, et la Chambre des Députés d'environ 600 membres, élus au suffrage masculin universel,[6] exerçaient ensemble le pouvoir législatif, tandis que le Président, élu pour sept ans par le Sénat et la Chambre réunis, exerçait le pouvoir exécutif. Mais, différence importante avec le système américain, les ministres nommés par le président n'étaient responsables de leurs actions politiques que devant les deux Assemblées. Le président de la République avait le droit de demander au Sénat de dissoudre la Chambre.

La France pansa rapidement ses blessures et améliora sa vie politique, militaire et économique. A la fin du XIXe siècle, grâce surtout au succès de sa politique coloniale, notamment en Algérie, la Troisième République avait restauré le prestige du pays dans le monde.

Les vicissitudes militaires et gouvernementales de la France pendant les premières quarante années du XXe siècle nous sont relativement connues: la Première Guerre mondiale, la défaite de la Troisième République et l'occupation du pays par les nazis (1940–1944). On sait comment «L'Etat Français», régime autoritaire du govermement pantin de Vichy et dont le chef était le Maréchal Pétain, collaborait étroitement avec les Allemands. Le Général de Gaulle fut le premier à rallier les Français à la résistance. Dès le 18 juin 1940, il lança à la radio de Londres son appel, invitant tous ses compatriotes de se joindre à lui: «Quoi qu'il arrive, la flamme de la résistance française ne doit pas s'éteindre et ne s'éteindra pas ... La France a perdu une bataille, mais elle n'a pas perdu la lutte ... Notre patrie est en péril de mort. Luttons tous pour la sauver.»

En 1944 les Alliés réussirent à expulser les Allemands du territoire national et de 1944 à 1946 le Général de Gaulle fut le chef du gouvernement provisoire de la République Française. En janvier 1946 de Gaulle quitta volontairement le pouvoir et la Quatrième République adopta une constitution nouvelle qui limitait le pouvoir exécutif pour assurer la suprématie de l'Assemblée Nationale.

Lorsque, en 1958, une insurrection d'extrémistes en Algérie menaça la sûreté nationale, le Parlement dut appeler au pouvoir le Général de Gaulle, qui fut élu Président de la Cinquième République. Celui-ci fit ratifier une nouvelle constitution qui

[6] Les femmes françaises votent depuis 1945.

avait pour but de réduire l'importance de l'Assemblée Nationale et de renforcer celle de l'exécutif, c'est-à-dire, du Président. Si le pouvoir législatif reste confié au Parlement, composé de l'Assemblée Nationale et du Conseil de la République, le pouvoir 5 exécutif est entre les mains du Président de la République (élu pour sept ans par un collège électoral considérablement élargi) et du Premier Ministre, qui est le Président du Conseil des Ministres.

Malgré ses fréquentes crises politiques, il est indéniable que la 10 France a toujours essayé de rester fidèle à sa première Constitution qui proclama ce pays «une République indivisible, laïque, démocratique et sociale ...» Ce qui rend plus ou moins stable le gouvernement français, c'est cette philosophie traditionnelle depuis 1789, fondée sur les principes de liberté et de justice 15 parmi les hommes et parmi les nations.

REBUS

Voici comment en 1870 on a décrit les efforts de Thiers pour déposer Napoléon III:

Tout $\frac{1}{3}$
20 Vent
Vaut
Roi, Roi, Roi

(*Lisez:* Un Thiers (tiers), après tout, vaut souvent plus d'un roi.)

UNE VRAIE REPUBLIQUE

Deux Français se promènent ensemble. Monsieur Dubois est 25 marié, Monsieur Dupont est célibataire. Le célibataire croit que son ami est l'homme le plus heureux du monde.

— Oui, dit celui-ci, j'ai chez moi une vraie république. Ma femme est Ministre des finances, ma fille est Ministre des affaires étrangères et ma belle-mère est Ministre de la guerre.

30 — Et vous-même, vous êtes naturellement le Président de la République!

— Non, mon vieux. On voit bien que vous êtes ignorant. C'est la cuisinière qui est à la tête de la République.

— Et vous, qu'est-ce que vous faites?

35 — Moi, je suis seulement le peuple qui paye les impôts.

SUJETS DE COMPOSITION LIBRE

1. Pourquoi Louis XVIII avait-il évité de se faire couronner à Reims?
2. Que pensez-vous de cette formule de Rivarol (1753–1801): «Toute nation a le gouvernement qu'elle mérite»?
3. Pourquoi, en parlant des nombreuses crises gouvernementales en France, cite-t-on souvent le dicton: «Plus ça change, plus c'est la même chose»?
4. Si Napoléon III avait réussi à établir Maximilien définitivement au Mexique comme empereur, quel aurait été, à votre avis, l'effet d'un tel empire sur le développement ultérieur de ce pays?
5. Qu'est-ce que le «gouvernement de Vichy»? Pourquoi le désigne-t-on un «gouvernement pantin»?

QUESTIONNAIRE

1. Quelle dynastie a succédé à l'Empire de Napoléon 1er?
2. Décrivez le sort de Louis XVII.
3. Pourquoi Louis XVIII se méfiait-il dcs «ultra-royalistes»?
4. Comment Charles X s'est-il rendu impopulaire?
5. Expliquez l'origine de l'expression «Les Trois Glorieuses».
6. Pourquoi Louis-Philippe a-t-il reçu le sobriquet de «Roi-citoyen»?
7. Quelle réformes les doctrinaires voulaient-ils introduire?
8. Décrivez le gouvernement de la Seconde République.
9. Quel coup d'état Louis Napoléon a-t-il fait le 2 décembre 1851?
10. Pourquoi a-t-il choisi cette date?
11. Pourquoi disait-on du Second Empire: «L'Empire, c'est l'épée»?
12. Qui est Napoléon II?
13. Quel prétexte Bismarck a-t-il trouvé en 1870 pour faire la guerre à la France?
14. Comment cette guerre a-t-elle marqué la fin de la suprématie française en Europe?
15. Quelle cérémonie a eu lieu le 18 janvier 1871 dans le palais de Versailles?
16. Qu'est-ce que la «Commune»?
17. Décrivez le gouvernement de la Troisième République.
18. Depuis quand les femmes françaises votent-elles?
19. Citez les paroles adressées à ses compatriotes par le Général de Gaulle le 18 juin 1940. A quelle occasion a-t-il prononcé son appel?
20. Quels principes fondamentaux assurent la stabilité permanente du gouvernement français malgré les fréquentes crises politiques du pays?

CHAPITRE 33

LES NATIONALITES

CONVERSATION ENTENDUE A LA CITE UNIVERSITAIRE DE PARIS

Le Suisse: Je me demande si certains traits de caractère et façons d'agir sont particuliers à un pays plutôt qu'à un autre. Avez-vous jamais remarqué comment les hommes de diverses nationalités réagissent quand on leur présente une jolie dame?
5 L'Anglais, par exemple, lui serre la main, le Français sans hésiter lui baise la main, tandis que l'Américain essaiera tout de suite d'obtenir un rendez-vous avec elle.

L'Américain: Et le Russe, quelle serait sa réaction?

Le Chinois: Le Russe enverrait un télégramme à Moscou pour
10 se renseigner.

Le Français: Dans les autobus français on lit: «Vous êtes priés de ne pas parler au conducteur»,[1] tandis qu'en Allemagne on lit: «Il est expressément interdit de parler au conducteur».

L'Anglais: Et en Ecosse ne lit-on pas: «On ne gagne rien en[2]
15 parlant au conducteur»?

Le Français: En tout cas, nous autres Français trouvons les Anglais un peu trop naïfs, car leur seul sujet de conversation est le mauvais temps.

[1] **conducteur** driver
[2] **On ne gagne rien en** You won't get anything by

L'Américain: D'autre part, ils possèdent un sens extraordinaire de l'humour et de l'*understatement.* Un Anglais vous dira: «J'ai une petite maison à la campagne». Quand il vous invitera chez lui, vous découvrirez que la «petite maison» est un véritable château d'une trentaine de chambres.

L'Anglais: Moi, je crois que les Français sont très fins mais ils parlent trop. Ils sont sûrement moins profonds que leurs voisins les Allemands et moins musiciens aussi. D'autre part, ils ont produit Paris, la plus belle ville du monde.

L'Italien: Vous avez tort, Monsieur. Les plus belles voix du monde sont celles des gondoliers italiens. Et la plus belle ville du monde c'est Venise, si ce n'est pas Rome.

L'Américain: Ou Washington.

Le Suisse: Calmez-vous, mes amis. Faut-il se montrer si bon patriote que ça?

Le Chinois: A propos, ce mot «patriote» me fait penser à la dispute entre un Russe et un Américain pour déterminer laquelle

Maison Internationale à la Cité Universitaire de Paris, où «les jeunes gens venus de tous les pays du monde peuvent apprendre à se connaître et à se comprendre».

des deux nations était supérieure à l'autre en ce qui concerne les arts et les sciences.

Le Français: A la fin de la discussion ils étaient sans doute aussi avancés qu'au début, c'est-à-dire que chacun était com-
5 plètement persuadé que son pays était le premier.

Le Russe: Bien sûr. Mais mon compagnon, si je ne me trompe, a essayé de terminer la dispute d'une manière polie, en disant: «En tout cas, Sammy, si je n'étais pas Russe, je voudrais être Américain».

10 *L'Américain:* Et mon compatriote a répondu, comme il convenait à l'occasion: «Et moi, Ivan, si je n'étais pas Américain, je voudrais être Américain!»

Le Suisse: Aucune nationalité n'est forcément supérieure à une autre. Moi, je trouve les différents traits nationaux intéres-
15 sants à étudier. Notre vie serait bien triste et monotone si tout le monde se ressemblait. Tenez, est-ce que vous connaissez l'histoire des cinq hommes qui étaient partis ensemble à la chasse à l'éléphant? Après quatre mois passés dans la brousse africaine, un Anglais, un Français, un Allemand, un Américain et un
20 Espagnol sont retournés dans leurs pays respectifs. Un an plus tard chacun devait publier un livre sur ses propres expériences.

L'Américain: L'Anglais, si j'ai bonne mémoire, a écrit un modeste volume intitulé «Comment j'ai chassé l'éléphant avec Stanley et Livingstone».

25 *L'Anglais:* Et l'Américain a sans doute sorti une brochure polychrome: «Comment développer de plus grands et de meilleurs éléphants».

L'Allemand: Le Français a sûrement fait publier un livre relié, bien entendu en rose, et qui s'intitulait «Les Amours d'un
30 éléphant», n'est-ce pas?

Le Français: Je crois que l'Allemand, après de longues recherches à la Bibliothèque de Berlin, a engendré trois gros tomes portant le titre: «Prolégomènes à l'étude des névroses éléphantines».

35 *Le Portugais:* Et l'Espagnol, qu'a-t-il écrit?

L'Espagnol: Mais rien du tout. Mon compatriote est toujours à Madrid, assis à la terrasse d'un café, en train de fumer une cigarette et occupé à discuter avec son voisin le livre qu'il écrira *mañana!*

Le Congolais: On serait sans doute plus près de la vérité et d'une entente internationale si l'on notait comment les différents peuples se ressemblent, car, en les comparant, on ne voit que leurs différences. Plus sagement encore, on devrait éviter de comparer — du moins d'exprimer ses découvertes. 5

L'Américain: D'autre part, comment s'abstenir de reprocher aux hôtels de France que leur petit déjeuner n'est pas assez varié et que le repas de midi est beaucoup trop copieux? Je meurs de faim à partir de dix heures jusqu'à midi et je bâille de sommeil tout l'après-midi. 10

Le Français: D'abord personne ne vous oblige de manger un repas de midi «trop copieux». Ensuite vous semblez ignorer qu'il plaît aux Français de manger ainsi et ce sont eux en grande majorité qui fréquentent les hôtels et les restaurants français. Comment un hôtelier américain répondrait-il à un voyageur russe 15 qui lui reprocherait de ne pas servir assez souvent du caviar?

Le Tunisien: Ou si nous exigions jour et nuit du couscous? [3]

L'Anglais: Il faut éviter de telles comparaisons. Tenez, un jour à Londres j'étais assis dans un restaurant bien anglais à côté d'un Français et d'un Anglais. Le garçon vient de leur servir une 20 bonne tranche de bœuf rôti. «On ne vous servira jamais de bœuf comme ça en France!» s'écrie fièrement mon compatriote. Et le Français, après avoir regardé d'un air impitoyable les pommes de terre et les choux qui avaient été bouillis ensemble à l'eau et que l'on servait avec la viande répond: «Eh bien, mon vieux, on ne 25 vous servira jamais de tels légumes en France!»

Le Suisse: N'est-ce pas Georges Duhamel qui a dit: «Ce qui fera toujours ma chère étude, c'est non ce qui distingue et sépare les hommes, mais ce qui les appareille et les unit»?

Le Français: D'accord, mais cette idée remonte à Fénelon qui 30 a dit au dix-septième siècle déjà: «J'aime mieux ma famille que moi-même; j'aime mieux ma patrie que ma famille, mais j'aime encore mieux le genre humain que ma patrie».

Le Belge: C'est pourquoi mon pays a choisi la devise: «L'union fait la force». 35

L'Américain: Et que le poète a dit: «On pourrait faire une ronde autour du monde, si tous les gens du monde voulaient se donner la main».

[3] Plat arabe, préparé avec du riz et de la viande (mouton, volaille, etc.)

VOCABULARY

Identical and close cognates, as well as words of high frequency (articles, most pronouns, cardinal numbers, etc.) have not been included. Except for some irregular verb forms, only the infinitives are given.

The following abbreviations are used:

adj.	adjective	*n.*	noun
adv.	adverb	*past p.*	past participle
conj.	conjunction	*pl.*	plural
f.	feminine	*prep.*	preposition
fam.	familiar	*pres.*	present
inf.	infinitive	*pres. p.*	present participle
int.	interjection	*pron.*	pronoun
m.	masculine		

A

à *prep.* to, at, on, in, with, from, judging by, sufficient to, to the point of
(s')abaisser to be lowered
abbé *m.* priest, father
Abélard, Pierre (1079–1142) scholastic philosopher and theologian. He fell in love with Heloïse, niece of the powerful canon Fulbert, who had him seized and mutilated
abois *m. pl.:* **aux —** at bay, reduced to last extremity
(d')abord *adv.* first, at first
aborder to attack
aboutir (à) to end (in)
aboyer to bark
abri *m.* shelter; **à l'— de** sheltered from (by)
abriter to shelter, protect
abroger to repeal
absinthe *f.* absinth (liqueur made from wormwood)
(s')abstenir(de) to abstain (from)
accabler to overwhelm, crush
accentué *adj.* concentrated
accidenté *adj.* uneven, hilly
accompagner to accompany; serve at the same time
accord *m.* chord; **d'—** ! granted! right!
(s')accouder (à) to lean (on)
accourir to flock, run, come running
accroître to increase
accroupi *adj.* crouched
accueil *m.* welcome

accueillant *adj.* hospitable
accueillir to welcome
accusateur *m.* accuser
accusé *adj.* brought out, marked
acheter to buy
achever to complete
acier *m.* steel; **— brut** raw steel
aciérie *f.* steel mill
acquérir to acquire
acquis *past p. of* **acquérir** acquired, secured
actif: à son — to its credit
action *f.* plot
actualité *f.* topic of the hour, event of interest at the time, actuality
actuel, actuelle *adj.* present-day
actuellement *adv.* at the present time
addition *f.* bill
admettre to admit
adoucir to soften, alleviate
adresse *f.* skill
adroitement *adv.* cleverly
aéré *adj.* airy
aérodynamique *adj.* streamlined
aérogare *f.* airport bus terminal (in city)
affaiblissement *m.* weakening
affaire *f.* business; **relation d'-s** business associate
affairé *adj.* very busy
affamé *adj.* hungry, famished
affectueux, affectueuse affectionate
affiche *f.* poster, notice
afficher to post, display
affluence *f.* rush
affluer to flow
afin de *conj.* in order to
agacer to annoy
âge *m.* age; **Age d'Airain** Bronze Age; **Moyen-Age** Middle Ages
âgé *adj.* old
(s')agenouiller to kneel down
agir to act; **il s'agit de** it is a question of
agrandir to render larger, increase the size
agrément *m.*: **lieux d'—** delightful places
agricole *adj.* agricultural
agriculteur *m.* farmer
agronome *m.* agriculturist
aide *f.* aid; **venir en —** to come to the aid
aïeux *m. pl.* ancestors
aigle *m.* eagle
aiguille *f.* needle
ail *m.* garlic
aile *f.* wing
ailleurs *adv.* elsewhere; **d'—** besides, moreover
aimer to love, like; **— mieux** to prefer
aîné *adj.* oldest (child)
ainsi *adv.* so, thus; **— que** as well as
air *m.* air, appearance; **le grand —** open air
airain *m.* bronze
Aix (en Provence) city in SE France, former capital of Provence
ajouter to add
albigeois *adj.* Albigensian (referring to a medieval religious conflict in S of France)
Alexandre Alexander III, the Great, (356–323 B.C.), Macedonian conqueror of Near East
Alger Algiers, capital of Algeria
Algérie *f.* Algeria, former French colony in N of Africa; capital Algiers
alimenter to feed
allécher to allure, entice
allée *f.* avenue, driveway
alléger to lighten
Allemagne *f.* Germany
allemand *adj.* German
aller to go; suit; **s'en —** to depart; **— et retour** round trip
alliance *f.* wedding ring
allié (-e) *m. & f.* ally
allonger to make longer; **s'—** to grow longer

allumer to light up
alors *adv.* then, at that time; **— que** whereas
Alpes *f. pl.* Alps, chain of mountains in central Europe; **les — Maritimes** French department on Riviera
alpinisme *m.* mountain climbing
Alsace *f.* Easternmost French province, occupied by Germans from 1871 to 1918 and from 1940 to 1944
amateur *m.* connoisseur, fancier
ambiance *f.* atmosphere
âme *f.* soul; **grandeur d'—** magnanimity
améliorer to improve
aménager to set, arrange
amener to bring about, produce, carry
amer, amère *adj.* bitter
américain *adj.* American
amertume *f.* bitterness
ameublement *m.* furniture making
ami (-e) *m. & f.* friend
amiable *adj.* amicable; **à l'—** amicably
Amiens capital of province of Picardy, 80 miles N of Paris. Outstanding Gothic cathedral (1220–1269)
amitié *f.* friendship
amollir to soften
amour *m.* love; **— propre** self-love, pride, self-esteem
amoureux, amoureuse *adj.* amorous, amatory, in love with
Ampère, André-Marie (1775–1836): physicist and mathematician. The ampere, or unit of intensity of electric current, is named after him.
ampoule *f.* bulb
amusant *adj.* amusing
amuser to amuse; **s'—** to have a good time, find pleasure
an *m.* year; **jour de l'—** New Year's Day
ancien, ancienne *adj.* former, old; **Ancien Régime** Old Regime (used in reference to the period when France was under absolute monarchy, before 1789); **à l'ancienne** old-fashioned
ange *m.* angel; **faire l'—** to act like an angel
angevin *adj.* Angevin (of or pertaining to Anjou, province in west-central France)
anglais *adj. & n.* English, the English language
Anglais *m.* Englishman
Angleterre *f.* England
animé *adj.* animated
anisette *f.* anisette (kind of liqueur)
Anjou province in the Loire valley
anneau *m.* ring
année *f.* year; **Bonne Année** Happy New Year
anoblir to ennoble (by conferring rank and privileges)
anonyme *adj.* anonymous; **société —** corporation
antan *m.* of yore, yesteryear
antérieur *adj.* former, previous
antique *adj.* old, ancient
antre *m.* cave, den
apaiser to calm
(s')apercevoir de to perceive, notice
apéritif *m.* aperitive (wine)
apéro *m.* (*fam.*) = **apéritif**
apparaître to appear
appareiller to match, equal
apparenté *adj.* related
appartenir to belong
appel *m.* call; **faire l'—** to call the roll
appeler to name, call; **s'—** to be named
appellation *f.* name, label
appétissant *adj.* appetizing
(s')appliquer (à) to concern oneself (with), endeavor
apporter to bring, carry, contribute
apprendre to learn, teach
apprenti *m.* apprentice

(s')apprêter to get ready, prepare
approvisionné *adj.* provided
appuyer to press, support, strengthen
âpre *adj.* bitter, sharp
après *prep.* after; **d'—** according to; **— que** *conj.* after
après-midi *m.* afternoon
aquilon *m.* north wind
Aquitaine lowland region in SW France
araignée *f.* spider
arbitre *m.* umpire
arbre *m.* tree
arc *m.* arch; **—boutant** flying buttress; **Arc de Triomphe** arch in Paris commemorating the victories of Napoleon I
archaïque *adj.* archaic
arche *f.* arch; **— de Noé** Noah's ark
ardoise *f.* slate
arènes *f. pl.* arena, amphitheatre
argent *m.* silver, money
argenté *adj.* silvery
argile *f.* clay
Argonautes band of heroes who captured the golden fleece hidden in a sacred grove and guarded by a dragon
argotique *adj.* slangy
Arles city on the Rhone about 55 miles NW of Marseilles
arlésien, arlésienne *adj.* Arlesian, pertaining to the city of Arles
arme *f.* weapon, arm
armée *f.* army; **Grande Armée** Grand Army (army of Napoleon I from 1804 to 1814)
armoire *f.* cupboard, wardrobe
(s')arracher to tear oneself away
Arras city in N of France, 35,000 inhabitants
arrêt *m.* stop
arrêter to stop, halt
arrière! *int.* back!
arrière-garde *f.* rear-guard
arrivée *f.* arrival
arriver to happen
arriviste *m.* social climber
arrondi *adj.* rounded
arrondissement *m.* division of a *département*, "ward" (in Paris)
arroser to wash down
articulé *adj.* clear, distinct
artisanal *adj.* artisan
ascendant *m.* ascendancy
ascenseur *m.* elevator
ascension *f.* ascent
aspect *m.* appearance
Assemblée constituante *f.* Constituent Assembly, name given to the government formed by representatives of the people assembled at Versailles in 1789
(s')asseoir to sit down
assez *adv.* enough, rather, fairly, quite
assiéger to lay siege to
assiette *f.* plate, dish
assister to attend, be present at
associé *m.* member, partner
assolement *m.* rotation (of crops)
assouvir to satiate, satisfy
assuré *adj.* vouched for, assured
atelier *m.* studio, workshop
attaquer to attack
(s')attarder to linger behind
atteindre to attain, reach, extend to
atteinte *f.* blow, stroke
attendre to wait
attente *f.* wait, waiting, expectation
attirer to attract
attitré *adj.* habitual, usual, regular, official
attrait *m.* attraction
attraper to catch
aube *f.* dawn, morning
auberge *f.* inn
aubergiste *m. or f.* innkeeper
aucun *adj.* no, none, not any
audace *f.* audacity, boldness
audacieux, audacieuse *adj.* audacious, bold, daring

au-dessous *adv.* under
au-dessus *adv.* above
augmenter to increase
aujourd'hui *adv.* today
aussi *adv.* as, also; (*with inverted word order*) therefore, hence; **— ... que** as ... as
aussitôt *adv.* at once; **— que** *conj.* as soon as
Austerlitz former Austrian village, now in Czechoslovakia; site of Napoleon's victory over Austrians and Russians in 1805
autant *adv.* so much; **— que** *conj.* as much (well) as; **— plus que** all the more so since
autel *m.* altar
auteur *m.* author
autocar *m.* bus
automne *m.* autumn
automobiliste *m.* automobile driver, motorist
autoroute *f.* highway; **— de dégagement** alternate route; **— de liaison** connecting road
autostrade *f.* highway
autour de *prep.* around
autre *adj.* other; **les uns les –s** one another
autrefois *adv.* formerly, in the old days
autrement *adv.* otherwise
Autriche *f.* Austria
autrichien, autrichienne *adj.* Austrian
autrui *pron.* others, other people
Auvergne former province in central France
avaler to swallow
(d')avance *adv.* ahead of time; **en avance** ahead by
(s')avancer to move forward
avant *prep.* before; **— Jésus-Christ** B.C. (before Christ); **— que** *conj.* before; **— de** + *inf.* before + *pres. p.;* **en — de** in front of
avantageux, avantageuse *adj.* advantageous
avant-dernier *adj.* next-to-last
avant-garde *adj.* avant-garde, leader in the arts by latest or most advanced techniques
avec *prep.* with
avenir *m.* future
(s')aventurer to venture (out)
averti *adj.* alert
avertir to warn
aveugle *adj.* blind
aveuglément *adv.* blindly
avidement *adv.* eagerly
Avignon city in S of France on the Rhone, residence of popes from 1309 to 1377 and governed by Vatican until 1791
avion *m.* airplane
avis *m.* opinion, advice, notice; **à mon —** in my opinion
avisé *adj.* shrewd, clear-sighted
(s')aviser to presume
avouer to admit
avril *m.* April
azur *m.* azure, blue; **Côte d'Azur** Azure Coast, French Mediterranean coast, E of Marseilles

B

baccalauréat *m.* baccalaureate, final examination of lycée. Permits entrance into university and is prerequisite for many civil service positions.
bachelier *m.* bachelor (of letters, of sciences), student who has passed the *baccalauréat*
bagasse! *int.* (*fam.*) confound it!
bague *f.* ring
baigner to wash
bâiller to yawn
baiser to kiss
baiser *m.* kiss
baisser to lower

balai *m.* broom
balance *f.* scales
baliste *f.* ballista (military engine used by Romans for hurling large missiles)
ballon *m.* football
Balzac, Honoré de (1799–1850) realistic novelist, who portrayed society of his time in his *Comédie humaine*
banal *adj.* ordinary
banc *m.* bench
banlieue *f.* suburbs, outskirts
banquette *f.* (upholstered) bench
bariolé *adj.* many-colored
barrage *m.* dam
barrière *f.:* — **douanière** customs barrier
bas, basse *adj.* low
bas *adv.* low, down; **à** — down
bas *m.* stocking
basilique *f.* basilica, church
Basques *m. or f. pl.* race living on both sides of the Pyrenees, of unknown origin
basse-cour *f.* poultry yard
Bastille *f.* prison in Paris, stormed in uprising, July 14, 1789
bataille *f.* battle; **livrer** — to give battle
batailler to fight, give battle
bateau *m.* boat
bâtiment *m.* building
bâtir to construct
bâton *m.* stick
battre to beat, defeat; — **en retraite** to retreat; **se** — to hit one another, fight
(les) Baux: ancient town in S of France, now in ruins
bauxite *f.* bauxite (aluminum ore)
bavard *adj.* talkative
bavarder to chat
Bayonne French town on Atlantic coast near Spain
beau, belle, *m. pl.* **beaux** *adj.* beautiful
beaucoup *adv.* much, very much
beau-frère *m.* brother-in-law
Beaumarchais, Caron de (1732–1799) lawyer, diplomat, and playright; author of *Le Barbier de Séville* and *Le Mariage de Figaro,* two cutting satires on the abuses of the Ancien Régime
Beauvais cathedral city 49 miles NW of Paris
beaux-arts *m. pl.* fine arts
bec *m.* beak
beffroi *m.* belfry
belge *adj.* Belgian
Belgique *f.* Belgium
belle-mère *f.* mother-in-law
bénédictine *f.* aromatic liqueur made of brandy, sugar, and herbs, from formula of Benedictine monks
bénéficier to benefit
berceau *m.* cradle
berger *m.* shepherd; **bergère** *f.* shepherdess
Bernard, Claude (1813–1878) physiologist; precursor of experimental medicine
Besançon city 250 miles SE of Paris, watchmaking center
besoin *m.* need; **avoir** — **de** to need, lack
bête *f.* animal; **faire la** — to act like an animal
beurre *m.* butter
beurrer to butter
biais *m.:* **en** — slanting
bibliothèque *f.* library
bien *adv.* well, a great many; — **entendu** of course, naturally; **ou** — or else; — **que** *conj.* although
bien *m.* welfare, good, possession
bien-être *m.* well-being, comfort, welfare (of population, etc.)
bienfaisance *f.* beneficence, charity
bienfait *m.* benefaction, kindness
bientôt *adv.* soon
bienvenue *f.* welcome

bière *f.* beer
bifteck *m.* beefsteak
bijou (*pl.* **-x**) *m.* jewel
bijoutier *m.* jeweler
billet *m.* ticket
bimoteur *adj.* two-motored, twin-motored
bis! *int.* again! encore!
bise *f.* wind
Bismarck (1815–1898) German statesman, founder of united Germany
bistrot *m.* café, bar, "pub"
Bizet, Georges (1838–1875) opera composer, including *Carmen* 1875
blanc, blanche *adj.* white
blanchir to whiten
blé *m.* wheat; **-s** *poetic use of plural for singular*
blesser to wound
blessure *f.* wound
bleu *adj.* blue; **«bleu»** *m.* soldier, "rookie"
Blois city N of Tours, with outstanding Renaissance château
blottir to crouch, nestle
bock *m.* bock (glass containing about half a pint, used to serve beer)
bœuf *m.* ox; beef
bohème *adj. & n.* Bohemian, unconventional author, artist
boire to drink
bois *m.* wood(s)
boisson *f.* drink, beverage
boîte *f.* box; **— de nuit** night club
bondé *adj.* crowded, packed
bonhomie *f.* good nature
bord *m.* edge, bank
Bordeaux seaport in SW France on the Garonne, center of important wine-growing district
Bordelais *m.* region around Bordeaux
bordure *f.* edge, coast
borgne *adj.* one-eyed
borne *f.* milestone
(se) borner to limit oneself
bosquet *m.* grove
bouche *f.* mouth, exit; **à la —** in their mouths
boucher *m.* butcher
boue *f.* mud
boueur *m.* street sweeper
bouger to move
bougie *f.* candle; **— d'allumage** spark plug
bouillir to boil
boulanger *m.* baker
boule *f.* ball; **-s** French bowling game
bouleau *m.* birch tree
boulet *m.* bullet
bouleverser to upset
boulot *m.* (*fam.*) work
Bourbon French royal house which governed France beginning with Henri IV, who ruled 1589–1610
bourg *m.* market town
bourgeois *adj.* middle-class, average
Bourgogne *f.* Burgundy, province in E of France, capital Dijon; important medieval duchy, united to France under Louis XI (1477)
bourguignon *adj.* Burgundian
bourreau (*pl.* **-x**) *m.* executioner
bourse *f.* purse; **la Bourse** Stock Exchange
bout *m.* end, end piece; **au — de** at the end of
boutade *f.* sally, quip
bouteille *f.* bottle
bouter to kick out, expel
bouton *m.* button
branchage *m.* branches, boughs
Braque, Georges (1882–1963) one of the leaders, with Picasso, of cubist movement in painting
bras *m.* arm; **— d'eau** branch of stream; **— séculier** the secular arm
brasser to mix, stir up
brave *adj.* good
brebis *f.* sheep
brèche *f.* breach, opening
Bretagne *f.* Brittany, province on Atlantic coast of France

breton, bretonne *adj.* Breton, of Brittany
bretonnant *adj.* Breton-speaking
brie *m.* Brie cheese (made in the Brie, a region near Paris)
brièvement *adv.* briefly
briller to gleam
brin *m.* sprig
brioche *f.* roll
briser to break
broderie *f.* embroidery, embellishment
brosse *f.* brush
brouillard *m.* fog
brouille *f.* quarrel, falling out
brousse *f.* brush
Bruges city in NW Belgium, active port and center of Flemish painting in Middle Ages
bruit *m.* noise
brûler to scorch, burn
brume *f.* mist
brun *adj.* brown
bruyamment *adv.* noisily
bruyant *adj.* noisy
bûche *f.* log; **— de Noël** Christmas cake in the shape of a log
bûcher *m.* stake, funeral pile
bûcheron *m.* woodcutter, woodman
bureau *m.* office; desk
but *m.* aim, goal
Byron, Lord (1788–1824) English Romantic poet

C

ça *pron.* (*contraction of* **cela**)
cacher to hide
cachet *m.* seal, stamp; **lettre de —** royal order (to imprison a person without trial)
cadeau (*pl.* **-x**) *m.* present, gift
cadre *m.* cadre, staff-list, key personnel
Caen city in Normandy on the Orne
café *m.* coffee; café; **— au lait** hot coffee with hot milk; **— filtre** filtered (drip) coffee
cahiers *m. pl.:* **— de doléances** official registers of complaints
caissière *f.* cashier
Calais French port on English Channel; **Pas de —** Strait of Dover
calcaire *m.* limestone
calendrier *m.* calendar
calque *m.* copy
Calvados maritime department in Normandy
calviniste *adj. & n.* Calvinist, adhering to doctrine of French reformer John Calvin (1509–1564), according to which salvation is reserved for a predestined group
camelot *m.* street vendor, peddler
camembert *m.* type of soft unpressed cheese, named for town in Normandy
camion *m.* truck
campagne *f.* country, countryside; campaign; **à la —** in the country; **-s** fields
canard *m.* duck
Cannes vacation port town on Riviera, 20 miles SW of Nice
Cantilène de Sainte Eulalie first French poem of any literary value, it recounts in 28 assonanced lines the martyrdom of a Spanish virgin (304 A.D.)
cantique *m.* hymn
canton *m.* canton (political subdivision of Switzerland)
caoutchouc *m.* rubber
Capétiens the Third French dynasty (987–1848)
car *conj.* because, for
Caravelle *f.* type of airplane developed by Air France
carême *m.* Lent
Carmen opera of Georges Bizet (1875), based on story of Mérimée

carnaval *m.* festivities just before Lent
carnet *m.* pad, booklet
carolingien *adj.* Carolingian (second Frankish dynasty, 751–987)
carré *adj.* square, clear cut; **la Maison Carrée** well-preserved Roman temple at Nîmes
carrière *f.* career; quarry
carrosserie *f.* body-making
carte *f.* map; card; **— du jour** restaurant menu
cas *m.*: **en tout —** in any event, at any rate
caserne *f.* barracks
casque *m.* helmet
casser to break
Caucase *m.* Caucasus, mountain range in Russia, between Black and Caspian Seas
(à) cause de *prep.* on account of
causer to chat
(les) Causses *m. pl.* mountain plateau in central and SW France
cavalerie *f.* cavalry
cavalier *m.* horseman, rider
cave *f.* cellar
céder to yield
célèbre *adj.* celebrated, famous
célébrer to celebrate
célibataire *m.* bachelor
Celtes Celts, people of Caucasian race, who, having invaded England, Gaul, and N of Italy, were finally conquered by the Romans
celtique *adj.* Celtic
cendres *f. pl.* ashes
Cène *f.* the Last Supper
censé *adj.* supposed to
cent *m.* hundred; **pour —** percent
centaine *f.* a hundred
centenaire: plusieurs fois — several hundred years old
centrale *f.* center
centralisateur, centralisatrice *adj.* centralizing
centralisé *adj.* centralized
cépage *m.* vine plant
cependant *conj.* however, nevertheless; **— que** while
cerf *m.* deer
certes *adv.* most assuredly
César, Jules Julius Caesar (100–44 B.C.), Roman general, statesman, and historian
cesser to cease, stop
Cézanne, Paul (1839–1906) impressionist painter who stressed color; noted for his landscapes and still lifes
chagrin *m.* sorrow
chaise *f.* chair
chaleur *f.* heat
Chambord Renaissance château on the Loire, built by Francis I
chambre *f.* (bed)room; **musique de —** chamber music
Chamonix French city at foot of Mont Blanc, important winter sports center
champ *m.* field; **— de manœuvres** parade ground
Champagne *f.* province in N of France, noted for its sparkling wine
Champenois *m.* person from Champagne
champignon *m.* mushroom
Champs-Elysées *m. pl.* widest avenue in Paris, leads to the Arc de Triomphe
chance *f.* chance, luck
(se) changer to change clothes
chanson *f.* song; **— de geste** French epic poem (the most famous is the *Chanson de Roland*)
chant *m.* song, chant, singing
chanteur *m.* singer
Chantilly town 26 miles N of Paris; **Château de —** feudal castle, reconstructed by Condé, now a public museum; **crème de —** whipped cream

chapeau (*pl.* **-x**) *m.* hat
chaque *adj.* each
char *m.* float; tank; — **de triomphe** triumphal chariot
charbon *m.* coal
charbonnage *m.* coal mining
charcuterie *f.* pork store, delicatessen
charge *f.* function, post
Charles-Quint Charles V (1500–1558), king of Spain, and Holy Roman emperor, rival of Francis I
charmant *adj.* pleasing, delightful, charming
charrette *f.* cart
Chartres city 60 miles SW of Paris; has noted cathedral
Chartreuse *f.* aromatic liqueur, made by Carthusian monks near Grenoble
chasse *f.* hunting, hunt; — **à courre** hunting on horseback with hounds
châsse *f.* reliquary, shrine
chasseur *m.* hunter
château (*pl.* **-x**) *m.* castle
Chateaubriand, François René de (1768–1848) French statesman, principal precursor of romantic school of writing by his *Génie du Christianisme* and *René*
châteaubriand *m.* grilled fillet steak
châtelain (-e) *n.* lord (lady) of the manor
chaud *adj.* hot, warm
chauffage *m.* heating
chauffer to heat
chaume *m.* thatch
chaumière *f.* cottage
chausser to wear
chausseur *m.* shoemaker
chauve *adj.* bald
chef *m.* leader
chef-d'œuvre *m.* masterpiece
cheik *m.* sheik, Arab chief
chemin *m.* path; — **de fer** railway; — **du Paradis** way to heaven
cheminée *f.* chimney, fireplace, mantelpiece
chêne *m.* oak
Chenonceaux Renaissance château on the Cher, built by Francis I
cher, chère *adj.* dear
chercher to look for, seek
chercheur *m.* inquirer
chétif, chétive *adj.* thin, skinny
cheval (*pl.* **-aux**) *m.* horse; — **de bataille** battle horse; — **de course** race horse; — **de poste** post horse; — **à** astride
chevalet *m.* easel
chevalier *m.* knight
(se) **chevaucher** to intertwine
cheveu (*pl.* **-x**) *m.* hair
chèvre *f.* goat
chez *prep.* at (the house of, shop of), from, with, among
chic *adj.* elegant, chic
chien *m.* dog
chiffre *m.* number, figure
chimère *f.* chimera
chimie *f.* chemistry
chimique *adj.* chemical
chimiste *m.* chemist
chinois *adj.* Chinese
Chinon town 160 miles SW of Paris; here Joan of Arc met the dauphin in a castle now in ruins
chirurgie *f.* surgery
chœur *m.* choir
choisir to choose
choix *m.* choice
chose *f.* thing
chou (*pl.* **-x**) *m.* cabbage
chrétien, chrétienne *adj.* Christian
chrétiennement *adv.* in a Christian manner
chrysanthème *m.* chrysanthemum
Cicéron Cicero (106–43 B.C.), Latin orator and writer
ci-dessous *adv.* below
cidre *m.* cider
ciel (*pl.* **cieux**) *m.* sky, heaven
cimetière *m.* cemetery, graveyard
cinquante fifty

cinquième *adj.* fifth
circulation *f.* traffic, movement
circuler to move about
cirer to wax, polish
cirque *m.* circus
ciseler to chisel
cité *f.* city, oldest part of town (La Cité, built on the Ile de la Cité, is oldest part of Paris); housing project; — **universitaire** student residence
citoyen, citoyenne *m. & f.* citizen
citron *m.* lemon
clair *m.* light
clairement *adv.* clearly
clair-obscur *m.* chiaroscuro (style of painting using only light and shade)
clairon *m.* bugler
clarté *f.* clarity, clearness, transparence
clavecin *m.* harpsichord
clé (clef) *f.* key
clerc *m.* clerk (in Middle Ages, a member of the clergy, since all liberal arts students took at least minor orders)
cloche *f.* bell
clocher *m.* belfry, steeple
cloître *m.* cloister, monastery
clos *adj.* closed
clos *m.* enclosed garden, vineyard
Clovis (465?–511) Frankish chieftain who conquered all the little kingdoms in Gaul and became founder of the Frankish empire
Cluny: Musée de — housed in 14th cen. Parisian residence of abbots of Cluny; includes Roman ruins, as well an an extensive collection of objets d'art
cocarde *f.* cockade
cocasse *adj.* droll, comical
cocher *m.* driver
Cocteau, Jean (1889–1963) novelist, poet, film director, playwright, and painter
Code civil *m.* collection of French laws promulgated in 1807 by Napoleon
cœur *m.* heart; **Cœur-de-Lion** Lion-hearted
coffre *m.* chest, coffer
cognac *m.* kind of brandy, named for town in SW France
coiffeur *m.* hairdresser
coin *m.* corner
Cointreau brand of liqueur, made of oranges
col *m.* neck; pass (*geog.*)
colère *f.* anger
collaborer to collaborate
collège *m.* combined secondary school and junior college, supported by municipality or privately; **Collège de France** center of research and higher learning, founded in 1530 by Francis I near Sorbonne. The lectures are free and there are no examinations or degrees.
coller to glue
colline *f.* hill
colon *m.* colonist, colonial settler
colorant *m.* dye
colorié *adj.* colored
coloris *m.* coloring
colporteur *m.* hawker
combattre to overcome
combien de *adv.* how much, how many
comble *m.* height
Comédie-Française French State Theater, also called Théâtre-Français, founded in 1680
Comité: *m.* — **de Salut public** Committee of Public Safety
commander to order
comme *adv.* as, like; — *conj.* as, as well as
commencement *m.* beginning
commencer to begin
comment *adv.* how, what!; — **donc!** why of course! yes, indeed!
commerce *m.* commerce, trade, business

commis *m.* clerk
commode *adj.* convenient, helpful
commun *adj.* common; **rien de —** nothing in common
commune *f.* smallest administrative division in France; **Commune** revolutionary government which ruled Paris from March 18 to May 28, 1871
communément *adv.* commonly
compagnie *f.* company; **— de Jésus** Jesuits, religious order founded in Paris by Saint Ignatius of Loyola (1540)
compagnon *m.* companion
Compiègne historic town on Oise, 50 miles NE of Paris
complexe *m.* group
comporter to possess, include
compote *f.* stewed fruit
comprendre to realize, understand, include
compte *m.* account; **faire le —** to even the number; **se faire (rendre) — de** to realize
compter to count, include; **machine à —** counting machine
comptoir *m.* counter, bar
comté *m.* earldom
(se) concevoir to be easy to understand
concierge *m. or f.* doorkeeper, concierge
concluant *adj.* conclusive
concordat *m.* agreement which regulates the intercourse between the Vatican and a government
Concorde: Place de la — large square in Paris on right bank of Seine
concourir to cooperate
concours *m.* competitive examination
concurrence *f.* competition
Condé, Louis II, prince de (1621–1686) "The Great Condé", cousin of Louis XIV and noted general
conducteur, conductrice *adj.* conducting
conduire to conduct, lead
conduite *f.* conduct
confection *f.*: **— en grand** large-scale production of ready-made clothes
conférence *f.* lecture
confier to confide
confiture *f.* jam
confondre to confound, surprise
confus *adj.* confused, ashamed, surprised, upset
congédier to dismiss
conjuré *m.* conspirator
connaissance *f.* knowledge
connaisseur *m.* connoisseur, good judge
connaître to know, be acquainted with; **connu** *past p. & adj.* known, familiar
conquérant *m.* conqueror
conquérir to conquer
conquête *f.* conquest
consacrer to consecrate, dedicate
conseil *m.* advice, council
conseiller *m.* counselor, adviser
conséquemment *adv.* consequently
conséquent: par — therefore, consequently
conservateur, conservatrice *adj.* conservative
conserve *f.* canned food
conserver to preserve
consommation *f.* drink; consumption
consonne *f.* consonant
constater to state, record, notice
construire to construct
conte *m.* tale
contempler to contemplate
contenir to contain
conter to tell
continu *adj.* continuous
contraire *m.* opposite; **au —** on the contrary
contre *prep.* against; **par —** on the contrary, on the other hand

contrebandier *m.* smuggler
centre-cœur: à — *adv.* unwillingly
contrée *f.* country, region, district
contrefort *m.* buttress
contrepointiste *m.* contrapuntist
contrôle *m.* ticket office, box office
contrôlé *adj.* stamped, checked
contrôleur *m.* ticket collector; ticket taker
convenir to be suited
convive *m. or f.* guest
convoi *m.* procession
copain *m.* (*fam.*) friend, pal
coq *m.* cock, rooster
cor *m.* horn; **— de chasse** French horn
corbeau *m.* crow
corde *f.* cord, rope
Cordoue Cordoba, city in S of Spain, capital of Spain under Moorish rule (711–1236)
Corneille, Pierre (1606–1684) outstanding classic French dramatist
cornélien *adj.* in the style of Corneille
corps *m.* body
correspondance *f.* transfer
corriger to correct
Corse *f.* Corsica, French island in Mediterranean between France and Italy; Napoleon was born at Ajaccio, the capital
cortège *m.* procession, pageant
corvée *f.* labor exacted by a feudal lord
costume *m.* dress
côte *f.* coast; **Côte d'Azur** Riviera (French Mediterranean coast)
côté *m.* side; **à — de** compared to, next to; **du —** along the side
cotiser to collect money
cotonnier, cotonnière *adj.* of cotton, pertaining to cotton
côtoyer to go along, go at the side of
couche *f.* layer
coucher to stretch out
coudre to sew
couler to flow
couloir *m.* corridor, passageway
coup *m.* blow, stroke; **— de corne** thrust with his horns; **— d'œil** glance; **— de pied** kick; **à — sûr** surely
couper to cut, be sharp-edged
couperet *m.* guillotine blade
cour *f.* court, yard
couramment *adv.* fluently, frequently
courant *adj.* common
courant *m.* current, stream; **dans le — de** in the course of
courbe *f.* curvature
courber to bend
coureur *m.* racer
courir to run, undergo
couronne *f.* crown
couronnement *m.* crowning
couronner to crown
cours *m.* course; **au — de** in the course of, during; **libre —** free play
course *f.* trip, errand
court *adj.* short; **tout —** that's all
courtois *adj.* courtly
couteau *m.* knife
coûter to cost; **— fort cher** to be very expensive
coutume *f.* custom, habit
couture *f.* sewing, fashion
couturier *m.* high-fashion designer
couvert *m.* lodging
couvrir to cover
craindre to fear
crainte *f.* fear
craintif, craintive *adj.* frightened
cratère *m.* crater
créancier *m.* creditor
créateur, créatrice *adj.* creative
création *f.* creation, product
crèche *f.* crib
crédits *m. pl.* funds
créer to create
crème *f.* cream, custard; **— glacée** ice cream
crépuscule *m.* twilight

crêtin *m.* idiot, moron; cretin
creuser to dig
crever to burst, deflate
critique *f.* criticism
critiquer to criticize
croire to believe; — **devoir** believe it necessary
Croisades *f. pl.* Crusades, 8 military expeditions during Middle Ages by European Christians to recover Holy Land from Moslems
croiser to cross
croissant *m.* crescent-shaped roll
croissant *adj.* growing, increasing
croix *f.* cross
croûte *f.* crust
croyance *f.* belief
croyant *adj.* believing
cru *m.* vintage
cruche *f.* jug
cubisme *m.* movement in painting tending to reduce nature to a series of abstract geometrical shapes
cueillir to gather, pick
cuiller *m.* spoon
cuillerée *f.* spoonful
cuire to cook, bake
cuisine *f.* kitchen, cooking; **faire la —** to cook
cuisinier, cuisinière *m. & f.* cook
cuisinière *f.* kitchen range
cuisse *f.* leg
cuivre *m.* copper
culminer to culminate, reach a climax
culte *m.* worship, religion
culture *f.* culture; tillage, farming, cultivation, growth
cyniquement *adv.* cynically

D

dadaisme *m.* early 20th cen. artistic movement, noted for its scorn of discipline
dalle *f.* flagstone
daller to pave
damier *m.* checkerboard
Danemark *m.* Denmark
dans *prep.* in, into, within, with
danseuse *f.* dancer
Dante (1265–1321) Florentine poet, author of the *Divine Comedy*
dauphin *m.* title of eldest son of kings of France; **Le Dauphiné** was annexed to France in 1349 to become the appanage of the dauphins, or heirs presumptive of the crown
davantage *adv.* more, any more
David, Louis (1748–1825) French painter of grandiose, historical canvases in classical style
de *prep.* of, by, from, within, to, for, than, about; — . . . **en** from, to
débarquer to land, arrive
débarrasser to remove, free from, get rid of
débauché *m.* rake, libertine
débiter to deliver
déborder to overflow
débouché *m.* outlet
debout *adv.* upright, standing
Debussy, Claude (1862–1918) French composer, pioneer in musical impressionism
début *m.* beginning
débuter to begin
décerner to grant
décevoir to deceive
déchéance *f.* dethronement
déchirer to tear, torture
(**se**) **décider** (**à**) to make up one's mind (to)
déclencher to launch
déclin *m.* decline
décocher to shoot, discharge
déconcerter to disconcert
décor *m.* setting, decoration, embellishment
décoration *f.*: — **de bâtiments** house painting
décorer to decorate
découverte *f.* discovery

découvrir to discover
décrire to describe
dédaigner to disdain
dédaigneux *adj.* disdainful
dédain *m.* disdain
dedans *adv.* inside
déesse *f.* goddess
(se) **défaire de** to rid oneself of
défaite *f.* defeat
défaut *m.* defect; **à — de** in the absence of, for want of
défendre to forbid
défense *f.* defense; prohibition
défi *m.* challenge
défilé *m.* parade
défiler to pass by
définitivement *adv.* definitely
défunt *adj. & n.* dead
dégager to free
Degas, Edgar (1834–1917) painter and pastelist, best known for his studies of ballet girls
dégonfler to deflate
déguisement *m.* disguise
(se) **déguiser** to disguise oneself, dress up
déguster to sip
dehors *adv.* outside; *m.* outside, exterior appearance; **en — de** outside of; **sous les — de** under the cloak of
déjà *adv.* already
déjeuner *m.* lunch; **petit —** (continental) breakfast
Delacroix, Eugène (1798–1863) greatest of French Romantic painters
délai *m.* delay
délaisser to abandon
délicatesse *f.* delicacy
demander to ask, ask for; **se —** wonder
démarche *f.* step, proceeding
démentir to contradict
demeure *f.* residence
demeurer to reside, live, remain
demi *adj.* half
demi-servitude *f.* half-slavery
demoiselle *f.* girl; **vieille —** spinster
démolir to demolish
dénier to deny
dénigrant *adj.* belittling
dénommer to name
dent *f.* tooth
dénuer to strip
département *m.* department (administrative division of France)
dépasser to pass beyond, exceed
(se) **dépêcher** to hurry, hasten
dépense *f.* expense
dépenser to spend
dépit *m.*: **en — de** in spite of
déplacement *m.* movement
déplacer to cause to move
déplaire to displease
dépouiller to strip
depuis *adv.* since; **— lors** ever since, then; *prep.* from, since
déraciner to uproot
dernier, dernière *adj.* last, latter, latest
(se) **dérouler** to develop, take place
derrière *prep.* behind
dès *prep.* from, since, after; **— lors** *adv.* from that time on; **— que** *conj.* as soon as
désagrégation *f.* disintegration
(se) **désaltérer** to quench one's thirst
Descartes, René (1596–1650) mathematician, physicist; considered father of modern philosophy; author of *Discours sur la Méthode* (1637)
descendre to descend
désigner to designate, point out, specify
(se) **désintéresser** to lose one's interest, to become indifferent to
désormais *adv.* henceforth
Des Prés, Josquin (1450?–1521) born in N of France, composer of Italian madrigals and French «chansons»
dessalé *adj.* saltless
dessécher to dry up
dessin *m.* design

dessiner to design, sketch; **se —** to develop
dessus *adv.* on top; **sens — dessous** topsy-turvy
destin *m.* destiny, fate
(se) détendre to relax
détente *f.* relaxation
détruire to destroy
deuil *m.* mourning
deuxième *adj.* second
devancer to surpass, outstrip, anticipate
devant *prep.* in front of
devenir to become
deviner to guess
devinette *f.* riddle
devise *f.* motto, inscription
devoir to be obliged (to do something), to owe, be supposed to, must, ought, should
devoir *m.* duty; home work
diable *m.* devil
diamant *m.* diamond
dicton *m.* proverb, saying
Dieu *m.* God; **mon —!** good heavens! well!
dieu *m.* god
différencier to differentiate
difforme *adj.* deformed
digestif *m.* liqueur; digestive
dilater to dilate, expand
dimanche *m.* Sunday
diminuer to diminish
dinde *f.* turkey
dîner to dine; *m.* dinner
dire to say, tell, call, mention; **à vrai —** to tell the truth; **pour ainsi —** so to speak; **— du bien** to speak well
Directoire *m.* Directorate, French government (1795–1799)
diriger to turn; **se —** to turn toward, go to
discuter to discuss, question
disette *f.* want
disparaître to depart, disappear
disparu *m.* dead relative
disque *m.* record
dissimuler to conceal, disguise
dissoudre to dissolve
dissous, dissoute *past p. of* **dissoudre** dissolved, out of power
distrait *adj.* absent-minded
dit *past p. of* **dire** so-called, named, called
diviser to divide
dix-huitième *adj.* eighteenth
dix-neuvième *adj.* nineteenth
dizaine *f.* ten, about ten
doctrinaire *m.* advocate during Restoration of middle course between sovereignty of people and divine right of kings
dodo *m.* (*fam.*) sleep
doigt *m.* finger
domestique *m. or f.* servant
dominer to dominate
Dominicaines *f. pl.* Dominicans (nuns of the order of St. Dominic)
Domrémy village in Lorraine, birthplace of Joan of Arc, 175 miles E of Paris
donc *conj.* therefore; **dis —** I say, tell me
donner to give
dont *pron.* whose, of whom, of which, by which
doré *adj.* gilded
dormir to sleep
dos *m.* back
douanier, douanière *adj. & n.* custom, customs guard
doucement *adv.* gently, gradually
douceur *f.* gentleness
doué *adj.* gifted, endowed
douleur *f.* sorrow
doute *m.* doubt; **sans —** undoubtedly
(s'en) douter bien to be sure
Douvres Dover, British port on English Channel
doux, douce *adj.* gentle, sweet, mild
doyen *m.* dean; **Monsieur le Doyen** the Reverend Dean

douzième *adj.* twelfth
dramaturge *m.* playwright
drap *m.* sheet (*bed*)
drapeau (*pl.* **-x**) *m.* flag
dressage *m.* training
dresser to set, draw; **se —** to stand up, rise
droit *adj.* right, straight; *m.* right, law
drôle *adj.* funny, amusing, strange, curious
druide *m.* Druid (Celtic priest)
duc *m.* duke
duché *m.* duchy
Duhamel, Georges (1884–) French novelist
Dunkerque Dunkirk, seaport in N France
dur *adj.* hard, solid, firm
durée *f.* length, flying time
durer to last

E

eau (*pl.* **-x**) *f.* water; **—-de-vie** brandy
éblouir to dazzle
(s')**écarter** to stray
échafaud *m.* scaffold
échanger to exchange
échantillon *m.* sample
échapper to escape
échecs *m. pl.* chess
échelle *f.* ladder
échouer to fail
éclairage *m.* lighting
éclairer to brighten, light
éclat *m.* brightness, splendor; **— de rire** burst of laughter
éclatant *adj.* brilliant, outstanding
éclater to burst out, break out
école *f.* school; **Grandes Ecoles** specialized state schools for higher studies
écolier *m.* pupil
économe *adj.* economical
écorce *f.* bark
Ecosse *f.* Scotland
écouler to dispose of, sell
écouter to listen to
écraser to crush
(s')**écrier** to cry out, exclaim
écrire to write
écrivain *m.* writer
écume *f.* foam
édifier to build
effacer to efface, eliminate
effectif *m.* man power
effectivement *adv.* actually
effet *m.* : **en —** in fact, as a matter of fact, indeed
effiler to unravel, to taper, cut off, make into a point
effleurer to skim over
effondrement *m.* collapse
(s')**effondrer** to fall down
effrayer to frighten
effroyable *adj.* frightening, terrible
égal *adj.* equal
également *adv.* equally, likewise, also
égaler to equal
égalité *f.* equality
égard *m.* regard; **à l'— de** with regard to
égayer to enliven
église *f.* church
Eiffel: Tour — steel structure on left bank of Seine in Paris, erected for Exposition of 1889 by Gustave Eiffel, French engineer (1832–1923)
élan *m.* outburst; spirit, life
élancé *adj.* tall, lofty
(s')**élancer** to dash forth, rise
élargir to increase, add on to
Elbe *m.* river flowing from W Czechoslovakia NW through Germany to North Sea
Elbe: île d'— Italian island between Corsica and Italy. Napoleon lived here 10 months after first abdication (1814–1815).
éléments *m. pl.*: **— jeunes** young people

élevage *m.* raising
élève *m.* pupil, student
élevé *adj.* high, extensive
élever to raise; **s' —** to rise, stand
élire to elect
éloge *m.* praise
éloigner to keep away
élu *past p. of* **élire** elected
émancipé *adj.* emancipated
embellir to embellish, adorn
embêter to bore
embrasser to kiss
embrayage *m.* clutch
embrumé *adj.* overcast, enveloped in fog or mist
embuscade *f.* ambush
émerveiller to astonish, amaze; **s'—** to marvel
émetteur, émettrice *adj.* broadcasting; **poste** *m.* — broadcasting station
émeute *f.* riot, disturbance, outbreak
émeutier *m.* rioter
émigré *m.* emigrant; refugee (especially a noble who left France during French Revolution)
emmagasiner to store up
émouvant *adj.* moving, stirring
(s')**emparer** to seize, get hold of
empêcher to prevent, hinder
emphatique *adj.* bombastic
Empire *m.* imperial government; **Premier —** reign of Napoleon I (1804–1815); **Second —** reign of Napoleon III (1852–1870)
emplir to fill
employer to use
empoisonner to poison
emporter to take, carry away; **l'— sur** to prevail over
(s')**empresser** to bustle about, be eager
emprunt *m.* borrowing, loan
emprunter to borrow
ému *past p. of* **émouvoir** moved, touched
en *prep.* in, made of, as; *with pres. p.* by, while, *or* untranslated; *pron.* of it, any, some
encadreur *m.* framer
enceinte *f.* walls
encombrement *m.* traffic, crowds of people, congestion
encombrer to block
encore *adv.* still; **et —!** and even then!
endive *f.* chicory
endormi *adj.* sleepy
endroit *m.* place
enfance *f.* childhood
enfant *m.* child; **Enfant Jésus** Christ Child
enfer *m.* hell
enfermer to enclose, lock in
enfin *adv.* finally
(s')**enfler** to swell
enfumer to fill with smoke
(s')**engager** to pledge oneself
englober to unite
englouti *adj.* submerged, sunken
engrais *m.* fertilizer
enjamber to stride over
enlever to remove, take away
enluminer to illuminate
ennemi *adj. & n.* hostile, enemy
ennuyer to annoy, bother
ennuyeux, ennuyeuse *adj.* dull, boring
enragé *adj.* rabid; enraged, angry
enseigne *f.* sign
enseignement *m.* instruction, teaching, education; **— primaire** primary instruction; **— supérieur** higher education
enseigner to teach
ensemble *adv.* together
ensevelir to bury
ensuite *adv.* then, next
entendre to hear; **s'—** to agree, get along well; **bien entendu** of course
entente *f.* understanding
enterrement *m.* funeral
enterrer to bury

en-tête *m.* heading
entier, entière *adj.* entire
entièrement *adv.* entirely
entourer to surround
entraîneur *m.* coach
entraver to hinder
entre *prep.* between
entrée *f.* entrance; first course (*cooking*)
entreprendre to undertake
entrer to enter, come in
entretenir to maintain; **s'— de** to converse about
entretien *m.* maintenance
entrevoir to catch a glimpse of
entrevue *f.* meeting, interview
envahir to invade, overwhelm, encroach
envahisseur *m.* invader
envers *prep.* toward
envie *f.* desire
environ *adv.* about
environs *m. pl.* vicinity
envisager to face, consider
envoyer to send
épais, épaisse *adj.* thick
épaisseur *f.* thickness
épargner to spare
éparpillé *adj.* scattered
épaule *f.* shoulder
épée *f.* sword
Epernay city in N France on the Marne, important center for champagne industry
épicerie *f.* grocery store
épine *f.* thorn
épingle *f.* pin
épique *adj.* epic
époque *f.* time, period, epoch
épouser to marry
épouvantable *adj.* fearful, frightful
épouvanté *adj.* frightened
épreuve *f.* trial, test
éprouver to experience
épuiser to exhaust
équipe *f.* team
ère *f.* era, period
ériger to erect
ès (en les) *prep.* of (*used in names of academic degrees*)
escalade *f.* climb
escalier *m.* staircase
escargot *m.* snail
escarole *f.* endive
esclavage *m.* slavery
escrime *f.* fencing
escroc *m.* swindler
Esope Aesop (620?–560? B.C.), Greek writer of fables
espace *m.* space
espadrille *f.* canvas sandal
Espagne *f.* Spain
espagnol *adj.* Spanish
espèce *f.* species
espoir *m.* hope; **— d'avenir** hope for the future
esprit *m.* mind, wit; **— gaulois** native French wit
essai *m.* short literary composition
essayage *m.* fitting
essayer to try
essor *m.* flight
est *m.* east
estropié *adj.* crippled
établir to establish; **s'—** to settle
établissement *m.* establishment
étage *m.* story, floor
étalage *m.* display, window display
étaler to spread
étape *f.* stop, step, stage
état *m.* state; **Etats-Généraux** Estates-General, assembly composed of the three orders of the people
étatisé *adj.* state-controlled
Etats-Unis *m. pl.* United States
été *m.* summer
éteindre to put out; **s'—** to be extinguished
étendard *m.* banner, standard
(s')étendre to extend, expand, stretch out
étendue *f.* length, size

éternuer to sneeze
étincelle *f.* spark
étirer to stretch, lengthen
étoffe *f.* material, cloth
étoile *f.* star; used to designate La Place de l'Etoile in Paris because the converging avenues give it the appearance of a star
étonnement *m.* surprise, amazement
étonner to surprise
étouffer to stifle, smother
étranger, étrangère *adj.* foreign; *n.* rest of the world, foreigner; **à l'étranger** abroad
être *m.* being
étrenne *f.* New Year's gift
étroit *adj.* narrow
étroitement *adv.* closely
étude *f.* study
étudiant *m.* student
étudier to study, watch
Euclide Euclid (300 B.C.): Greek geometer
(s')évader to escape
(s')éveiller to awaken
événement *m.* event
éventail *m.* fan
évêque *m.* bishop
évidemment *adv.* evidently, clearly
éviter to avoid
évoluer to evolve
évoquer to evoke
examen *m.* examination
exception *f.*: **à l'—** with the exception
(s')excuser to apologize
exemple *m.*: **par —** for example
exercer to exercise, perform; **s'—** to train oneself
exigeant *adj.* exacting
exigence *f.* need
exiger to exact, demand, require
expérience *f.* experiment
expliquer to explain
exprès *adv.* on purpose
expressément *adv.* distinctly
exprimer to express
expulser to expel, oust
extérieur *m.* exterior; **à l'—** on the outside
extirper to extirpate, eradicate
extraire to extract

F

fabriquer to make, manufacture
fabuliste *m.* fabulist, fable writer
face *f.*: **faire —** to face; **en — de** facing
fâcher to anger, annoy; **se —** to become angry
fâcheux *adj.* unpleasant
facile *adj.* easy
façon *f.* fashion, manner
facteur *m.* mailman
facture *f.* bill
faculté *f.* faculty (refers to the divisions of a university, e.g. **Faculté des Lettres** College of Liberal Arts
fagots *m. pl.*: **derrière les —** extra-choice (*lit.* hidden behind the fagots because of its value)
faible *adj.* weak
faiblesse *f.* weakness
faim *f.* hunger; **avoir —** to be hungry
faire to do, make, create, cause, say; **se —** to become, happen
faisan *m.* pheasant
fait *m.* fact, deed; **tout à —** completely, entirely
falloir to be necessary (always with **il** as subject)
fameux, fameuse *adj.* celebrated, famous
faner to fade
fardeau *m.* burden
farine *f.* flour
farouche *adj.* wild, savage
farouchement *adv.* wildly
faste *m.* splendor
fastidieux, fastidieuse *adj.* tedious, tiresome

fastueux, fastueuse *adj.* stately, grandiose, luxurious
fatiguer to mix
faubourg *m.* suburb
faucille *f.* sickle
faucon *m.* falcon
fauvisme *m.* revolutionary school of painting of early 20th cen. which used brilliant, strong colors
faux, fausse *adj.* false
favoriser to favor
félibres writers who formed a society in 1854 for preserving Provençal dialect
femme *f.* woman, wife
fendre to split
Fénelon, François de (1651–1715) archbishop of Cambrai, theologian, mystic, educator, and writer
fenêtre *f.* window
fente *f.* crack
féodal *adj.* feudal
fer *m.* iron; **être dans les -s** to be in chains
fermer to close
ferré *adj.* iron, covered with iron
ferroviaire *adj.* pertaining to railways
festin *m.* feast
fête *f.* holiday, festival, feast
fêter to celebrate
feu (*pl.* **feux**) *m.* fire; **tirer des -x d'artifice** to shoot off fireworks
feuillage *m.* foliage
feuille *f.* leaf
fève *f.* bean
fiacre *m.* cab
fidèle *adj.* & *n.* faithful
(se) **fier à** to put one's trust in, rely on
fier, fière *adj.* proud, haughty
fierté *f.* pride
fièvre *f.* fever
figer to freeze, coagulate, solidify
figure *f.* figure, face
(se) **figurer** to imagine
fil *m.* wire; **télégraphie sans —** wireless, radio
filature *f.* spinning, spinning mill
filer to make one's self scarce; weave
fille *f.* girl, daughter
film *m.*: **— parlant** sound film, "talkie"
fils *m.* son
fin *adj.* clever
fin *f.* end
fini *m.* finish
finir to finish
fixe *adj.* fixed; **prix** *m.* **—** set price
flamand *adj.* Flemish; *n.* Fleming (inhabitant of Flanders)
flamber to rise in flames
flanc *m.* side, flank
Flandre *f.* Flanders, medieval country which included parts of present-day Belgium and France
flâner to stroll
flâneur, flâneuse *adj.* strolling
flatteur, flatteuse *adj.* flattering; *n.* flatterer
flèche *f.* arrow; steeple, spire
fleur *f.* flower
fleuri *adj.* covered with flowers
fleuve *m.* river
flocon *m.* flake
foi *f.* faith; **ma —!** really! indeed!
fois *f.* time; **à la —** at the same time
fonctionnaire *m. or f.* civil servant, government employee, official
fonctionner to work, function
fond *m.* bottom, foundation, background, depth
fondateur *m.* founder
fondement *m.* foundation, ground
fonder to found
fonderie *f.* foundry
fondre to melt; **se —** to blend
Fontainebleau town 30 miles SE of Paris, with château and forest
force *adj.* a great deal of, many
force *f.* strength, power
forcément *adv.* necessarily
forcer to hunt down
forêt *f.* forest
forger to forge, to work a forge

forgeron *m.* blacksmith
fort *adj.* strong, heavy *adv.* very; **au plus —** at the height; **— avant dans** far into
fortement *adv.* strongly, heavily
fortuit *adj.* fortuitous
fosse *f.* pit
fossé *m.* ditch, moat
fou, folle *adj.* crazy, mad
fouet *m.* whip
fouetter to whip
fougueux, fougueuse *adj.* stormy
fouiller to dig
foule *f.* crowd
Fouquet, Nicolas (1615–1680) minister of Louis XIV and patron of letters
four *m.* stove
fourchette *f.* fork
fourgon *m.* baggage car
fourmi *f.* ant
fourmilière *f.* ant hill
fourneau *m.*: **haut —** blast furnace
fournir to furnish
fourreau (*pl.* **-x**) *m.* sheath
foyer *m.* home; lobby (*theater*)
fracas *m.* crash
fraîchement *adv.* newly
frais, fraîche *adj.* fresh; **tenir au frais** to keep in a cool place
frais *m. pl.* expense, expenses
Franc *adj.* Frankish; *n.* Frank
franchir to cross
franciser to gallicize
François Ier Francis I (1494–1547), king of France
franc-parler *m.*: **aimer son —** to like to say what one thinks
Franklin, Benjamin (1706–1790) American statesman, diplomat, scientist and inventor
frappant *adj.* striking
frapper to tap, rap, knock, strike
fredonner to hum
frêle *adj.* frail
fréquenter to attend, patronize
frère *m.* brother; **Frères des Ecoles chrétiennes** order founded by St. John de la Salle in 1680, specializing in teaching poor boys
friandise *f.* delicacy
froid *m.* cold; **il fait —** the weather is cold
froidement *adv.* coldly
fromage *m.* cheese
Fronde *f.* rebellion of nobles and Parliament during Louis XIV's minority
front *m.* forehead, face
frontière *f.* border, frontier, national boundary
fugué *adj.* fugal, contrapuntal
fuir to flee
fuite *f.* flight
fumer to smoke
funèbre *adj.* funeral, funereal
furieux, furieuse *adj.* furious
fusil *m.* gun
fusiller to shoot
fusionner to blend together
fût *m.* cask

G

gaélique *adj.* Gaelic
gagnant *m.* winner
gagner to win (over), reach
Galerie des Glaces Hall of Mirrors in the palace of Versailles, in which 17 large mirrors reflect 17 corresponding windows
galette *f.* round, flat cake baked for Epiphany
gallicisme *m.* Gallicism (peculiarly French expression)
gallois *adj.* Welsh
gallo-romain *adj. & n.* Gallo-Roman
gamme *f.* scale
gant *m.* glove
garçon *m.* boy; waiter; bachelor
Gard *m.* tributary of the Rhone; **Pont du —** Roman aqueduct over the Gard

garder to keep
gare *f.* railway station
gargouille *f.* gargoyle
garni *adj.* furnished, served with
garnison *f.* garrison
Garonne *f.* river in SW France
Gascogne *f.* province in SW France
gasconnade *f.* boast, gasconade (the inhabitants of Gascogne have a reputation as braggarts)
gâteau (*pl.* **-x**) *m.* cake
gauche *adj.* left
Gauguin, Paul (1848–1903) post-impressionist painter; brought exotic elements into modern painting
Gaule *f.* Gaul
gaulois *adj. & n.* Gallic, Gaul; **esprit —** broad, Gallic humor
gazetier *m.* gazetteer
gazeux, gazeuse *adj.* soda
géant *adj.* gigantic
gelée *f.* jelly
geler to freeze
gémir to groan
gêner to trouble, embarrass, annoy, hinder
Genève Geneva, city in SW Switzerland
génie *m.* genius; engineering
genou (*pl.* **-x**) *m.* knee
genre *m.* kind, genre, type, species
gens *m. pl.* people; **— d'armes** soldiers
gentil, gentille *adj.* gentle, kind
geôle *f.* jail
geôlier *m.* jailer
gerbe *f.* spray
gérer to manage, administer
Géricault, Théodore (1791–1824) inaugurated Romantic movement in painting by boldness of color and pathos of themes
Germanie *f.* old name for Germany
germanique *adj.* Germanic, Teutonic
geste *m.* gesture, action
gibier *m.* game
gisement *m.* bed (*geol.*)
givre *m.* hoar-frost
glace *f.* ice; window
glacer to cast a chill
glacière *f.* icebox
glaçon *m.* icicle
glas *m.* knell, dirge
gloire *f.* glory
Gluck, Christoph (1714–1787) German composer who reformed French opera
Gœthe, Johann Wolfgang von (1749–1832) German poet, dramatist, and philosopher; author of *Faust*
gosse *n.* (*fam.*) boy, youngster, kid
Gounod, Charles (1818–1893) French opera composer
gourmand *m.* epicure, gourmand, voracious eater
gourmet *m.* gourmet, excellent judge of food
goût *m.* taste
goutte *f.* drop
grâce *f.*: **— à** thanks to; **rendre -s** to thank
grade *m.* degree, rank
graisseur *m.* lubricator
grand *adj.* large, great, tall; **un —** a (Spanish) grandee; **— public** general public
Grande-Bretagne *f.* Great Britain
grandeur *f.* size, greatness; **— d'âme** magnanimity
grandir to increase, grow longer
grand-père *m.* grandfather
grappe *f.* bunch
gras, grasse *adj.* fat
Grasse city in SE France, noted for its perfume industry
gratification *f.* gratuity
gratte-ciel *m.* skyscraper
gratuit *adj.* free, without charge
gratuitement *adv.* without cost
grave *adj.* serious
gravement *adv.* seriously
gré *m.* will, pleasure

grec, grecque *adj.* Greek
Grèce *f.* Greece
grêle *adj.* slender, small
Grenoble university city in SE France
grenouille *f.* frog
grimpeur *m.* climber
gris *adj. & n.* gray
gronder to growl, scold, snarl
gros, grosse *adj.* big, large
grosseur *f.* size, bigness
grossier, grossière *adj.* rough, very general, coarse
grossir to enlarge
gruyère common name for "Swiss" cheese originally manufactured in district of Gruyère, Switzerland
guère *adv.* scarcely
guérir to heal
guérison *f.* cure
guerre *f.* war; **— d'Amérique** American Revolution
guerrier, guerrière *adj. & n.* warlike, warrior
gui *m.* mistletoe
guichet *m.* ticket window
Guillaume Wilhelm I, king of Prussia (1861–88), and German emperor (1871–88)
guirlande *f.* garland
guise *f.*: **en — de** in place of
Guise, duc de (1550–1588) leader of Catholic party in wars of religion between Hugenots and Catholics

H

habile *adj.* clever
habileté *f.* cleverness
habiller to clothe, dress
habit *m.* suit, clothes
habitant *m.* inhabitant
habiter to inhabit, live in, dwell
habitude *f.* custom; **avoir l'—** to be accustomed; **d'—** ordinarily
habitué *adj.* used to; *m.* customer, habitué
hâbleur, hâbleuse *adj.* boasting, bragging
hache *f.* hatchet
hacher to chop
haine *f.* hatred
haïr to hate
haleine *f.* breath; **maintenir en —** to keep in suspense
harceler to harass
hasard *m.* hazard, luck, chance; **par —** by chance, accidentally
hâter to hasten, hurry
(se) hausser to raise oneself
haut *adj.* high, upper; **— clergé** bishops; *m.* height
hauteur *f.* height, altitude
(Le) Havre important French port on English Channel
hectare *m.* measure of metric system, equivalent to 10,000 sq. meters or 2.47 acres
hectolitre *m.* 100 liters (26.4 gallons)
hêler to hail
Héloïse Eloise (1101–1164), celebrated for her love affair with the theologian Pierre Abélard
héraut *m.* herald
herbe *f.*: **mauvaise —** weed
hériter to inherit
héritière *f.* inheritor
héros *m.* hero
heure *f.* hour, time; **— d'affluence** rush hour; **de bonne —** early; **à ses –s** at times
heureusement *adv.* successfully, fortunately
heureux, heureuse *adj.* happy, fortunate
hic *m.* rub
hier *adv.* yesterday
hiérarchisé *adj.* arranged according to rank
Himalaya mountain range extending 1500 miles along border between India and Tibet
hindou *adj. & n.* Hindu

histoire *f.* history; story
hiver *m.* winter
hivernant *m.* winter resident
Hollandais *m.* Dutchman
homme *m.* man; **— de guerre** soldier; **honnête —** gentleman
honnête *adj.* honest; **— homme** gentleman
honnêteté *f.* propriety, decency
honte *f.* shame; **avoir —** to be ashamed
honteux, honteuse *adj.* ashamed
Horaces name of 3 Roman brothers who pledged to fight for Rome against Alba's 3 champions
horloge *f.* clock
horlogerie *f.* clock-making
hors de *prep.* out of
hors-d'œuvre *m. pl.* relishes, hors-d'œuvres
hôte *m.* guest, dweller
hôtel *m.* hotel; town mansion; **— de ville** city hall
hôtelier *m.* hotelkeeper
houblon *m.* hops
Houdon, Jean-Antoine (1741–1828) realistic sculptor
houille *f.* coal; **— blanche** waterpower
houiller, houillère *adj.* coal
Hugo, Victor (1802–1885) romantic novelist, dramatist and poet
huile *f.* oil
huissier *m.* doorman
huître *f.* oyster
hurlement *m.* howling
hymne *m.* anthem

I

ici *adv.* here; **par —** around here, this way
île *f.* island; **Ile de la Cité** island in the Seine, site of the earliest settlement of Paris; **Ile-de-France** former province of which Paris is the center
illuminé *adj.* illuminated
îlot *m.* small island
imbu *adj.* imbued
importer to matter; **n'importe** no matter, any
impôt *m.* tax
impressionnant *adj.* impressive
impressionnisme *m.* school of painting of late 19th century, concentrating on color and light
imprimé *m.* printed matter
imprimer to print
impulsion *f.* impetus
inaccoutumé *adj.* unaccustomed, unusual
incendie *m.* fire
(s')incliner to bow
incolore *adj.* colorless
inconnu *m.* (the) unknown
inconvénient *m.* disadvantage
indécis *adj.* vague, blurred
indéfiniment *adv.* indefinitely
indemniser to indemnify, make good
indigène *adj. & n.* native
inégal *adj.* unequal
infortuné *adj.* unfortunate
ingénieur *m.* engineer
ingéniosité *f.* ingenuity
inscrire to indicate, print; **s'—** to enroll; **se faire —** to register
insérer to insert
insouciance *f.* unconcern
insouciant *adj.* carefree
instituer to found
instituteur, institutrice *n.* teacher (*primary level*)
instruit *adj.* educated
intégralement *adv.* equally
intégrer to integrate
interdire to forbid
intérieur *m.* interior; **à l'—** inside
intermède *m.* interlude, incidental music
interminable *adj.* endless
interne *m.* boarder (at school)
interrogatoire *m.* examination
interroger to interrogate

interrompre to interrupt
inutile *adj.* useless
invectiver to revile
investir to surround
invité *m.* guest
irlandais *adj.* Irish
irresponsable *adj.* irresponsible
(s')irriter to be irritated
(l')Isère tributary of the Rhone, passing through Grenoble
isolement *m.* isolation
Italie *f.* Italy
italien *adj.* Italian
Ithaque Ithaca, Greek island, legendary home of Ulysses
ivoire *m.* ivory
ivresse *f.* drunkenness

J

jadis *adv.* formerly, long ago
jaillir to gush forth, spout forth
jalousement *adv.* jealously
jaloux, jalouse *adj.* jealous
jamais *adv.* ever; **ne ... —** never; **à —** forever
jambon *m.* ham
janvier *m.* January
jardin *m.* garden
jaune *adj.* yellow
javelot *m.* javelin
Jésuites members of the Society of Jesus, order founded 1540 in Paris by a Spaniard, St. Ignatius of Loyola
jeter to throw; **se —** to empty (*river*)
jeu (*pl.* **jeux**) *m.* play, game; **-x de lumière** lighting effects
jeune *adj.* young
jeûne *m.* fasting
jeunesse *f.* youth, young people
(la) Joconde Mona Lisa (portrait by da Vinci in Louvre)
joli *adj.* pretty
jongleur *m.* minstrel, medieval musician
jouer to play
jouet *m.* toy
joueur *m.* player
joug *m.* yoke
jouir (de) to enjoy
jouissance *f.* joy, delight
jour *m.* day; **— de l'an** New Year's Day; **— des morts** All Souls' Day; **de — en —** from day to day; **de nos -s** nowadays
journal (*pl.* **-aux**) newspaper
journée *f.* day
joyau *m.* jewel
joyeux, joyeuse *adj.* joyous, happy, cheerful
juger to judge
juillet *m.* July
jupe *f.* skirt
Jura mountain range between France and Switzerland, extending from the Rhine to the Rhone
jurer to swear
jus *m.* juice
jusqu'à *prep.* until
justement *adv.* exactly

K

kilomètre *m.* kilometer ($\frac{5}{8}$ mile)

L

labourer to till
lac *m.* lake
La Fayette, Marquis de (1757–1834) French general and statesman, who helped the 13 colonies during American Revolution
La Fontaine, Jean de (1621–1695) writer of fables
laïc, laïque *adj.* lay, nonreligious, public
laid *adj.* ugly
laine *f.* wool
lainier, lainière *adj.* of wool, woolen
laisser to leave, allow

lait *m.* milk
laitier *m.* milkman
laitue *f.* lettuce
lampion *m.* light, Chinese lantern
lancement *m.* throw
lancer to throw, hurl, start, launch; **se —** to plunge oneself
langue *f.* language, tongue
Languedoc southern France, where the **langue d'oc** was spoken, in distinction to the north, where the **langue d'oïl** was used
lapin *m.* rabbit
large *adj.* wide; **de —** in width
largeur *f.* width
larme *f.* tear
latin *adj.* Latin; *m.* Latin language
laver to wash; **machine à —** washing machine
LeBrun, Charles (1619–1690) official painter for Louis XIV; decorated Versailles and Louvre
leçon *f.* lesson
Le Corbusier (1887–) French-Swiss architect, pioneer in contemporary architecture
lecture *f.* reading
légende *f.* inscription
léger, légère *adj.* light, slight
Léger, Fernand (1881–1955) painter whose style evolved from cubism to semi-abstract machine-like persons and things
Légion d'honneur Legion of Honor, established by Napoleon in 1802 for civil and military merit
légume *m.* vegetable
lendemain *m.* the next day
Le Nôtre, André (1613–1700) designer of gardens of Versailles and other royal estates
lent *adj.* slow
lentille *f.* lens
lettre *f.* letter; **-s** letters, literature
lettrés *m. pl.* literati
lever to raise; **se —** to get up, revolt
lèvre *f.* lip
libérer to liberate, free
libre *adj.* free, private, liberal, self
librement *adv.* freely
licencié *m.* licentiate (French degree similar to the M.A.)
lie *f.* dregs
lier to bind; **— connaissance** strike up an acquaintance
lieu (*pl.* **lieux**) *m.* place; **avoir —** to take place; **Lieux Saints** Holy Land
lièvre *m.* hare
ligne *f.* line
(se) liguer to unite
Lille large manufacturing city in N of France
limitrophe *adj.* bordering (on), adjacent (to)
limousin *adj.* pertaining to the former province of Limousin and its local accent
liqueur *f.* cordial
lire to read
lis *m.* lily
lit *m.* bed
livre *m.* book; **— de recette** cookbook
livrer to deliver, give, offer; **se —** to give oneself over, devote oneself
livret *m.* libretto
locaux *m. pl.* quarters, buildings
loi *f.* law
loin *adv.* far, far off; **de —** from afar; **— d'être** far from being
lointain *adj.* distant
Loire *f.* longest river in France, 645 miles; flows through Touraine and Anjou into Atlantic
loisir *m.* leisure
Londres London
long, longue *adj.* long; **de —** in length; **le — de** along
longtemps *adv.* a long time; **aussi — que** as long as
longuement *adv.* at length, for a long time

longueur *f.* length
Lorrain *m.* inhabitant of Lorraine
Lorraine *f.* former kingdom and province in E of France
lors de *prep.* at the time of
lorsque *conj.* when
louange *f.* praise
louer to rent; to praise
louis *m.* twenty-franc gold piece
lourd *adj.* heavy
Louvre *m.* former palace in Paris, now an outstanding museum
lugubre *adj.* lugubrious, dismal
Lulli (Lully), Jean-Baptiste (1632–1687) Florentine composer, creator of French National Opera
lumière *f.* light
lumineux, lumineuse *adj.* luminous, bright
lune *f.* moon
Lutèce Lutetia, old name of Paris
lutte *f.* struggle, fight
lutter to fight
luxe *m.* luxury
luxueux, luxueuse *adj.* luxurious
lycée *m.* secondary school, roughly equivalent to American high school and junior college
lycéen *m.* lycée student
Lyon Lyons, city on Rhone in SE France, 3rd in population (475,000); **(à la) lyonnaise** in the style of Lyons (*cooking*)

M

machine à vapeur *f.* steam engine
Madeleine church in Paris, in style of Greek temple
Maeterlinck, Maurice (1862–1949) Belgian symbolist poet and playwright; author of *Pelléas et Mélisande*
magasin *m.* store
maigre *adj.* thin, slender
maillot *m.* jersey
main *f.* hand
main-d'œuvre *f.* workers; manual labor
maint *adj.* many a, many
maintenir to maintain
maire *m.* mayor
mais *conj.* but; **— si** why yes, of course
maison *f.* house; **Maison Carrée** Roman temple at Nîmes; **— de couture** dressmaking firm
maître *m.* master, teacher
maîtresse *f.*: **— de la maison** hostess
mal *adv.* poorly, badly
mal *adj.* poor, bad
mal (*pl.* **maux**) *m.* evil, harm; **faire —** to hurt
malade *adj. & n.* sick, invalid
malgré *prep.* in spite of
malheur *m.* misfortune, woe, ill luck
malheureux, malheureuse *adj.* unfortunate (person)
malin, maligne *adj.* clever
Mallarmé, Stéphane (1842–1898) symbolist poet
mañana (*Spanish*) tomorrow
manche *f.* sleeve; **se tenir par la —** to be on good terms
(la) Manche English Channel
Manet, Edouard (1832–1883) naturalist and impressionist painter
manger to eat
manier to handle
mannequin *m.* figure, model
manoir *m.* manor house
manquer to fail, lack
Mansard, Jules (1646–1708) principal architect of Versailles and dome of Invalides
marchand *m.* merchant
marche *f.*: **se mettre en —** to start out
marché *m.* market
marcher to walk, march, function
mardi *m.* Tuesday; **Mardi Gras** last day of Carnival, followed by Lent
maréchal *m.* marshal

Marie-Antoinette (1755–1793) queen, wife of Louis XVI; born in Austria
marier to marry; **se —** to get married
marin *adj.* sea; *m.* sailor
marine *f.* navy; **— marchande** Merchant Marine
marotte *f.* hobby
marquer to mark
marron *m.* chestnut
Marseillaise *f.* French national anthem; words and music by Rouget de Lisle (1792)
Marseille Marseilles, second largest city in France, pop. 915,000; on the Mediterranean
marteau *m.* hammer
Martel, Charles (690?–741) ruler of the Franks; grandfather of Charlemagne; checked Moorish invasion (732)
masque *m.* masque, masquerader
mat *adj.* dull, heavy
matière *f.* material, subject, matter; **— première** raw material
matin *m.* morning; **de bon —** early in the morning
matinée *f.* morning
Matisse, Henri (1869–1954) painter and sculptor, pioneer of Fauvism
Maugham, Somerset (1874–) English novelist
maure *adj. & n.* Moor (conquerors of Spain in the Middle Ages)
mécène *m.* rich and generous patron
méchanceté *f.* wickedness
médecin *m.* doctor
médiocrement *adv.* poorly
méditerrané *adj.* Mediterranean
(se) méfier (de) to be suspicious (of)
mégot *m.* cigarette butt
meilleur *adj.* better; **le —** the best
mélange *m.* mixture
mélanger to mix
mêler to mix
mélomane *m.* music lover
même *adj.* same; *adv.* even, (the) very; **de —** in the same way; **de — que** just as
mémoire *f.* memory
ménagère *f.* housekeeper
mener to lead, bring
ménestrel *m.* minstrel
mentir to lie
menton *m.* chin
mépriser to despise
mer *f.* sea; **— du Nord** the North Sea
merci *f.* thanks, thank you
mercredi *m.* Wednesday; **— des Cendres** Ash Wednesday
mère *f.* mother
méridional *adj.* southern
mérovingien, mérovingienne *adj.* Merovingian (French dynasty 428–751)
merveilleux, merveilleuse *adj.* marvelous
mesure *f.*: **dans une large —** to a great extent
métier *m.* trade, calling; **— mécanique** power loom
métis *m.* half-breed
mètre *m.* meter (39.37 inches)
métro *m.* subway
métropole *f.* mother country, France proper
métropolitain: la France -e continental France (including Corsica)
mets *m.* food
mettre to put on, set, put; **— fin à** to put an end to; **se — à** to begin
meubles *m. pl.* furniture
meute *f.* pack (of hounds)
Michel-Ange Michelangelo (1475–1564), noted Italian painter, sculptor, architect, and poet
microsillon *adj.* microgroove
midi *m.* noon; **Midi** southern France
mieux *adv.* better; **le —** the best; **tant —** so much the better, I'm glad of it
mièvrerie *f.* affected daintiness
Milan important city in Lombardy, N Italy

milieu *m.* middle, center; environment
mille thousand
milliard *m.* 1000 millions
millier *m.* (about a) thousand
mince *adj.* thin
mine *f.* countenance, look, appearance
ministère *m.* ministry
minuit *m.* midnight
minuscule *adj.* tiny
minutieux, minutieuse *adj.* minute
Mirabeau, Riquetti Comte de (1749–1791) orator and statesman during Revolution
miroir *m.* mirror
mis *past p. of* **mettre** dressed
mise *f.:* **— de fonds** investment; **— en scène** staging
mistral *m.* wind that blows down the Rhone valley from the Alps
mitigé *adj.* mitigated
mitraille *f.* grapeshot
mobile *m.* incentive
mobilier *m.* furniture
mode *f.* mode, fashion, style; *m.* manner, way
modelage *m.* modeling (*clay etc.*), tracing
modelé *m.* model, modeling
modique *adj.* inexpensive
modiste *f.* milliner
mœurs *f. pl.* manners, ways, morals
moindre *adj.* less; **le —** the least
moins *adv.* less; **au (du) —** at least, at any rate; **à — que** *conj.* unless
mois *m.* month
moisir to grow moldy
moissonneuse-batteuse *f.* harvester-thresher
moitié *f.* half
Molière (*pseudonym for* **Jean-Baptiste Poquelin**) (1622–1673) outstanding writer of comedies
moment *m.:* **par -s** at times
monastère *m.* monastery, convent
monde *m.* world; **tout le —** everybody
mondial *adj.* world-wide, world
mondialement *adv.* everywhere, universally
Monet, Claude (1840–1926) pioneer impressionist painter
monétaire *adj.* monetary
monodique *adj.* monophonic, monodic
montagnard *m.* mountaineer
montagne *f.* mountain
Montaigne, Michel de (1533–1592) French philosopher and moralist; creator of the essay
Mont Blanc (le) highest peak in Alps (4,810 meters or 15,781 feet), near Swiss border
montée *f.* ascent, flight of stairs
monter to climb
Montesquieu, Charles (1689–1755) philosophical writer on government and history, author of *L'Esprit des lois* (1748)
Montmartre artist section of Paris, on a hill at the summit of which stands the basilica of the Sacré-Cœur
Montparnasse artist section on left bank in Paris, noted for its cafés
Montpellier university town in S France, near Mediterranean
montrer to show, reveal
(se) moquer de to make fun of
moralisant *adj.* moralizing
morceau (*pl.* **-x**) *m.* piece
morceler to cut into pieces
mordant *adj.* biting
mordre to bite
morne *adj.* sad
mors *m.* bit
mort *f.* death
mort *adj.* dead; *n.* dead person
Moscou Moscow
Moselle sparkling white wine, made in the region of the Moselle, river in NE France
mot *m.* word, expression
mou, molle *adj.* soft
mouche *f.* fly

moucheron *m.* small fly, gnat
mouillé *adj.* "with a tear in one's voice"
moulin *m.* windmill
mourir to die
mousse *f.* moss
mousseux, mousseuse *adj.* frothy, sparkling
mouton *m.* sheep, mutton
mouvoir to move
moyen, moyenne *adj.* average, medium; **moyen** *m.* mean, means; **moyen-âge** *m.* Middle Ages; — **courrier** medium range
moyennant *prep.* by means of
moyennement *adv.* middling, moderately
muet, muette *adj.* mute
muguet *m.* lily of the valley
munir to provide
mur *m.* wall
mûr *adj.* ripe
mûrier *m.* mulberry tree
music-hall *m.* music hall, variety show
musicologue *m.* musicologist
Musset, Alfred de (1810–1857) romantic poet and dramatist, noted for his elegant, witty style
mystification *f.* hoax

N

nager to swim
naissance *f.* birth, beginning, origin
naître to be born; **faire** — to give rise to
Napoléon: — **I** Napoleon Bonaparte (1769–1821), general and emperor; — **III** Louis Napoleon (1808–1873), emperor of France from 1852 to 1870
nappe *f.* tablecloth, table cover
narrer to narrate, tell
natal *adj.* native
naturel *m.* nature
naturellement *adv.* naturally
néanmoins *adv.* nevertheless, however
nef *f.* nave
négliger to neglect
neige *f.* snow; **battu en** — whipped to a froth
neiger to snow
néologisme *m.* neologism, new word
nerf *m.* nerve
nerveux, nerveuse *adj.* nervous, tense
nettoyer to clean
neuf, neuve *adj.* new
neutre *adj.* neuter
névrose *f.* neurosis
nez *m.* nose; **au** — in their face
ni *conj.:* — ... — neither . . . nor
Nice city and resort on Riviera
Nîmes city 65 miles NW of Marseilles; site of historic Roman structures
noblesse *f.* nobility
Noël *m.* Christmas; **arbre de** — Christmas tree; **veille de** — Christmas eve
noir *adj.* black
nom *m.* name
nombre *m.* number
nombreux, nombreuse *adj.* numerous
nommer to name
nonchalamment *adv.* quietly, nonchalantly
nord *m.* north
nordique *adj.* northern, nordic
normand *adj. & n.* Normand
Normandie *f.* Normandy, maritime province in NW France
Norvège *f.* Norway
notamment *adv.* notably, especially
note *f.* note, bill
Notre-Dame de Paris Gothic cathedral, built in 12th and 13th centuries on Ile de la Cité
nougat *m.* nougat (candy containing almonds)
nourrir to feed, strengthen
nouveau, nouvelle *adj.* new; **de** — again, anew

nouvelle *f.* piece of news, story; **-s** news
nouvellement *adv.* recently, newly
Nouvelle-Orléans (la) *f.* New Orleans
novateur *m.* innovator
noyer to drown
nu *adj.* naked
nuage *m.* cloud
nuance *f.* shade, distinction
nuancé *adj.* variegated, shaded
nudité *f.* bareness
nuit *f.* night
nul, nulle *adj. & pron.* no one, no, not one, not any
numéro *m.* number; **— d'ordre** number in sequence

O

obsèques *f. pl.* obsequies, funeral
obtenir to obtain
obus *m.* shell
occidental *adj.* western
(s')occuper to take charge
oculaire *adj.*: **témoin —** eyewitness
œil (*pl.* **yeux**) *m.* eye
œillet *m.* carnation
œuf *m.* egg; **— à la coque** soft-boiled egg
œuvre *f.* work, task, institution
offensant *adj.* offensive, insulting
officier *m.* officer
offrir to offer
ogival *adj.* pointed
oiseau (*pl.* **-x**) *m.* bird
olivier *m.* olive tree
ombre *f.* shadow, shade; **à l'—** in the shade
omnibus *m.*: **train —** slow train making frequent stops
O.N.U. (Organisation des Nations Unies) United Nations
onzième *adj.* eleventh
Opéra-Comique state-subsidized opera house in Paris
opérer to bring about
opiniâtreté *f.* stubbornness
opprimer to oppress
opter to choose
or *conj.* but, however
or *m.* gold; **âge d'—** golden age
orage *m.* storm
Orange city N of Avignon, noted for its Roman remains
(d')ordinaire *adv.* ordinarily
ordonnance *f.* statute
ordonner to order
ordures *f. pl.* garbage
oreille *f.* ear
orge *f.* barley
orgueilleusement *adv.* proudly, arrogantly
orgueilleux, orgueilleuse *adj.* proud
origine *f.* origin, beginning, source
Orléans city on the Loire, 77 miles S of Paris
orner to decorate, grace, embellish
orteil *m.* toe
orthographe *f.* spelling
osciller to fluctuate
oser to dare
osier *m.* wicker
ou *conj.* or
où *adv.* where, when; **d'—** whence, from which
oubli *m.* neglect
oublier to forget
oublieux, oublieuse *adj.* forgetful
ouest m. west
ouïe *f.* hearing
outre *adv.*: **en —** moreover, furthermore; *prep.* in addition to
outre-Atlantique *adv.* the other side of the Atlantic, transatlantic
ouvert *adj.* open
ouverture *f.* opening
ouvrage *m.* work
ouvrier, ouvrière *adj. & n.* worker; **cité ouvrière** low income housing project
ouvrir (sur) to open (on to)
Oye: Ma Mère l'— Old Mother Goose

P

pacotille *f.* cheap, shoddy wares
païen, païenne *adj.* pagan
pain *m.* bread
pair *m.* peer
paisible *adj.* peaceful
paisiblement *adv.* quietly
paix *f.* peace
paladin *m.* knight
palais *m.* palace
Palais Bourbon seat of National Assembly, on left bank of Seine
paletot *m.* overcoat
palliatif *m.* palliative
palmier *m.* palm tree
Paname (*fam.*) Paris
panne *f.* breakdown (*automobile*)
panser to dress (a wound)
pantalon *m.* pants, trousers
pantin *m.* puppet
pape *m.* pope
Pâques *m.* Easter
par *prep.* by, through, for, per; — **exemple** for example
paraître to appear
parapluie *m.* umbrella
parbleu! *int.* indeed! to be sure!
parce que *conj.* because
parcourir to travel over, wander along
parcours *m.* course, line, way
par-dessus *adv.* above
pareil, pareille *adj.* similar, like, comparable
parer to remedy, ward off
paresseux, paresseuse *adj.* lazy
parfait *adj.* perfect
parfois *adv.* at times
Parlement *m.* National Assembly (and Senate); Parliament; high court of justice (before 1789)
parler to speak; *m.* speech, language
parmi *prep.* among
paroissial *adj.* parochial
parole *f.* word; **prendre la** — to speak, take the floor
part *f.*: **à** — separate, separately; **d'autre** — on the other hand; **quelque** — somewhere
partager to share
parterre *m.* flower bed
particulier, particulière *adj.* private, special, peculiar
partie *f.* part; **faire** — form a part
partir to start; **à — de** beginning with, from (*a given time or place*)
partition *f.* score (*music*)
partout *adv.* everywhere
pas *m.* step, pace; **Pas de Calais** Strait of Dover, English Channel
pas *adv.* no, not; — **du tout** not at all
Pascal, Blaise (1623–1662) mathematician, philosopher, physicist and religious mystic
passage *m.* passage, corridor, passageway; **au** — in passing; — **à niveau** railroad crossing
passager, passagère *adj. & n.* passenger, transient
passé *m.* past
passer to pass; — **un examen** to take an exam; **faire — un examen** to give an exam; **en passant par** in addition to
passionner to excite
Pasteur, Louis (1822–1895) scientist who discovered existence of microbes and cure of infectious diseases
pâte *f.* paste, paste dish, dough, inside (of cheese)
pâté *m.*: — **de foie gras** paste made with livers of specially fattened geese
patelin *m.* (*fam.*) home town
pâtisserie *f.* pastry, pastry shop
patrie *f.* country, native land
patron *m.* owner, "boss," employer
patte *f.* clutch
pauvre *adj.* poor
pauvreté *f.* poverty
pavé *m.* pavement

pavillon *m.* building, hall
pavoiser to decorate
payer to pay; **se —** to treat oneself
pays *m.* country
paysage *m.* landscape
paysagiste *m.* landscape painter
paysan, paysanne *adj.* peasant
pêche *f.* fishing
pêcher to fish; **— à la ligne** to fish with pole and line
pêcheur *m.* fisherman
pédagogique *adj.* pedagogical
pédantisme *m.* pedantry
peindre to paint
peine *f.* affliction, trouble; **à —** scarcely
peintre *m.* painter
peinture *f.* painting
Pelléas et Mélisande opera by Debussy (1902), based on a play by Maeterlinck
pelote *f.* pelote (*Basque game*)
(se) pencher to lean over
pendant *prep.* during
pendre to hang
pénible *adj.* painful, hard
pensée *f.* thought
penser to think; **penses-tu!** you can't mean it!
penseur *m.* thinker
pension *f.* boardinghouse
pente *f.* slope
pénurie *f.* shortage
percer to pierce, perforate, cut through
perdre to lose
père *m.* father
périmé *adj.* out-of-date, outmoded
périr to perish
permettre to allow, permit
permis *m.* permit, license
perroquet *m.* parrot
perruque *f.* wig
personne *f.* person; *pron.* no one, anybody; **ne ... —** not anybody, nobody
perspicace *adj.* shrewd
pesant *adj.* heavy
pesanteur *f.* weight
pesée *f.* weighing
peser to weigh
Pétain, Philippe (1856–1951) distinguished general in First World War; condemned to life imprisonment for collaboration with Nazis and released shortly before his death
pétillant *adj.* sparkling
petit *adj.* little, small
petit-fils *m.* grandson
pétrole *m.* petroleum
peu *adv.* a bit, little; **à — près** about; **— à —** little by little
peupler to inhabit, populate
peuplier *m.* poplar
peur *f.* fear
peut-être *adv.* perhaps, maybe
pharmaceutique *adj.* pharmaceutical
Phèdre Phaedrus, Roman writer of fables (1st cen. A.D.)
phénomène *m.* phenomenon
phénix *m.* phoenix, mythical bird of great beauty; paragon
picard *m.* Picard, from Picardy, former province in N France
Picasso, Pablo (1881–) Spanish painter, now living in France; pioneer cubist, and later abstractionist
Pie VII Pope Pius VII (1742–1823)
pièce *f.* room; coin; **— de théâtre** play
pied *m.* foot; **à —** on foot
piège *m.* trap
Piémont Piedmont (region in N of Italy)
pierre *f.* stone
piétiner to walk on, trample
piéton *m.* pedestrian
pieux, pieuse *adj.* pious
pinard *m.* (*fam.*) wine
pinceau *m.* brush
pincée *f.* pinch

pioche *f.* pickaxe
piolet *m.* ice axe
piqûre *f.* sting; **— d'épingle** pinprick
pire *adj.* worse
pis *adv.* worse; **tant — !** tough luck! just too bad!
piscine *f.* swimming pool
Pissaro, Camille (1831–1903) French impressionist landscape painter
piste *f.* runway
(la) Pitié (the) sorrowful state
place *f.* (town) square; **— forte** fortified town; **faire — à** to give way to
plafond *m.* ceiling
(se) plaindre de to complain about
plaire to please; **se —** take pleasure in, like
plaisance *f.*: **maison de —** country estate
plaisanterie *f.* joke
plaisir *m.* pleasure
plaque *f.* plate
plat *adj.* flat, level
plat *m.* dish
plein *adj.* full; **en — air** in the open air
pleurer to weep (for)
pleuvoir to rain
pli *m.* fold
plier to bend; **se —** to submit
plomb *m.* lead
pluie *f.* rain
plupart *f.* majority, most part
plus *adv.* more; **de — en —** more and more; **ne ... —** no longer; **tout au —** at the very most; **en — de** in addition to
plusieurs *adj.* several, many, some
plutôt *adv.* rather
pneu *m.* tire
poche *f.* pocket
poème *m.* poem
poète *m.* poet
poids *m.* weight
poignet *m.* wrist
poinçonner to punch
point *m.*: **être sur le — de** to be about to; **— de départ** starting point; **ne ... —** not at all
poirier *m.* pear tree
poisson *m.* fish; **-s d'avril** April fool tricks
Poitiers city 200 miles SW of Paris
poli *adj.* polite, polished
poliment *adv.* politely
politique *f.* politics
Pologne *f.* Poland
polyphonique *adj.* polyphonic, contrapuntal
Polytechnique: Ecole — school for training engineers and artillery officers
pomme *f.* apple; **— de terre** potato; **-s frites** French-fried potatoes
pommier *m.* apple tree
pompeusement *adv.* pompously
pompier *adj.* conventional, philistine
pont *m.* bridge; **— -levis** drawbridge
pont-l'évêque *m.* cheese made especially in Calvados
porte *f.* door; gate (*of a city*); **— à glissière** sliding door
porte-bonheur *m.* bringer of good luck
portée *f.* range, capacity; **à la —** within the range
porter to carry, wear, bear, give
poser to place; **— une question** to ask a question
potage *m.* soup
poteau *m.* post, stake
pouce *m.* inch
pouilleux, pouilleuse *adj.* very dirty, filthy
poule *f.* chicken
poupée *f.* doll
pour *prep.* for, in order to; **— que** in order that
pourboire *m.* tip
pourchasser to pursue
pourpre *adj.* purple
pourquoi *conj. & adv.* why

poursuivre to pursue, continue, follow
pourtant *adv.* yet, nevertheless
pousse-café *m.* (*fam.*) liqueur
poussée *f.* pressure
pousser to grow, push, put forth
poussière *f.* dust
pouvoir to be able; *m.* power
pratiquant *adj.* practicing, church-going
pratiquer to carry on, go in for
préalable *adj.* preliminary, previous
préalablement *adv.* first
précaire *adj.* precarious
précéder to precede
(se) **précipiter** to rush
précoce *adj.* precocious
prédilection *f.* preference; **de —** favorite
préférer to prefer
premier, première *adj.* first
prendre to take (on), assume; **— son origine** to rise; **se — à** to begin
prénom *m.* first name
près *adv.* near; **de —** close at hand; **tout —** very close; *prep.* **— de** near
présentation *f.* showing
presque *adv.* nearly, almost
presser to press, squeeze, hurry
pression *f.* **à la —** on tap
prestigieux, prestigieuse *adj.* special, exceptional
prêt *adj.* ready, prepared
prétendre to maintain, affirm
prêter to lend; **— serment** to take an oath
prêtre *m.* priest
preuve *f.* proof
prévaloir to prevail over
prévenir to prevent
prévisible *adj.* predictable, expected
prier to pray, ask, request, beg
prière *f.* prayer
primat *m.* primate
primauté *f.* pre-eminence, primacy
principauté *f.* principality
principe *m.* principle, beginning
printemps *m.* spring
prise *f.* taking, capture
privé *adj.* private
prix *m.* price; **à tout —** at any price
procédé *m.* process, system
proche *adj.* neighboring, near
profiler to profile; **se —** show one's silhouette
profondeur *f.* depth
programme *m.* curriculum, course of study
proie *f.* prey
prolégomènes *m. pl.* prolegomena, introductory discourse
promenade *f.* walk; **faire une —** to take a walk
promener to walk, lead; **se —** to take a walk
prononcer to pronounce
propédeutique *adj.* propaedeutical, preparatory
propos *m.* purpose; **à —** by the way
propre *adj.* own, characteristic, separate
proprement *adv.* properly, exactly; **à — parler** strictly speaking
propriétaire *m.* owner
propriété *f.* ownership
prospère *adj.* prosperous
protéger to protect
protocolaire *adj.* formal
prouesse *f.* prowess
provençal *adj.* & *n.* Provençal, of Provence
Provence former province in SE France; became part of France under Charles VIII in 1487
province former political division of France; **-s** all France outside Paris; **— d'origine** native province
provisoire *adj.* provisional, temporary
provoquer to provoke, give rise to
Prusse *f.* Prussia, former kingdom in N of Germany and foundation of German Empire (1871); dissolved 1947

Pucelle d'Orléans Maid of Orleans, Joan of Arc, who liberated that city from the English in 1429
puis *adv.* then
puiser to borrow
puisque *conj.* since
puissamment *adv.* powerfully
puissance *f.* power
puissant *adj.* powerful
punir to punish
puy *m.* conical peak
Pyrénées *f. pl.* mountain range 270 miles long, forming natural border between France and Spain

Q

quai *m.* platform; **le Quai d'Orsay** the French Foreign Office
quand *adv. & conj.* when
quant à *prep.* as for, with regard to
quarantaine *f.* (about) forty
quarante forty
quart *m.* quarter, fourth
quartier *m.* neighborhood, district; **— général** headquarters; **Quartier Latin** student quarter of Paris, on left bank of Seine
quasiment *adv.* almost, as it were
quelque *adj.* some; *adv.* **— peu** somewhat
quelquefois *adv.* sometimes, at times
quincailler *m.* hardware dealer
quinzième *adj.* fifteenth
quittance *f.* receipt
quitter to leave, abandon
quoi *int.* indeed
quoique *conj.* although
quotidien, quotidienne *adj.* daily

R

Rabelais, François (1494–1553) satirist and epicurean philosopher
raccourcir to shorten
raccrocher to hang up
racine *f.* root
Racine, Jean (1639–1699) author of classical tragedies
raconter to recount, tell
radis *m.* radish
raffinement *m.* refinement
raffoler to be crazy about
(se) rafraîchir to refresh oneself
rage *f.* rabies, hydrophobia
railler to mock
raisin *m.* grape, grapes
raison *f.* reason; **avoir —** to be right
ramage *m.* song, voice
rame *f.* train (of subway)
Rameau, Jean-Philippe (1683–1764) classical opera composer and musical theorist
ramener to bring back, trace back
rang *m.* rank
rapetisser to shorten
rapine *f.* plundering
rappeler to recall
rapport *m.*: **par — à** with relation to, in regard to; **sans —** without any connection
rapporter to carry back, bring back, record, earn; **se —** to be equal to
(se) rassurer to reassure oneself; **rassurez-vous** don't be alarmed
rattacher to join, connect
Ravel, Maurice (1875–1937) composer of *Daphnis et Chloé* and *Boléro*
ravissant *adj.* ravishing, delightful
rayon *m.* ray, beam; spoke (*wheel*); radius
rayonnement *m.* expansion
rayonner to radiate, beam
réaction *f.*: **avion à —** jet plane
réagir to react
réaliser to achieve, obtain, accomplish
rébus *m.* rebus, riddle
rebuter to refute
récemment *adv.* recently
receveur, receveuse *m. & f.* fare collector, conductor
recevoir to receive

recharger to reload
recherche *f.* research; **à la — de** seeking, in search of
rechercher to look for
récit *m.* tale, account
réclamer to call for
recommencer to begin again
reconduire to accompany back
reconnaissance *f.* gratitude
reconnaissant *pres. p. & adj.* grateful
reconnaître to recognize
reconstituer to restore
recours *m.* recourse
recouvert *past p.* covered
recueil *m.* collection
recueillement *m.* silent reflection
recueillir to harvest
recul *m.* delay, pause
redemander to ask for more
redevenir to become again
redoutable *adj.* formidable, frightening
réel, réelle *adj.* real
refaire to do over again, remake, remodel
réfléchir to reflect
(se) **refléter** (**sur**) to be reflected (on)
Réforme *f.* Protestant Reformation
(se) **refouler** to be driven back
refroidir to get cold, cool off
(se) **régaler** to give oneself a treat
regarder to look at
régime *m.* system, regime; **Ancien Régime** system of government and society in France before the Revolution of 1789
régir to regulate
régler to regulate, govern
règne *m.* rule, reign
régner to rule
regretter to miss
Reims Rheims, city 83 miles NE of Paris; noted for its Gothic cathedral and as center for champagne industry
reine *f.* queen
rejeter to reject
(se) **réjouir** to amuse oneself
relancer to throw back
relation *f.* account, recounting
relever to raise; **se —** to be dependent; start up again
reliefs *m. pl.* leftovers, remains
relier to join together, connect, bind
religieux, religieuse *adj.* religious
remercier to thank
remettre to restore, hand over, give
remonter to go up again, go back
remplacer to replace
remplir to fill
remporter to win
remuer to move about
Renaissance *f.* revival of classical letters, learning, and art in W Europe, principally during 16th and 17th centuries
renard *m.* fox
rencontre *f.* meeting, match
rencontrer to meet, encounter
rendement *m.* return
rendez-vous *m.* meeting place, date
rendre to render, make; **— visite** to visit; **se —** to attend; surrender; make one's way
Renoir, Auguste (1841–1919) impressionist painter, characterized by his concern with both solidity of form and color and light
renommé *adj.* renowned, famous
renommée *f.* renown, fame
renoncer to renounce
renouveler to renew
renouvellement *m.* renovation, renewal
(se) **renseigner** to seek information, ask for instructions
rentrée *f.* return, reopening (*school*)
rentrer to return
renverse *f.*: **à la —** backwards
renverser to overthrow
répandre to spread
repartie *f.* repartee

repas *m.* meal
répliquer to reply, retort
répondre to reply; **se —** to correspond
réponse *f.* answer
reposant *adj.* restful
(se) **reposer** to rest
repousser to repel, repulse, push back
reprendre to get back
représentation *f.* delegating power
reproduire to reproduce
répugner to be repugnant
réseau *m.* network, system; **— aérien** airway system; **— ferré** railway system; **— routier** highway system
résidu *m.* remainder
résolu *adj.* resolved, unwavering
résolument *adv.* firmly, boldly, definitely
résonner to resound
résoudre to resolve
respectueusement *adv.* respectfully
respiration *f.* respiration, breathing
respirer to breathe
ressemblant *adj.* resembling
ressortissant *m.* subject
ressusciter to revive
Restauration period from 1814 to 1830, during which the Bourbons returned to the throne
restaurer to restore
rester to remain
restreindre to restrict, limit
rétablir to re-establish
retard *m.* delay; **en —** late, behind time
retenir to hold back, reserve
retentir to resound
(se) **retirer** to leave, retreat
retour *m.* return; **de —** back
retourner to return
retrouver to meet again, rejoin
réunion *f.* meeting
réunir to unite, collect, come together
réussir (**à**) to succeed (in)
réussite *f.* success
réveil *m.* awakening
réveiller to awaken
réveillon *m.* midnight supper (*Christmas or New Year's eve*)
révéler to reveal
revenir to return
revers *m.* reverse; lapel
revêtir to put on, clothe
rêveur *m.* dreamer
revivre: faire — to revive, bring to life again
revoir to see again
Rhin *m.* Rhine, important river flowing from Alps to North Sea
Rhône *m.* Rhone, river in SE France, flowing into Mediterranean
rhum *m.* rum
Richard Cœur de Lion Richard the Lion-Hearted (1157–1199); king of England, 1189–99
Richelieu, Duc de (1585–1642) cardinal and statesman, minister of Louis XIII, founder of the French Academy
rider to wrinkle
rien *m.* nothing
rien *pron.* **ne ... —** nothing; **plus ... —** no longer anything; **cela ne fait —** don't mention it
rieur, rieuse *adj.* laughing, gay
riposter to retort
rire to laugh; **— sous cape** to laugh up one's sleeve
rive *f.* bank (*of a river*)
rivière *f.* stream
Rivoli village in N Italy, scene of Napoleon's victory over Austrians in 1797
riz *m.* rice
robe *f.* dress
Robespierre, Maximilien de (1758–1794) leader in Revolution, responsible for Reign of Terror
Rochambeau, Comte de (1725–1807) commander of French army in the American Revolutionary War
roche *f.* rock, boulder

rocher *m.* rock
rocheux, rocheuse *adj.* rocky
Rodin, Auguste (1840–1917) realistic sculptor
roi *m.* king; **Roi-Soleil** Sun King (Louis XIV)
roitelet *m.* wren
Roland medieval Frankish warrior, hero of *Chanson de Roland*
romain *adj. & n.* Roman
roman *adj.* Romanesque, Romance; *m.* novel; romance
romancier *m.* novelist
romantisme *m.* romanticism, artistic and literary movement of early 19th cen. to throw off restraint of classicism
rompre to break
Roncevaux Roncesvalles, pass in Pyrenees
rond *adj.* round
rond-point *m.* circle, street intersection
ronde *f.* round (dance); circle
ronflement *m.* snoring
rosace *f.* rose window
rose *adj.* pink
roseau *m.* reed
rossignol *m.* nightingale
rôti *m.* roast
Rouault, Georges (1871–1958) "fauve" artist noted for his religious paintings
Rouen city on the Seine, capital of Normandy; scene of Joan of Arc's burning (1431)
rouge *adj.* red
rouler to roll, drive, move about
Rousseau, Jean-Jacques (1712–1778) writer, philosopher, and social reformer
routier, routière *adj.* road
royaume *m.* kingdom
royauté *f.* royalty
ruban *m.* ribbon
rue *f.* street
rugir to roar
ruisseau *m.* small stream, brook
Russie *f.* Russia

S

sabot *m.* wooden shoe
sacre *m.* anointing, coronation
sacré *adj.* sacred
Sacré-Cœur 19th cen. church in pseudo-byzantine style, on top of Montmartre
sacrer to consecrate
sage *adj.* wise
saillie *f.* sally
sain *adj.* healthy
saint *adj.* holy; **histoire -e** Bible history; *n.* saint
Sainte-Chapelle medieval church in Paris, built by Saint Louis to house relics from Holy Land
Sainte-Hélène Saint Helena, island in S Atlantic
Saint Louis Louis IX, king of France from 1226 to 1270, crusader
Saint-Saëns, Camille (1835–1921) composer of operas, symphonies, concertos, and chamber music
Saint-Sylvestre: la (fête de) — New Year's eve
saisir to seize, strike, grasp
saison *f.* season
salarié *m.* wage earner
sale *adj.* dirty
salle *f.* room, hall; **— à manger** dining room; **— des séances** assembly hall
salon *m.* drawing room, reception room
saluer to greet
salut *m.* safety
samedi *m.* Saturday
Samothrace Greek island where the statue "Winged Victory" — «*Victoire de Samothrace*» —(3rd cen. B.C.) was found

sanctuaire *m.* sanctuary, shrine
sang *m.* blood
sanglant *adj.* bloody
sanglier *m.* boar
sans *prep.* without
santé *f.* health
Sarrasins Saracens, Moslems who invaded S France in 8th cen.
saucisson *m.* sausage
sauf *prep.* except
sauter to jump
sauvage *adj.* wild
sauver to save; **se —** to escape
savant *adj.* learned, well-informed; *m.* man of learning, scholar
Savoie Savoy, region in E France; ceded to France by Kingdom of Sardinia in 1860
savoir to know, know how, be able; undergo; *m.* knowledge
savon *m.* soap
Scandinave *n.* Scandinavian
sceau *m.* seal
Schiller, Friedrich (1759–1805) German poet, author of play *The Maid of Orleans*
science *f.* science, knowledge
scolaire *adj.* of school, academic
séance *f.* meeting; **— d'ouverture** opening meeting
seau *m.* bucket
sec, sèche *adj.* dry
sécher (*fam.*) to cut classes
secouer to shake off
secours *m.* help
Sedan city in N France where Napoleon III capitulated to Wilhelm I, king of Prussia (1870)
seigneur *m.* lord, nobleman
seigneurial (*pl.* **-aux**) *adj.* seigniorial
seigneurie *f.* seigniory, nobleman's estate
Seine *f.* river flowing W through Paris to English Channel at Le Havre
séjour *m.* residence, sojourn
séjourner to remain
sel *m.* salt
selle *f.* saddle
selon *prep.* according to
semaine *f.* week
semblable *adj.* similar, like
semblant *m.* semblance; **faire — de** to pretend to
sembler to seem, appear
semer to sow
sens *m.* meaning, direction
sensible *adj.* sensitive
sensiblement *adv.* practically, perceptibly
sentir to feel
séparer to separate
septième *adj.* seventh
série *f.* series
sérieux, sérieuse *adj.* serious
serment *m.* oath
serré *adj.* close, compact, squeezed
serrer to tighten; shake; **se —** to cling together
serviable *adj.* obliging
serviette *f.* napkin
servir (de) to serve (as); **se — de** to use
serviteur *m.* servant
seuil *m.* threshold, entrance
seul *adj.* single, alone
seulement *adv.* only
sévir to be the rage, prevail
si *adv.* so, however
sidérurgique *adj.* iron, pertaining to iron metallurgy
siècle *m.* century; **Grand Siècle,** 17th cen., when France assumed political and cultural leadership in Europe under Louis XIV
siège *m.* seat; siege
siéger to be seated
siens *m. pl. pron.* his, his own family
siffler to hiss
signaler to point out
signifier to mean
silencieux, silencieuse *adj.* silent

sine qua non (*Latin*) indispensable
sinon *conj.* if not
sirop *m.* syrup
Sisley, Alfred (1839–1899) impressionist painter of bright, gay canvases
situé *adj.* situated
ski *m.* skiing; **faire du —** to go skiing
sobriquet *m.* nickname
société *f.* society
soie *f.* silk
soierie *f.* silk mill
soif *f.* thirst; **donner —** to make thirsty
soigneusement *adv.* carefully
soin *m.* care, need
soir *m.* evening
soirée *f.* evening
soit *conj.* that is to say, viz., namely; **— ... —** either ... or
soixante sixty
sol *m.* soil
soldat *m.* soldier
soleil *m.* sun
solennellement *adv.* solemnly
sommaire *adj.* abridged, sketchy
sommeil *m.* sleep; sleepiness
somptueux, somptueuse *adj.* sumptuous
son *m.* sound
songe *m.* dream
songer to think, dream
sonner to sound, ring
sonore *adj.* sonorous, resonant
sorbet *m.* sherbet
Sorbonne *f.* the Faculties of Letters and Sciences of the University of Paris and the buildings occupied by them
sorcière *f.* witch
sornette *f.* nonsense, idle talk
sort *m.* destiny, outcome, fate
sorte *f.* sort, way; **de — que** so that, in such a way that; **en — que** consequently
sortie *f.* exit
sortir to come out; take out
souci *m.* care, concern
soucieux, soucieuse *adj.* concerned, uneasy
soucoupe *f.* saucer
soufflante *f.* blower
souffrance *f.* suffering
souffrir to suffer
souhait *m.* wish
souhaiter to wish, desire
souiller to soil
soulever to lift up, rouse
soulier *m.* shoe
soumettre to submit
soumis *past p. of* **soumettre** subjugated, submissive
souplesse *f.* suppleness, flexibility
sourd *adj.* deaf; dull, colorless
sourire to smile; *m.* smile
sous *prep.* under
sous-estimer to underestimate
sous-lieutenant *m.* second lieutenant
soutane *f.* cassock
soutenir to maintain, support
souterrain *adj.* underground
soutien *m.* support
souvenir *m.* remembrance
(se) souvenir de to remember, recall
souvent *adv.* often
souverain *adj. & n.* sovereign
spirituel, spirituelle *adj.* witty, clever
spontanément *adv.* spontaneously
Strasbourg principal city of Alsace
stratagème *m.* trick
strophe *f.* stanza
subir to undergo, go through
subitement *adv.* suddenly
subsister to continue, remain
substituer to substitute
subventionner to subsidize
sucre *m.* sugar
sud *m.* south
Suède *f.* Sweden
suffire to suffice
Suisse *f.* Switzerland

suisse *adj.* Swiss; **petit —** small cream cheese
suite *f.* continuation; **à la —** following as a result; **de —** in succession; **par la —** subsequently; **par —** as a result
suivant que *conj.* as, according as
suivre to follow; **— un cours** to take a course (*school*), follow a course (*river*); **suivi** *past. p. & adj.* popular, sought after, well-patronized
sujet *m.* subject; **à son —** regarding him
superficie *f.* surface, area
superflu *adj. & n. m.* superfluous
supermarché *m.* supermarket
suppléer to replace; **— à** to supplement, make up for
supplice *m.* punishment
supprimer to suppress
sur *prep.* on, over, by, out of, concerning, about, upon
sûr *adj.* sure, certain; **bien —** of course
sûreté *f.* security, safety
surgir to rise
surhumain *adj.* superhuman
surintendant *m.* superintendent, overseer
surmener to overwork
surnaturel *adj.* supernatural
surprendre to surprise
surréalisme *m.* doctrine, originating around 1920, which eschewed the "real" in painting and cultivated the "superreal," chiefly by dream symbolism
sursaut *m.* start; **se réveiller en —** to wake with a start
surtout *adv.* especially, above all
surveillance *f.* supervision, inspection
surveiller to watch (over)
survenir to happen unexpectedly
susceptible *adj.* touchy, irritable, sensitive
suspendre to suspend
symbolisme *m.* literary movement of last half of 19th cen., which strove to suggest ideas and emotions by symbolic words or word sounds
symétrique *adj.* symmetrical
sympathique *adj.* likable

T

tabac *m.* tobacco
tableau (*pl.* **-x**) *m.* board, painting, picture
tache *f.* spot
tacher to stain
tâcher to attempt, try
taille *f.* size; waist
tailleur *m.* cutter, tailor
(se) **taire** to be silent
Talleyrand, Charles Maurice de (1754–1838) diplomat under the Directorate, Consulate of Napoleon I, Empire, and restored monarchy
tandis que *conj.* whereas
tanière *f.* den, lair
tant *adv.* so much, so many; **— ... que** as much . . . as, both . . . and
tantôt *adv.* presently; **— ... —** sometimes . . . sometimes
tapisserie *f.* tapestry; fancy needlework
tard *adv.* late
tarder to delay, linger
tas *m.* heap, pile
tasse *f.* cup
taupe *f.* mole
taureau *m.* bull; **course de -x** bullfight
taux *m.* **— de la natalité** birth rate
té (*fam.*) Provençal interjection of greeting
tel, telle *adj.* such; **— que** such as, just as
télégraphie *f.*: **— sans fil** wireless telegraphy, radio
téléphérique *m.* cable railway
témoigner to testify

témoin *m.* witness
tempéré *adj.* temperate
tempête *f.* storm
Temple *m.* medieval monastery and center for Knights Templars, where Louis XVI was imprisoned; demolished in 1811
temps *m.* time, weather; **de — en —** from time to time; **de tout —** always
tendre to extend
ténébreux, ténébreuse *adj.* shadowy
tenir to hold, stay; **— compte** to keep in mind; **tiens! tenez!** indeed, well! I never!; **se —** to hold fast, control one another; **se — par la manche** to be on friendly terms
tenter to tempt, try, attempt
tenue *f.*: **— de plage** beach (swimming) clothes
terminer to end
terne *adj.* dull
terrasse *f.*: pavement (*in front of a café*); **— (de café)** outside (*of café*)
terre *f.* earth, land, country; **Terre Sainte** Holy Land, Palestine
Terreur *f.* Reign of Terror (1793–1794)
tête *f.* head; **en —** ahead; **par —** per head, a head
têtu *adj.* stubborn
thé *m.* tea
thermes *m. pl.* thermal baths, hot springs
Thomas d'Aquin (1225–1274) Thomas Aquinas, founder of Thomistic school of philosophy and theology
Tibre *m.* Tiber, river running through Rome
tiers *n. & adj.* third; **tiers-état** *m.* Third Estate (the body of people except nobles and clergy)
timbre *m.* stamp
tintement *m.* ringing, tolling
tir *m.*: **— à l'arc** archery
tirer to fire; draw; take
titre *m.* title; **à — d'exemple** as an example
toile *f.* canvas; web
toilette *f.* gown, dress
toison *f.* fleece
toit *m.* roof
tôle *f.* sheet iron
tombe *f.* tomb, grave
tombeau *m.* tomb
tomber to fall
tonne *f.* ton (1000 kilograms)
torrentueux, torrentueuse *adj.* torrent-like, rushing
tort *m.* wrong; **avoir —** to be wrong
tôt *adv.* early, soon
totalement *adv.* completely
toucher to receive
toujours *adv.* always
Toulon French port and naval base on Mediterranean
Toulouse-Lautrec, Henry de (1864–1901) painter, best known for his music hall and circus scenes
tour *f.* tower; **— de guet** watchtower
tour *m.* turn; trip; trick; **à son —** in turn; **— à —** in turn
Touraine *f.* former province S of Paris
tourelle *f.* little tower
tournant *m.* turn, bend
tourner to turn
Tours capital of former province of Touraine, 148 miles SW of Paris
(la) Toussaint All Saints' Day
tout *adj.* all, entire; *adv.* wholly, completely; **— à coup** suddenly; **— à fait** completely, entirely; **— de suite** at once; **— en** all the while
toutefois *adv.* nevertheless
toutou *m.* (*fam.*) dog, "bow-wow"
trahir to betray
trahison *f.* treason
train *m.*: **— de marchandises** freight train; **— omnibus** slow train; **— rapide** express; **être en — de** to be in the act of

traîner to drag
trait *m.* trait, feature, characteristic; **— d'esprit** witticism; **d'un —** in one gulp
traité *m.* treaty
traitement *m.* salary
trajet *m.* trip, journey, course
tramontane *f.* north wind
tranche *f.* slice
transalpin *adj.* transalpine
transept *m.* transept, crossing
transmettre to transmit
travail (*pl.* **-aux**) *m.* work
travailler to work (at), be occupied with, handle
travers: à — *prep.* through, across; **de —** askew, on wrong
traverser to cross, cut through, pass through
tremper to dip
trentaine *f.* thirty, about thirty
trente thirty
très *adv.* very
trésor *m.* treasure
tribu *f.* tribe
tribunal *m.* court, tribunal
Tristan et Iseult medieval Celtic romance
triste *adj.* sad
tristesse *f.* sadness
tromper to deceive; **se —** to be mistaken, make a mistake
trompeur, trompeuse *adj.* deceiving
trône *m.* throne
trop *adv.* too, too much
trottoir *m.* sidewalk, pavement
trou *m.* hole
troubadour *m.* medieval minstrel of region S of the Loire
troupeau *m.* flock
trouvaille *f.* invention, discovery
trouver to find, like; **se —** to be (located)
trouvère *m.* medieval minstrel of region N of the Loire
truffe *f.* truffle
tudesque *adj.* Germanic
tuer to kill
Tuileries park adjoining Louvre in Paris; site of former royal residence burned by the Commune (1871)
turc, turque *adj.* Turkish
Turin city in NW Italy, capital of Piedmont
Turpin archbishop of Rheims, one of Charlemagne's knights
tutelle *f.* trusteeship, protection
tutoyer to address someone as *tu* and *toi* instead of *vous;* be on familiar terms with

U

Ulysse Ulysses (Odysseus)
UNESCO United Nations Educational Scientific and Cultural Organization, founded in 1945 with headquarters in Paris
unique *adj.* unique, single
uniquement *adv.* exclusively, only
urgence *f.* emergency
usage *m.* use, experience; **être d'—** to be the custom
usager *m.* user
usine *f.* factory
usurpateur *m.* usurper
utile *adj.* useful

V

vacances *f. pl.* vacation
vache *f.* cow
va-et-vient *m.* coming and going; movement to and fro
vague *f.* wave
vaincre to conquer
vaincu *m.* conquered (one)
vainement *adv.* vainly
vainqueur *m.* conqueror
vaisseau *m.* vessel
Val de Loire area around Tours, with many Renaissance châteaux

valeur *f.* value, worth
vallée *f.* valley
valoir to be worth, be equivalent to; **— mieux** to be better
vaniteux, vaniteuse *adj.* vain
vantardise *f.* boasting
vanter to extol; **se — de** to brag of, about
vapeur *f.* steam, vapor, fumes
variante *f.* variant, other version
varier to vary
variété *f.* variety
veau *m.* veal
veille *f.* day before, night before, eve
veiller to watch over
Vence small city near Nice
Vendée *f.* province S of Brittany, scene of civil wars in favor of monarchy, 1793–1795, 1815, and 1832
vendeur *m.* seller, vendor, salesman; **vendeuse** *f.* saleslady
vendre to sell
vengeur, vengeresse *m. & f.* avenger, revenger
venir to come; **— de** to have just
vent *m.* wind
ventre *m.* stomach; **prendre du —** to put on weight, acquire a paunch
Vénus de Milon masterpiece of Greek sculpture (3rd cen. B.C.) discovered in 1820 on the Aegean island of Melos, now in Louvre
ver *m.*: **— à soie** silkworm
verglas *m.* coating of ice
véritablement *adv.* truly, really
vérité *f.* truth
vernissage *m.* "varnishing day," private opening at which artist exhibits his new paintings to a selected group
verre *m.* glass
vers *m.* verse
vers *prep.* toward, around
Versailles palace 11 miles SW of Paris; constructed for Louis XIV, now a museum
verser to pour
vert *adj.* green
vertu *f.* virtue
veste *f.* coat
vêtement *m.* garment, clothes
vêtir to clothe, dress
veuve *f.* widow
viande *f.* meat
Vichy city in central France, noted for its mineral water; seat of Petain government during Nazi occupation
victoire *f.* victory
vide *adj.* empty
vie *f.* life; **à —** for life
vieillard *m.* old man
vieillesse *f.* old age
vieillir to grow old
vielle *f.* viol
Vienne Vienna, capital of Austria
vierge *f.* virgin
vieux, vieille *adj.* old; *n.* old man, old woman; old people
vif, vive *adj.* lively, alive; **eau vive** spring water
vigne *f.* vine, vineyards
vignoble *m.* vineyard
Vigny, Alfred de (1797–1863) romantic poet, novelist, and dramatist
ville *f.* city; **hôtel de —** city hall
Villefranche town on the French Riviera
Villon, François XVth cen. lyric poet who led an adventurous and criminal life
vin *m.* wine; **— rosé** light red wine
Vinci, Léonard de Leonardo da Vinci (1452–1519), painter, rivaling Michaelangelo, and sculptor, architect, engineer, musician
vingt twenty
vingtaine *f.* about twenty
vinicole *adj.* wine-growing
visage *m.* face, aspect
viser to aim
vite *adv.* quickly

vitesse *f.* speed
vitrail (*pl.* **-aux**) *m.* stained-glass window
vitre *f.* glass
vitrier *m.* glazier
vitrine *f.* show window
vivace *adj.* living; deep-rooted
vivre to live; **faire —** to bring to life; give a livelihood; *m.* lodging
vocable *m.* word
voguer to sail
voici *prep.* here is, here are
voie *f.* way, path, road, route; **— de pénétration** main route
voilà *int.* well, well! there you are!; *prep.* there is, there are
voir to see
voire *adv.* even, indeed
voisin *adj.* neighboring; *n.* neighbor
voiture *f.* vehicle, coach (*train*), carriage
voix *f.* voice, vote; **à haute —** aloud
vol *m.* flight
volaille *f.* fowl
voler to steal; fly
volet *m.* shutter
voleur *m.* robber
volonté *f.* will
volontiers *adv.* willingly, gladly, with pleasure; **avoir —** to cultivate; **dire —** to like to say
Voltaire (1694–1778) pseudonym for François-Marie Arouet, prolific historian, philosopher, critic, and wit
Vosges mountains in NE France, parallel to Rhine
vouloir to wish, want, require; **— bien** to be willing; **— dire** to mean; **— de** to accept
voûte *f.* vault, arch; **clef de —** keystone
voyageur *m.* traveller; **pigeon —** carrier pigeon
vrai *adj.* true, real
vue *f.* sight, view
vulgaire *adj.* common, everyday

W

wagon *m.* coach, car (*railway*)
Waterloo Belgian village near Brussels, site of victory of England and Prussia over Napoleon, 1815
Watteau, Antoine (1684–1721) painter of fashionable society of his day

Y

y *adv. & pron.* there, in it, to it, it; **il — a** there is, there are

Z

zinc *m.* (*fam.*) bar
Zola, Emile (1840–1902) naturalist novelist